S0-CCH-229

Månpocket

Viveca Sten

I STUNDENS HETTA

Månpocket

Denna Månpocket är utgiven enligt överenskommelse med
Bokförlaget Forum, Stockholm

Omslag: Johan Petterson
Omslagsfoto: Anders Ekholm, Nordic Photos och BIOSPHOTO

Tryckt hos UAB Print-It, Litauen 2013

ISBN 978-91-7503-200-9

Till min älskade dotter Camilla

Ett hav av vita skrov fyllde hamnen. Överallt låg båtar med festande människor. En myllrande massa av berusade ungdomar rörde sig fram och tillbaka på bryggorna i den ljumma sommarkvällen. Men flickan som stapplade fram i folkmassan frös så hon skakade.

Det var folk överallt men ingen hon kände igen. Alla pratade och skrattade med uppspelta röster. Ljudet skar i henne och hon slog händerna för öronen för att stänga ute oväsendet.

Förtvivlat kisade hon i kvällsljuset medan hon sökte efter ett välbekant ansikte.

Ett gäng tonåringar grillade i sanden, trots förbudsskyltarna. Längre bort stod flera poliser i gula västar och ytterligare några anlände på en röd fyrhjuling som stannade till vid hörnet av Seglarrestaurangen.

Flickan på bryggan märkte dem inte. Hennes ljusa hår var rufsigt och ögonen stelt uppspärrade. Hon haltade lätt, den ena foten saknade sko.

Någon knuffade till henne och hon törnade emot en papperskorg.

Blicken irrade fram och tillbaka. En snyftning trängde fram och hon stödde sig mot en vattenpost. Men ingen tog någon notis om henne, runtomkring steg och sjönk sorlet, den höga musiken dränkte det jämrande ljud som steg ur hennes strupe.

”Måste hitta båten”, gnydde hon.

Ännu en person stötte emot henne och den här gången föll hon omkull på den solstekta bryggan. Utmattad blev hon sittande, oförmögen att resa sig upp igen. De smutsiga kinderna var strimmiga av tårar och hon mumlade något som ingen utom hon själv förstod.

Hon huttrade till, och i ett försök att bli varmare slog hon armarna om sig.

”Hur är det med dig?”

Ett par i medelåldern hade stannat till framför henne.

”Hur mår du egentligen?” sa kvinnan och lade vänligt handen på hennes arm.

Flickan reste sig och sprang sin väg, ut på den långa pontonen som anslöt till kajen, långt bort från paret.

"Måste hitta Victor", mumlade hon.

Musiken var högre nu.

Från en stor motorbåt pumpade väldiga svarta högtalare ut intensiva technorytmer. Ljudet var öronbedövande och vibrationerna spred sig till betongen under hennes fötter. På båtens akterdäck stod ett lågt mahognybord där halvfulla glas trängdes med fimpar och flaskor. I en bred vit lädersoffa satt en solbränd kille med bar överkropp och en cigarett i handen. Han svepte med blicken över flickans kropp.

"Känner du dig ensam?"

Han flinade och gjorde en vid cirkelrörelse med tungan.

"Jag kan hjälpa till."

Hon skyggade igen, backade några steg och sprang åt andra hållet, tillbaka mot land.

En skog av vita master mötte henne. Hjälplöst stirrade hon på båtarna framför sig.

"Victor", viskade hon medan tårarna började rinna igen. "Var är du?"

Sedan vek sig benen och hon föll ihop i sanden.

Måndagen den 16 juni 2008

Kapitel 1

”Det ska väl bli trevligt att hälsa på Larssons över midsommar?”

Madeleine Ekengreen vände sig om mot Victor men han struntade i att svara sin mamma.

Klockan närmade sig sju på kvällen. Ett motorljud utanför fönstret avslöjade att faderns Jaguar just svängt in på garageuppfarten. Madeleine speglade sig i den metallfärgade kylskåpsdörren och rättade till sin blonda frisyr.

Vem tror du att du lurar? tänkte Victor. *Med dina slingor och botox i pannan. Det är ingen som tror att du är trettiofem längre, hur du än försöker.*

”Victor?”

”Jag vill inte följa med.”

”Vi brukar ju alltid åka dit”, sa Madeleine och fick något ansträngt i blicken, som om hon inte riktigt förstod vart samtalet var på väg.

Hon ställde en skål med grönsallad på matbordet och rörde om.

”Vad skulle du annars göra?” fortsatte hon.

Victor stirrade ner i tallriken.

”Jag tänker dra till Sandhamn med Tobbe och några kompisar. Christoffer har fått låna deras farsas motorbåt, den är assoft.”

”Säg inte ’assoft’”, sa Madeleine automatiskt. ”Det låter så illa.”

Det var tydligt att hon inte alls var förtjust i tanken på att han skulle tillbringa midsommar på egen hand.

”Ska Tobbes pappa följa med?” sa hon efter en stund.

Victor skakade på huvudet.

”Nää. Han ska till Falsterbo, tror jag.”

”Felicia då?”

Nu nickade han.

”Det är klart hon hänger på.”

”Vad säger hennes föräldrar om det?”

Madeleine lät misstänksam, men Victor visste att hon tyckte om hans flickvän.

”De är coola.”

Egentligen hade Felicia sagt att hon skulle följa med Ebba till landet. Och Ebba hade sagt att hon skulle följa med Felicia.

Tvivel dröjde sig kvar i Madeleines ögon, men hon vände sig om och gick bort till köksön där hon hämtade ett fat med grillad kyckling. Det smällde i porten mellan garaget och groventrén.

Här kommer den store Johan Ekengreen, tänkte Victor.

”Är det riktigt säkert att Felicias föräldrar tillåter det här?” sa Madeleine och ställde ner kycklingen på matbordet.

”Men kan du sluta tjata!”

Victor sträckte sig efter mjölkpaketet som stod mitt på bordet och fyllde sitt glas.

Madeleine sa ingenting. Victor visste att hon blivit sårad men han orkade inte be om ursäkt. Hon var ändå upptagen jämt, varför skulle hon börja gnälla nu när han för en gångs skull hade egna planer?

När du och farsan stack till Paris på höstlovet, då gick det minsann bra, tänkte han. Då fick jag sköta mig själv.

”Jag är sexton, jag klarar mig”, sa han. ”Vi är förresten asmånga som ska åka dit.”

Victor visste att hon skulle reagera på att han sa ”asmånga” och såg utmanande på henne.

Madeleine gav upp.

”Du behöver inte bli så arg”, sa hon. ”Jag förstår inte varför du har blivit så lättstött. Du brusar upp hela tiden, vad jag än säger.”

”Men sluta tjata då”, upprepade Victor.

Dörren öppnades och Johan Ekengreen kom in i köket. Han visslade belåtet och verkade inte märka att stämningen var spänd.

Victors pappa skulle snart fylla sextiotre. Han var solbränd och gick på gym flera gånger i veckan. Håret hade bara glesnat en aning, Victor visste att han färgade det i smyg så att det inte skulle synas att det blivit grått.

”Hej på er.”

Med ett brett leende släppte han portföljen på golvet och lossade på slipsen. Sedan tog han av sig kavajen och hängde den över en stolsrygg.

”Victor tänker inte följa med oss på midsommarafton”, sa Madeleine och såg uppfordrande på sin man, som för att få honom att förstå att han måste tala allvar med sonen.

”Varför inte då?”

Johan Ekengreen vände sig mot Victor, men innan han kunde svara fortsatte Madeleine.

”Han vill åka till Sandhamn med sina kompisar istället för att fira med Larssons.”

Fadern skrattade, trots att Madeleines min stelnade.

”Grabben börjar bli stor. Han vill festa i Sandhamn som alla andra. Det hade jag också velat göra i hans ålder.”

Johan sträckte sig efter den öppna vinflaskan som stod mitt på bordet och hällde upp ett glas. Automatiskt luktade han på vinet innan han smakade på det.

”Inte så dåligt”, sa han och inspekterade etiketten på flaskan.

”Johan, lyssna nu”, sa Madeleine och torkade av diskbänken med snabba, irriterade rörelser.

”Får jag åka då, pappa?” sa Victor innan Johan hann svara.

Fan, vad han skulle lacka ur om hon stoppade Sandhamnsplanerna. Han hade gott om pengar, fadern hade gett honom ett kuvert med flera tusen som belöning för slutbetygen, som trots allt blivit riktigt hyfsade.

Det skulle gå att fixa riktigt schysta grejer till midsommar.

”Han är inte tillräckligt gammal”, protesterade hans mamma en sista gång. ”Han har precis fyllt sexton. Det är för tidigt att låta honom ge sig iväg på egen hand.”

”Jag förmodar att Felicia ska följa med?” sa Johan.

”Ja.”

Victor nickade utan att se upp. Kom igen, farsan, tänkte han, kom igen.

”Då så.”

Johan Ekengreen vände sig mot sin hustru.

”Låt grabben hållas. Man är bara ung en gång i livet.”

Han tog ännu en klunk av vinet. Det skimrade blodrött i den tunna glaskupan.

”Det handlar bara om några dagar i skärgården.”

Lördag

Kapitel 2

Nora Linde kunde inte låta bli att dra efter andan när Wilma Sköld kom ner från övervåningen i Brandska villan.

Fjortonåringen hade mörk kajal runt ögonen och fransarna bar ett tjockt lager av mascara som klibbat ihop. Jeanskjolen var så kort att den liknade ett par shorts och genom den tunna vita toppen skymtade behån.

Med en kraftansträngning avstod Nora från att fälla en kommentar. Wilma gick bara i åttan, men sminket gjorde henne äldre och fick henne att se alldeles för hård ut. Nora blev tvungen att påminna sig om att det var Jonas sak att säga till henne. Efter bara åtta månader tillsammans kunde hon knappast börja uppfostra Wilma som sitt eget barn.

Hela måltiden hade flickan suttit som på nålar, som om varje minut som hon måste avstå från sina vänner var en pina. Så fort hon fick hade hon försvunnit upp i badrummet för att göra sig i ordning.

Wilma gick förbi Nora i köket och fortsatte in i matsalen där Jonas satt kvar med Adam och Simon. Adam hade ätit upp men Simon plockade fortfarande med sin färskpotatis. Han älskade de första mjälla knölarna som kom i juni och hade tagit en tredje omgång.

”Pappa”, sa Wilma. ”Jag sticker nu. Jag är skitsen.”

Nora hade följt efter, men stannade kvar i dörröppningen och lutade sig mot dörrkarmen. Det märktes att Jonas också hajade till när han såg sin dotter. Ibland fick Nora en känsla av att han inte ville förstå att hon var på väg att växa upp.

”Ska du inte ta med dig en jacka åtminstone”, sa Nora försiktigt. ”Det blir säkert kyligt framåt natten. Du vet hur det kan bli här ute i skärgården.”

Wilma verkade inte lägga märke till Nora. Hon tog några steg i riktning mot Jonas.

”Kan jag få lite pengar?” tiggde hon.

”Har inte du fått din månadspeng redan?”

”Jooo.” Wilma drog på svaret. ”Men den har tagit slut.”

Jonas höjde på ögonbrynen men sträckte sig efter plånboken i bakfickan. Han öppnade den för att sedan hejda sig. Som om han övervägde det kloka i att ge sin tonårsdotter ett extra tillskott.

”Snälla pappa, det blir inget kul annars.”

Wilma hängde över en av stolsryggarna och lät plötsligt barnsligt bedjande. För en sekund kunde Nora föreställa sig hur hon måste ha sett ut som liten, med tofsar och glugg mellan tänderna.

Som väntat kapitulerade Jonas. Han drog fram tre hundralappar som han lade på bordet och sköt fram mot sin dotter.

”Men jag vill ha tillbaka det som blir över”, sa han.

Både tonfallet i hans röst och Wilmas belåtna min tydde på att det inte skulle hända.

Adam såg upp från sin tallrik och gav Wilma en lång blick.

Det skilde bara ett år mellan dem, men hittills hade Adam inte varit särskilt intresserad av att gå ut på kvällarna. Istället föredrog han att sitta hemma och spela dataspel, med eller utan kompisar. Nora visste att det bara var en tidsfråga innan han också skulle vilja ut och festa men hon var glad så länge det dröjde. Skilsmässan från Henrik hade kommit ungefär samtidigt som Adam gick in i puberteten och ingetdera hade varit enkelt.

”Får man åtminstone en kram innan du går din väg”, sa Jonas medan han stoppade tillbaka plånboken.

Wilma gick runt matbordet och böjde sig hastigt fram. Sedan rätade hon på ryggen, backade några steg och sa, med en misstänkt nonchalant röst: ”Räcker det om jag är hemma till två i kväll?”

Jonas rynkade pannan.

”Klockan tolv har vi ju sagt. Det vet du att din mamma och jag är överens om.”

”Men orka … Det är ju midsommardagen. Alla andra kommer att få vara ute mycket längre, ska jag vara den enda som måste gå hem tidigt? Det är inte schyst.”

Ge inte med dig, tänkte Nora och var samtidigt glad över att det inte var hon som måste ta fighten. Hon hade nog med sina egna duster.

Nora stod kvar och väntade på Jonas svar utan att lägga sig i. Till och med Simon var tyst för en gångs skull, han ägnade sig åt potatisen på tallriken.

”Snälla pappa …”

Wilma lade huvudet på sned och såg om möjligt ännu mer bönfallande ut än tidigare.

Jonas sköt ifrån sig tallriken.

”Vi säger väl klockan ett då. Men bara för den här gången. Jag vill inte höra mer prat om sena kvällar under resten av sommaren.”

Wilmas ansikte speglade motstridiga känslor. Skulle hon fortsätta tjata och riskera att Jonas blev irriterad, eller nöja sig med den halva segern?

Tydligen var klockan ett bättre än ingenting, för hon tog ett litet danssteg och sa:

”Jag lovar. Tack snälla, du är bäst.”

Wilma lutade sig fram och gav sin far ännu en kram. Den här gången var glädjen äkta. Jonas försökte stryka henne över håret men hon gled kvickt undan.

I förbifarten fick till och med Nora ett leende.

”Hej då. Vi ses i morgon.”

”Var rädd om dig. Har du med dig mobilen?”

”Ja, ja, den är med.”

Rösten var otålig, den tunna tonårskroppen redan i rörelse.

”Den ska vara på också”, sa Jonas. ”Glöm inte det. Du måste lova att du svarar om jag ringer.”

Wilma hade hunnit öppna dörren och vände sig inte om.

”Okej, okej. Jag lovar. Sluta tjata.”

Nora suckade. Wilma lindade Jonas runt lillfingret, men Nora tyckte inte att hon var så enkel att tas med. Det var nog bra att de fortfarande bodde på varsitt håll, hon i den nya lägenheten i Saltsjöbaden och Jonas i sin trea i stan.

Här på Sandhamn hyrde Jonas Noras gamla hus som hon lämnat i fjol när hon och pojkarna flyttade in i Brandska villan, det vackra sekelskifteshus som hon ärvt av sin granne tant Signe. Det var genom hyresförhållandet de hade lärt känna varandra.

Den här helgen befann sig alla hos Nora eftersom ett elfel hade gjort att det saknades ström inne hos Jonas. Öns snälla elektriker hade lovat fixa problemet nästa dag.

Ytterdörren smällde igen bakom Wilma och hon var borta.

Kapitel 3

Wilma log belåtet när hon lämnade huset utan att stänga grinden.

Det pep till i mobilen.

”Kommer du snart? Jag r redan i hamnen/Malena”

Snabbt knappade hon in ett svar.

”det r lugnt, r på väg/W”

Hon hade inte alls haft lust att fira midsommar på Sandhamn med pappa och Nora, men när hon fick veta att kompisarna från stan skulle komma ut började hon plötsligt se fram emot midsommarhelgen, trots Nora och hennes ungar. Simon kunde i och för sig vara rätt gullig, han ville gärna ha sällskap av Wilma när han tittade på tecknade filmer. Men Adam var hopplös, han satt bara vid datorn och spelade tråkiga dataspel, med eller utan sina lika hopplösa kompisar.

Pappa och Nora var ännu värre, de höll på och kladdade på varandra hela tiden när de trodde att ingen märkte något. Det var skitjobbigt. Äckligt. Varför var han tvungen att träffa henne?

Telefonen pep igen.

”Har du med ngt?”

Wilma klappade belåtet på väskan. I Noras gamla potatiskällare stod flera lådor med vin. Wilma hade upptäckt dem av en slump och nu hade hon tagit två flaskor från kartongen längst in i hörnet.

Hela veckan hade hon funderat på vad hon skulle ha på sig och provat igenom alla toppar gång på gång. Till slut bestämde hon sig för en kort vit jeanskjol med ett enkelt linne. Hon ville vara fin utan att vara överdriven.

På H&M hade hon hittat en ny mascara som hon egentligen inte hade råd med. I ett obevakat ögonblick hade hon stoppat den i fickan. Det var fel, det visste hon, men om de inte upptäckte något fick de skylla sig själva.

Wilma hade börjat hänga med det nya gänget under vårterminen. Alla i hennes egen klass var så barnsliga, de larvade sig hela tiden. Killarna var finniga och fjantiga, ena minuten pratade de med mörka röster, i nästa gick de upp i falsett.

De nya vännerna var mycket mer spännande. Särskilt Mattias. Han var halvbror till hennes kompis Malena i parallellklassen. Det skilde två och ett halvt år mellan syskonen, han gick på gymnasiet i en innerstadsskola.

Malenas bror var lång och mörk och han hade låtit håret växa ner i nacken. Han brukade stryka det bakom öronen så att det lockade sig där det stack fram. Wilma längtade efter att få dra handen genom hårslingorna. Runt halsen bar han en kedja av silver och han klädde sig snyggt i slitna jeans och loafers av mocka. Han var så mycket häftigare än killarna i hennes klass med sina fula huvtröjor och sneakers. De liknade mest apor i flock.

Det hade inte tagit lång stund för Wilma att falla för Mattias, men än så länge verkade det inte som om han märkte något. Han pratade knappt med henne trots att hon försökte fånga hans uppmärksamhet så fort han var med.

Varje gång de hade träffats kunde Wilma sitta i timmar och gå igenom allting han sagt. Hon analyserade varje mening och sättet han uttalat den, hur han såg på henne när han sa något.

Hon visste att hon inte var ensam om att gilla Mattias. Han hade alltid olika tjejer på gång och det pep jämt i hans mobil. Då och då garvade han och visade något mess för de andra killarna. Ibland kunde han fälla en ironisk kommentar.

Wilma slickade sig om läpparna och kände efter att läppglansen satt kvar. Den hette Spring Blossom och var rosaorange. Den hade också slunkit med från H&M och hon tyckte att den fick henne att se äldre och mer erfaren ut.

I kväll skulle Mattias lägga märke till henne. Wilma kände det i kroppen, den här kvällen skulle han förstå att hon inte var så liten, inte en barnunge som hans lillsyrra släpade med sig.

Vinflaskorna i handväskan var hennes trofé. Han skulle få se att hon var med på noterna, att hon också kunde vara en i gänget.

Hon var beredd att göra vad som helst för att få vara med honom.

”Ska vi ta kaffet vid bryggan?” sa Nora och såg på Jonas.

Solen stod fortfarande högt på himlen trots att klockan närmade sig åtta på kvällen. Det var länge sedan midsommarhelgen hade bjudit på så fint väder och det var ljuvligt att känna värmen efter den långa mörka vintern.

Jonas drog henne intill sig. Han förde munnen över hennes hår och mumlade: ”Det är bara vi i huset.”

Nora lutade huvudet mot hans panna och njöt av att ha honom intill sig.

”Killarna är hos sina kompisar och Wilma kommer inte tillbaka på länge”, andades Jonas i hennes öra.

Ett leende spelade i ena mungipan och Nora kände hur hon svarade på inviten, en varm känsla spred sig nedanför naveln och det pirrade i kroppen. Med halvöppen mun lutade hon sig närmare och mötte Jonas läppar.

För att sedan hejda sig.

”Tänk om Adam och Simon kommer tillbaka. Det kan bli jättedumt då.”

Nora vred sig ur hans grepp utan att låtsas om besvikelsen i Jonas ögon.

”Vi har gott om tid senare”, sa hon och böjde sig ner för att hämta en bricka ur ett underskåp. Hon dukade med två muggar, socker och en kanna mjölk.

”Vill du ha något till?” sa hon. ”En midsommarkonjak, kanske?”

Han verkade inte ha tagit illa upp, istället log han så inbjudande mot henne att hon nästan föll till föga. Hon kunde inte låta bli att stanna upp och betrakta honom där han lutade sig mot köksbänken, i jeans och en grön V-ringad tröja och med seglarskor på de bara fötterna. Men tanken på pojkarna höll henne tillbaka.

”Jag nöjer mig med kaffe”, sa Jonas. ”Men ta du, om du vill ha något.”

Nora kände efter. Var hon sugen på konjak eller något annat?

Kanske en liten avec. De hade delat på en flaska rödvin till maten men det var gott med något till kaffet. Hon tog fram en flaska armagnac och hällde upp en skvätt i en konjakskupa. Sedan lyfte hon upp brickan och bar den genom glasverandan och nerför den långa trappan som ledde till uteplatsen vid vattnet.

Tomten badade ännu i solsken och glada skratt hördes från huset intill där flera gästande segelbåtar hade lagt till vid bryggan. Grannfamiljen hade dukat upp ett rejält långbord och doften från grillen hängde ännu i luften. En bit bort hördes tonerna av en nubbevisa som avslutades med ett redigt ”Skål”.

Nora log åt de klingande ljuden av snapsglas. Det var precis så en typisk midsommar skulle vara på Sandhamn, när alla satt i sina trädgårdar med god mat och dryck.

Hon ställde ner brickan på det vita träbordet och medan Jonas skruvade av locket på termosen ställde Nora fram muggarna och en kaka mörk choklad som hon bröt i bitar.

Några pip hördes i luften, när hon tittade upp flög en flock svalor högt ovanför hennes huvud. De svävande fåglarna var ett säkert tecken på ett rejält högtryck, förhoppningsvis skulle värmen stanna kvar åtminstone de närmaste dagarna.

Nöjd slog sig Nora ner på en stol och lyfte kaffekoppen. Det här är nästan för bra för att vara sant, tänkte hon.

Kapitel 4

Elin låg på rygg och den lilla munnen var hopknipen kring en napp som rörde sig i takt med hennes andetag. De små fingrarna, som förut varit knutna i ilska och fäktat i luften, vilade nu mot det tunna täcket. En nallebjörn låg i ena hörnet av spjälsängen och en liten mobil med färgglada fjärilar hängde på en plastarm över huvudkudden.

Kriminalinspektör Thomas Andreasson stod bredvid den vita spjälsängen i sommarhuset på Harö och betraktade sin dotter. En smal springa ljus sipprade genom mörkläggningsgardinen som de satt upp för hennes skull. Den var tillräcklig för att han skulle kunna urskilja de fina anletsdragen. Ögonbrynen var så ljusa att de knappt var synliga och tunna hårtestar lockade sig över öronen.

Han rörde försiktigt vid den späda handen. Naglarna var fina och rosa, obegripligt små jämfört med hans egna. Bröstkorgen hävde sig i jämna rörelser och Thomas kände hur han slappnade av.

Hans dotter sov och mådde bra.

När hennes storasyster Emily dog vid tre månaders ålder hade sorgen varit så djup att han nästan gått under. Förlusten fick äktenskapet med Pernilla att kollapsa. De drevs isär av en förtvivlan som inte gick att hantera och det var först i fjol som de hittat tillbaka till varandra igen.

Det var Pernilla som hörde av sig och ville att de skulle ses. Thomas hade tvekat, rädslan för att riva upp gamla sår satt djupt. Men när de träffades igen mindes han bara det ljusa: sommarkvällen i Stockholm då de blev förälskade, Pernillas leende under vigseln i Djurö kyrka, lyckan när Emily föddes. Det var som om de aldrig hade varit ifrån varandra.

De hade fått en ny chans.

Det var hon som hjälpte honom tillbaka efter den svåra olyckan på isen utanför Sandhamn ett drygt år tidigare, då han sjunkit in i ett tillstånd där livet var grått och han inte ens visste om han skulle orka fortsätta som polis. Det hade känts övermäktigt att ta sig an arbetet på Utredningsroteln där högarna hopade sig och resurserna inte räckte till.

I spåren följde samvetskval och skavande tvivel på sin egen förmåga.

Men om han slutade vara polis, vem var han då?

Den stora förändringen kom med Elin. När han förstod att han skulle bli pappa igen släppte depressionen slutgiltigt sitt klibbiga grepp. När hon föddes i mars vaknade han ur sin långa dvala, som om ett fint lager av damm hade torkats bort från ett fönster så att det blev klart och genomskinligt igen.

Nu var hon snart lika gammal som Emily var den natten hon avled i sömnen utan att Thomas och Pernilla kunde göra något.

Bilden av hans döda dotters kropp den morgonen skulle han alltid bära med sig.

”Thomas. Vart tog du vägen?”

Pernillas röst hördes från verandan utanför.

”Kaffet kallnar.”

Thomas märkte att hans grepp om barnsängen ofrivilligt hade hårdnat. Med en viljeansträngning lossade han fingrarna och strök försiktigt Elins lena kind. Hon gnällde till och tappade sitt grepp om nappen som hotade att trilla ur. Snabbt petade Thomas till den och dottern började lyckligt suga på den igen.

Med en sista blick på sin dotter gick Thomas ut till Pernilla.

Kapitel 5

Adrian Karlsson rättade till det tunga bältet där polisradion, batongen och tjänstevapnet hängde på höften. Bara bältet hade en vikt på över fem kilo, tillsammans vägde utrustning och kläder över femton kilo.

När han för första gången knäppte det på sig hade han nästan knäat under tyngden, men numer uppskattade han känslan av att allting han behövde fanns inom räckhåll. I dag fick emellertid apparaturen honom att svettas ännu mer i den mörkblå uniformen. Den var utformad för att hålla värmen, inte ge svalka.

Det var inte första gången han var utkommenderad till Sandhamn under midsommarhelgen, men han hade aldrig varit med om så fint väder. Det var rena högsommaren trots att det bara var den tjugoförsta juni. Tröjan var genomvåt sedan flera timmar och ryggen blöt av svett. Det kortklippta ljusbruna håret var fuktigt i hårbotten.

Han stod tillsammans med sin kollega Anna Miller på strandpromenaden, framför den faluröda längan med handelsbodar. Klockan var över åtta på kvällen och de hade varit i tjänst sedan tio på förmiddagen. En snabb lunch och en sen eftermiddagskaffe inne på PKC, polisens utlokaliserade kontaktcenter som de fick disponera över midsommarhelgen, var allt de hunnit med.

Anna var polisassistent och hade bara varit ute i några år efter polishögskolan. Hon var tjugosju år, fem år yngre än Adrian och knappt två decimeter kortare än hans en och åttiofem. Hennes koreanska påbrå visade sig i smala ögon och spikrakt svart hår som hon satt upp i en hästsvans.

Trots sin ungdom hade hon snabbt funnit sig tillrätta. Med ett leende avväpnade hon nu den värsta aggressiviteten hos dem som blev stoppade och bemötte godmodigt den ena sura kommentaren efter den andra.

Varje gång de upptäckte någon som bar på en öppnad flaska fick ägaren en tillsägelse att hälla ut innehållet. Det var förbjudet att dricka alkohol på allmän plats i Sandhamn under midsommarhelgen. Adrian och Anna var vänliga och artiga men budskapet var tydligt: Du måste hälla ut alltsammans. Nu.

De yngsta de träffade var inte mer än tretton fjorton år. Det var bedrövligt att se hur de raglade omkring.

Av någon anledning hade det blivit en tradition för Stockholms ungdomar att ta sig till skärgården under midsommarhelgen. Besöken hade ett enda syfte: att berusa sig så mycket som möjligt, antingen ombord på en båt eller någon annanstans på ön.

På midsommarafton åkte man till Möja, i norra skärgården. På midsommardagen drog man söderut, till Sandhamn.

Som en svärm gräshoppor som invaderade en ö i taget.

Det här var årets värsta dag på Sandhamn.

Den dunkande popmusiken från hamnen hördes svagt bort till Noras brygga. Sedan tidig eftermiddag hade en strid ström av motorbåtar, de flesta överfyllda med ungdomar, passerat genom sundet som ledde in till Sandhamn. Varje gång som Nora hade sett upp från sin bok tycktes det som om fler och fler båtar var på väg.

Bara det inte blev något bråk. Förra året hade det brutit ut ett allvarligt slagsmål och en ung pojke hade fått flygas in till sjukhus med punkterad lunga. De hade fått in honom i sista minuten.

Bilden av Wilma kom för Nora. Hennes jacka hängde fortfarande på kroken i tamburen. Wilma hade gått ut i sitt tunna linne utan ytterkläder. Hon tog väl vara på sig?

Som om han hade läst hennes tankar öppnade Jonas munnen.

"Tycker du att jag ger efter för lätt när det gäller Wilma?"

Nora lyfte upp sin mugg innan hon svarade. Hon försökte välja sina ord för att inte förstöra den otvungna stämningen.

"Du ger henne mycket spelrum", sa hon till slut.

"Jag skämmer bort henne, menar du?"

Jonas lutade sig tillbaka i stolen och log svagt, som om han var medveten om att han inte var tillräckligt strikt med sin dotter.

"Jaaa." Nora drog på svaret. "Det kan man väl säga."

Hon tystnade och lät blicken glida över vattnet. Solen närmade sig Harö där den skulle sjunka i skogen om ett par timmar. Några måsar cirklade över bryggorna i jakt på något ätbart. Ännu ett rungande "Skål" hördes från granntomten.

"Wilma vet precis vilka knappar hon ska trycka på för att få som hon vill.

Hon är ganska ...” Nora sökte efter orden. ”Ganska brådmogen.”

Hon hade tänkt säga utmanande, men ville inte låta provocerande. Sedan påminde hon sig om att det inte var Henrik hon talade med, exmaken som så hastigt kunde växla humör. Med Jonas var det enklare. Hon insåg att hon omedvetet spänt sig innan hon öppnade munnen. Gamla vanor var svåra att bryta.

Jonas avbröt hennes tankar.

”Du har förstås rätt, men det är inte så lätt att ha strama tyglar hela tiden. Särskilt inte nu.”

Han lutade sig närmare Nora, tog hennes hand och vände upp handflatan. Med ena pekfingret strök han mjukt över de parallella linjerna. Hans hud var len mot hennes.

”Hon måste få tid att vänja sig. Det är mycket som är nytt för henne, nu när du är en del av mitt liv.”

Nora betraktade Jonas i kvällssolen. Hans mellanbruna hår var längre i nacken och de bruna ögonen drog mot grönt i det varma ljuset. Ansiktsuttrycket var öppet, ingenting var komplicerat med honom. Åldersskillnaden hade bekymrat henne i början, Jonas var sju år yngre än Nora som snart skulle fylla fyrtioett, men nu tänkte hon inte på den särskilt ofta.

Den cirklande beröringen ökade i hennes öppna hand och fick det att kittla i magen. Varför hade hon insisterat på att de skulle dricka kaffe? De hade haft ett perfekt tillfälle, men hon skulle alltid vara så förtvivlat präktig.

Med tre barn omkring sig måste man ta vara på möjligheterna.

”Det här är en stor omställning för henne”, fortsatte Jonas.

”Det är det för mina pojkar också.”

Nora hörde att hon lät skarpare än hon tänkt sig.

I mjukare ton sa hon: ”Alla behöver lite tid, det förstår jag också. Det här året har varit omtumlande på många sätt. Men det är ju bra om vi har ungefär samma syn på vissa saker när det kommer till barnen.”

”Hur menar du?”

Jonas lade varsamt tillbaka Noras hand i hennes knä och lutade sig mot stolsryggen. Nora ville vara uppriktig utan att såra honom. Det var inte så enkelt med ”mina barn” och ”dina barn”, det hade hon tvingats inse under vintern.

”Adam är bara ett år yngre än Wilma”, sa hon efter en liten paus. ”Snart kommer han också att tjata om att få ge sig ut på kvällarna. Men jag skulle inte vilja att han fick vara ute till klockan ett. Han är alldeles för ung för det och jag skulle ligga vaken och oroa mig."

Nora avbröt sig men Jonas sa ingenting, så hon fortsatte.

"Jag vill bara inte att vi skickar olika signaler till barnen ..."

Jonas rätade på sig i stolen. Sorgfriheten som präglat honom några minuter tidigare var försvunnen, som om en plötslig oro tagit honom i besittning. Nora ångrade att hon hade sagt något.

Utanför bryggan passerade en motorbåt i hög fart och körde in i sundet utan att bry sig om hastighetsbegränsningen på fem knop. En liten segelbåt höll på att kantra av svallet. Den krängde till och den ensamme seglaren hade fullt upp med att parera vågorna. Det lät som om han skrek något ilsket efter den nonchalante föraren.

Jonas släppte seglaren med blicken, tog fram mobilen ur fickan och knäppte på den. På displayen syntes Wilmas ansikte, solbränt och leende. Det ljusa håret föll fram runt hakan i mjuka flikar och hon kisade en aning mot solen.

"Du har rätt", sa Jonas oväntat. "Jag borde inte ha sagt att hon fick stanna ute så länge."

Med en knapptryckning försvann bilden av Wilma och Jonas stoppade ner telefonen i byxfickan igen. Sedan log han överslätande, på gränsen till okynnigt, som en liten pojke som ertappats med något bus.

"Jag ska bättra mig, jag lovar."

Han blinkade och grep efter Noras hand igen. Mjukt förde han den till sin mun och kysste den. Hans andedräkt kändes het mot hennes fingertoppar och han dröjde kvar med läpparna utan att släppa taget.

"Är du verkligen säker på att vi ska dricka kaffe just nu?"

Kapitel 6

Adrian stod med Anna på strandpromenaden och såg ut över området. Snett till höger, på den stora bryggan framför Seglarhotellet, var det fullt med människor med glas i händerna. En dryg halvtimme tidigare hade det traditionsenliga pistolskottet avlossats och signalerat att flaggan skulle halas, den togs ner exakt klockan nio på kvällen.

Det var fortfarande varmt, rena medelhavstemperaturen. Adrian längtade efter en sval dusch, men det skulle dröja innan han gick av sitt pass.

Ett medelålders par med en hund i koppel närmade sig.

”Ursäkta mig”, sa den blonda kortklippta kvinnan.

Hon hade ett bekymrat uttryck i ögonen som var omgivna av fina skrattrynkor. Den jämngamla mannen bredvid henne hade blicken fäst på någonting längre bort.

”Ja?” sa Adrian dröjande.

”Ser du flickan där borta?” sa kvinnan och pekade åt det håll som mannen var vänd åt. ”Hon verkar inte må så bra. Vi är lite oroliga.”

Adrian sökte i folkmassan. Så förstod han vad hon menade.

En ung tjej i rosa tröja hade sjunkit ihop på knä, precis vid sidan av den långa tvärgående träkajen som löpte utmed strandpromenaden. Hon satt på huk med armarna lindade runt den tunna överkroppen.

”Du kanske borde titta till henne?” fortsatte kvinnan. ”Vi stötte på henne för ungefär en timme sedan och frågade hur hon mådde. Då sprang hon bara sin väg. Nu mötte vi henne igen när vi kom tillbaka. Vi har varit ute på kvällspromenad med Tequila.”

Hon pekade på den stiliga golden retrievern som ryckte i kopplet. Kvinnan fick anstränga sig för att hålla den i schack.

”Sitt Tequila, sitt”, sa hon med sträng röst, och efter ytterligare några tillsägelser satte sig hunden vackert intill henne. ”Duktig hund”, berömde kvinnan. ”Du är så fin och duktig.”

Adrian såg på flickan i kvällssolen.

Det var något med kroppshållningen som fångade hans uppmärksamhet, det var som om hon befann sig i en egen bubbla, avskärmad från omgivningen. Adrian hade sett tillräckligt många påverkade människor för att känna igen tecknen.

Ingen tycktes bry sig om henne, trots alla som rörde sig i området. Han kunde inte upptäcka något kompisgäng eller någon pojkvän.

Hon var alldeles ensam.

”Vi tar oss en titt”, sa han till paret. ”Tack för att ni sa till.”

”Hoppas det inte är något farligt”, sa den vänliga kvinnan. ”Hon ser inte ut att vara så gammal.”

Hon klappade den ljusa hunden.

”Jag har egna söner i den åldern. Man vill ju inte att det ska hända något, särskilt inte en sådan här kväll.”

Adrian nickade åt Anna och började gå i riktning mot den unga tjejen. När det bara återstod några meter sjönk hon ihop. Det var en långsam, overklig rörelse, som i en film som visades för sakta. Kroppen tappade all styrsel och hon välte på sidan med benen utsträckta.

En berusad grabb, som i samma stund kom gående, snubblade över hennes ena fot men fortsatte framåt utan att stanna till.

Flickan blev liggande, alldeles nedanför träkajen, med den vänstra kinden pressad mot sanden. Det blonda håret låg utspritt bakom huvudet som en trasig gloria på en ängel.

Söndag

Kapitel 7

Nora vände sig om i sängen, någonting hade väckt henne. Hon sträckte ut handen mot Jonas men han var inte där. Genom glipan mellan rullgardinen och fönsterbrädan såg hon att det var mörkt ute.

Hon vred huvudet mot den gamla klockradion som stod på nattduksbordet. De digitala siffrorna lyste vita. Klockan var kvart över ett och Wilma skulle ha varit hemma nu.

Med slutna ögon försökte hon lyssna efter ljud i huset. Hade Wilma kommit tillbaka? Det gick inte att höra några röster.

Nora låg kvar i några minuter, sedan sträckte hon sig efter morgonrocken. På bara fötter tassade hon fram till trappan och lyssnade igen.

Ingenting.

Dörren till Simons rum stod halvöppen och genom springan hörde hon lätta andetag. Som vanligt hade han sin nalle i ett fast grepp under armen. Hon kunde ana hans ännu runda kinder i dunklet, han skulle fylla nio i oktober.

Hastigt kikade hon in i Adams rum. Han sov lika djupt, men på rygg, med täcket nedhasat till magen. Han hade slutat med pyjamas och sov i bara kalsongerna.

Mittemot Adams rum låg gästrummet, men redan innan hon kikade in visste hon att det var lönlöst.

Nora gick nerför trappan och kastade en blick in i det tomma köket. Hon fortsatte till verandan och hittade Jonas i en av korgstolarna. Han stirrade ut mot havet med hakan lutad i ena handen. Vid horisonten skymtade konturerna av en svag molnbank, långt borta blinkade fyren på Getholmen.

Nora stannade till på tröskeln och drog morgonrocken tätare om sig.

”Hur går det?” sa hon.

”Wilma har inte kommit hem.”

Nora gick närmare och sjönk ner på knä bredvid honom. Hon rörde lätt vid Jonas arm.

”Hon kanske har tagit fel på tiden. Det är lätt hänt om man har roligt.”

Jonas drog handen över nacken. Han hade på sig en t-shirt och ett par jeans. Hon kände hans doft och tänkte på deras stund tillsammans tidigare på kvällen.

”Hon skulle ju vara hemma nu”, sa han, och i dunklet kunde Nora se det spända draget i hans ansikte.

”Har du försökt ringa henne?”

”Jag får inget svar. Jag har prövat åtminstone fem gånger.”

”Tänk om hon har glömt mobilen någonstans.”

”Wilma går inte ett steg utan sin telefon.”

”Den kanske har laddat ur?”

Nora hörde själv hur hon lät. Hon förstod precis hur han kände sig. Om det hade varit Adam hade hon varit lika orolig.

”Just i kväll?” Jonas slog med handen i rottingmöbeln. ”Det här är inte okej. Och det ska hon få höra när hon kommer hem.”

Det började sticka i Noras ben och hon reste sig upp. Nattluften fick henne att huttra till.

”Ska jag göra varsin kopp te åt oss? Du ska se att hon är på väg.”

”Gå och lägg dig du.” Rösten mjuknade. ”Du behöver inte sitta uppe medan jag väntar på min olydiga dotter.”

Nora smekte hans kind.

”Det är ingen fara. Jag kan stanna här med dig. Hon kommer säkert hem när som helst.”

Kapitel 8

På avstånd böljade människomassan i hamnen fram och tillbaka som en oformlig amöba. Då och då spred den ut sig men strax gick den samman igen, som om delarna inte kunde vara åtskilda någon längre stund utan att söka upp varandra på nytt.

Det hade blivit betydligt kyligare, en påminnelse om att det ännu bara var försommar. En svag dimbank hade rullat in och luften var rå och fuktig. Tunna stråk av dimma syntes i ljuset från Seglarhotellets strålkastare.

Musiken från diskot genljöd i försommarnatten. Bastonerna pumpade och området vibrerade av de hårda rytmerna. En lång kö med ännu förhoppningsfulla ringlade vid entrén där två bistra dörrvakter övervakade det avspärrade området.

Adrian och Anna hade varit i tjänst i över femton timmar. Efter att ha lämnat den unga flickan på PKC där en kvinna från "Morsor på stan" såg till henne hade de gett sig ut i myllret igen.

Poliserna patrullerade två och två i hamnområdet mellan Värdshuset och KSSS. De senaste timmarna hade Adrian och Anna tillsammans gått fram och tillbaka på strandpromenaden. Deras närvaro hade en lugnande inverkan och de tog varv efter varv på den knappt femhundra meter långa sträckan.

Adrian stannade till och rättade till det tunga bältet, kroppen tog stryk av de långa passen och det värkte i höfterna.

Anna märkte rörelsen.

"Är du okej?" sa hon.

"Mmm."

Han släppte bältet och de började gå i riktning mot Värdshuset igen.

Hela tiden kom det fram ungdomar som ställde frågor: *När går sista båten in till stan? Är det säkert att det finns en extra tur klockan två? Hur hittar man till toaletterna?*

De hade precis kommit fram till kiosken vid ångbåtsbryggan, mitt i hamnen, då det sprakade till i deras öronsnäckor. Adrian kastade en hastig blick mot Seglarhotellet och vände sig om.

”Det är bråk på gång mellan två båtar”, sa han högt fastän Anna hade hört samma meddelande. ”Vid den första KSSS-pontonen.”

De började rusa i riktning mot Seglarhotellet.

Redan på avstånd kunde Adrian höra högljudda röster, de verkade komma från två båtar bredvid varandra på den västra sidan av den långa bryggan. En klunga ungdomar höll till i aktern på en stor utombordare. I båten intill satt ett gäng mc-killar i svarta läderjackor, flera med rakade skallar.

Hög musik strömmade från de båda båtarnas högtalare, skällsorden haglade. När Adrian kom närmare fick han syn på två män som stod på bryggan och stirrade på varandra.

”Din dumma jävel”, skrek den ene, en trettioåring med slitna jeans och bar överkropp.

Hans svarta hår var samlat i en hästsvans i nacken.

Motståndaren var betydligt yngre, runt tjugo, om ens det. Han stod bredbent, med båda knytnävarna höjda framför sig som om han var van vid att boxas. Kroppen var spänd i försvarsställning.

Just som Adrian nådde fram till bryggfästet hördes en gäll flickröst genom larmet.

”Snälla ni, sluta. Hör ni inte vad jag säger. Sluta.”

Fler och fler åskådare strömmade till, plötsligt var vägen spärrad för poliserna. Då gjorde tjugoåringen ett utfall. Kyligt fintade han med den vänstra knytnäven – just som han tycktes måtta ett slag sköt han istället fram höger armbåge.

Den oväntade rörelsen överrumplade motståndaren och den hårda armbågen tog precis på hakspetsen. Med en duns stöp mannen med hästsvansen. Han träffade betongen med sådan kraft att pontonen gungade till.

”Håller du käften nu, va?”

Tjugoåringen vände sig om och gav den oroliga tjejen ett belåtet flin. Han höjde en segrande knytnäve mot sina kompisar som mötte honom med jubel.

”Jävla pack”, sa han och torkade sig i pannan med baksidan av handen.

Den andra mannen låg fortfarande stilla, med näsan pressad mot betongen. Så rörde han på kroppen, hävde sig upp på ett knä och ruskade på huvudet som för att se bättre. Han spottade en blodfärgad loska på marken. Trots nattluften blänkte skinnet av svett.

Sekunden senare höll han en kniv i handen. Med en vildsint rörelse, alltjämt stående på knä, högg han efter den yngre killen. Innan denne kunde reagera hade kniven skurit sönder byxan. På bara något ögonblick blev det vita jeanstyget rött.

Den knivskurne vände sig om med ett häpet uttryck i ansiktet, som om han inte riktigt begrep vad som pågick.

Adrian kände hur musklerna drog ihop sig.

”Sluta omedelbart. Polis!” vrålade han så högt han kunde och försökte knuffa undan människorna framför sig.

Han drog sitt vapen, trots att han befann sig mitt i folkhopen, och satte en armbåge i sidan på en lång man som stod i vägen.

Knivmannen gjorde ett nytt utfall, mot tjugoåringens vänsterarm. Det vassa bladet skar genom luften och träffade utan ett ljud, precis där den kortärmade tröjan slutade.

Den unge mannen stirrade på sin arm. Instinktivt försökte han pressa handen mot såret för att stoppa blodflödet, men det rann mellan fingrarna och föll till marken i mörka droppar.

Just som Adrian trängde sig igenom folkhopen höjde mannen med hästsvans kniven igen. Adrian slängde sig fram och grep tag i hans axel med sin fria hand.

”Släpp kniven”, röt han. ”Polis, lägg ifrån dig kniven med en gång. Hör du vad jag säger.”

Han tryckte sin pistol mot knivmannens nakna skuldra och kände hur svetten bröt ut på överläppen.

”Nu släpper du vapnet!” vrålade han i mannens öra medan han kramade pistolkolven.

Det gick en sekund, två, så hördes ljudet av metall som träffade marken.

Sekunden senare stod Anna jämsides och fattade tag om knivmannen från sin sida. Gemensamt fick de ner honom på marken och snart låg han med armar och ben pressade mot den fuktiga betongbryggan.

Andfådd tog Adrian ett stadigt grepp om killens händer och fäste dem på ryggen med ett par handbojor.

”Är du okej?” sa Anna lågt.

Adrian nickade fastän han kände sig lätt yr. Det kunde bara ha gått några minuter sedan anropet kom över radion men det kändes som betydligt längre. Han reste sig och gick bort till den knivskurne tonåringen som var grönblek i ansiktet och skakade i hela kroppen.

”Sätt dig ner så att du inte svimmar”, sa Adrian. ”Och håll upp armen.”

Grabben nickade stumt, på nära håll var det ännu tydligare hur ung han var.

Ytterligare kollegor hade kommit till platsen och lyste med starka ficklampor på sällskapen i båtarna.

Adrian ville få undan gärningsmannen från platsen innan någon kamrat fick för sig att hitta på fler dumheter. Mc-gäng var inte att leka med, någon av dem kunde mycket väl försöka avsluta det som knivmannen inte lyckats med.

Han fick upp killen på fötter och drog honom bort från bryggan.

”Jag tar med honom till PKC”, sa han med ett tecken till Anna.

Innanför bryggfästet var det förvånansvärt lugnt, åskådarhopen hade snabbt skingrats. Adrian stannade till i halvmörkret.

”Det där var väl jävligt onödigt”, sa han och gav mc-killen en hård knuff i ryggen.

Kapitel 9

”Var kan hon vara? Hon har aldrig varit så här sen förut.”

Jonas röst var hes av oro när han reste sig från korgstolen och gick fram till det stora fönstret som vette mot havet.

Nora kontrollerade armbandsuret ännu en gång. Visarna hade knappt hunnit flytta sig sedan hon sist såg efter. Tiden släpade sig fram medan olusten växte.

Himlen hade ljusnat, en antydan till rosa syntes i öster. Båtarna som var förtöjda vid grannens brygga låg stilla mot den blanka vattenytan.

”Det här går inte längre. Jag får gå ut och leta efter henne.”

Jonas drog med handen över huvudet. Han brukade vara lugnet själv men när han vände sig om från fönstret märkte Nora rädslan som han inte släppte fram.

”Då följer jag med. Jag ska bara dra på mig ett par jeans.”

Adam och Simon låg i sina rum på övervåningen. En trettonåring och en nioåring kunde hon lämna någon halvtimme. Byn var så liten och hon skulle vara alldeles i närheten, knappt mer än tio minuter därifrån. Det kunde inte ta så lång stund att söka igenom hamnområdet.

Jonas skakade på huvudet.

”Det är bättre att du stannar här. Ifall hon plötsligt dyker upp. Så kan du ringa mig om hon kommer hem.”

”Är du säker?”

Han nickade bestämt och Nora gav med sig.

”Okej. Men glöm inte din egen mobiltelefon.”

Nora sträckte ut handen och strök honom över kinden. Hon var väl medveten om alla fulla ungdomar som rörde sig på ön. De flesta som bodde på Sandhamn undvek hamnen den här natten.

Om Wilma hade druckit alkohol kunde hon vara för berusad för att ta vara på sig själv. Samma sak gällde hennes vänner. De var bara fjorton även om de försökte verka äldre.

För att lugna både sig själv och Jonas sa hon högt:

”Hon är säkert ombord på någon båt och har glömt bort tiden. Du vet hur tonåringar kan vara.”

Hon märkte att hennes ord inte gjorde någon skillnad.

”Vill du kontakta polisen?” sa hon hastigt. ”Jag kan ringa Thomas. Han är ju på Harö.”

”Nej, det är mitt i natten. Du har säkert rätt i att hon har stannat på någon båt och festat.”

Utan att säga något mer gick han ut i hallen och tog sin jacka. I tystnaden hörde Nora hur ytterdörren stängdes.

Kapitel 10

Adrian rättade till öronsnäckan medan han gick mot den stora husbilen som fungerade som mobil polisstation. Den var uppställd bakom knuten till Seglarhotellet, i början av allén som gick utmed strandpromenaden. Det var från husbilen som polisarbetet leddes under midsommarhelgen.

Anna var på toaletten, det skulle dröja några minuter innan hon var tillbaka. Han hoppades att det skulle finnas varmt kaffe på plattan därinne. Vad som helst som kunde pigga upp.

Tröttheten värkte bakom ögonlocken trots att adrenalinet från knivbråket ännu inte hade gått ur kroppen. Det hade tagit en knapp timme att hantera slagsmålets efterverkningar. Adrian och Anna hade precis lämnat tullbryggan där en av polisbåtarna tagit hand om knivmannen för vidarebefordran till häktet på Söder. Läkarbåten hade tacksamt nog dykt upp i samma veva, besättningen var i full färd med att lägga förband på den knivskurne. Två berusade minderåriga hade överlämnats till socialtjänsten och namn och personnummer på alla närvarande hade antecknats.

Benägenheten att vittna brukade vara låg, förmågan att komma ihåg något vettigt ännu lägre, men de hade åtminstone samlat in de uppgifter som skulle behövas inför den kommande utredningen. Nu fick någon annan ta hand om nästa fas.

Ännu såg Adrian inga tecken på att festandet höll på att mattas av. Krogen skulle stänga först om en kvart, klockan två. Den sista turen in till stan avgick vid samma tid och det brukade bli stökigt när krogbesökarna strömmade ut samtidigt som hundratals berusade ungdomar försökte ta sig till färjan.

Därefter borde det lugna ner sig, åtminstone för den här gången. Det skulle tack och lov dröja ett helt år till nästa midsommar.

Han skulle just gå in i husbilen när en ljus röst hördes bakom hans rygg.

”Ursäkta.”

Adrian klev ner från det första trappsteget och vände sig om.

En smal, mörkhårig tjej i sextonårsåldern stod någon meter ifrån honom.

Hon bar en blå matelasserad jacka med blanka slag och hade korsat armarna framför bröstet som om hon var frusen.

”Ja?”

”Jag letar efter mina kompisar”, sa flickan osäkert. ”Jag kan inte hitta dem någonstans. Kan du hjälpa mig?”

Utan förvarning brast hon i gråt. Hon pressade handen mot munnen som om hon försökte behålla kontrollen och hackade fram: ”Jag har letat i flera timmar. Först trodde jag att de hade dragit, men nu är jag så orolig. Ingen av dem svarar när jag ringer och min mobil har laddat ur.”

Adrian motade undan tröttheten.

”Ta det lugnt”, sa han. ”Följ med mig in och berätta vad som har hänt.”

Han pekade mot husbilen och tjejen klättrade in med Adrian efter sig.

”Sätt dig”, sa han vänligt och pekade på den bruna avlånga lädersoffan under det lilla fönstret.

Det var ett funktionellt utrymme, enkelt, men utrustat med det nödvändigaste. Mittemot soffan stod ett skrivbord där två bärbara datorer var uppställda. På en vit anslagstavla hade någon antecknat mängden gripna under natten samt antalet omhändertagna med stöd av LOB – lagen om omhändertagande av berusade personer. Just nu var de mer än ett dussin.

Helgens insatsledare, Jens Sturup, satt vid skrivbordet och talade dämpat i en telefon medan han kontrollerade ett personnummer på skärmen framför sig. Han lyfte inte blicken när de kom in men hälsade genom att lyfta högerhanden i deras riktning.

Adrian rev av lite papper från en rulle bredvid kaffekokaren och räckte flickan.

”Vill du ha kaffe?” frågade han och hällde upp en kopp åt sig själv.

Det luktade en aning bränt, förmodligen hade det stått på plattan för länge. Men det fick duga.

Hon snöt sig och skakade sedan på huvudet.

”Lite vatten då?”

Nu nickade hon och Adrian fyllde en plastmugg som han gav henne.

”Vad heter du?”

”Ebba”, kom det lågt. ”Ebba Halvorsen.”

”Hur gammal är du, Ebba?”

”Sexton. Jag har precis gått ut nian.”

Adrian satte sig bredvid henne på den enda lediga stolen.

”Vad är det som har hänt, Ebba?” sa han.

Flickan verkade fortfarande gråtfärdig men hon lyckades få i sig några klunkar vatten.

Tyst sa hon: ”Vi kom hit i går, på midsommarafton, med båten.”

”Vems båt är det? Är det din?”

”Nej, det är Christoffers. Eller hans pappas. Vi fick låna den över helgen. Det var rätt fint först, vi gick till midsommarstången i går och dansade och hade picknick på gräset.”

Ebba höll hårt i vattenglaset.

”Sedan festade vi hela kvällen, men inte tokmycket. Det var rätt kul, faktiskt. I alla fall ett tag.”

Adrian betraktade henne tankfullt. Hon hade dragit upp ena benet under sig. Håret hängde löst och var lite rufsigt.

”När slutade det att vara kul?” sa han försiktigt.

”I dag. På eftermiddagen. Killarna började dricka direkt när de hade vaknat. De bara höll på, mer och mer, det gick inte att snacka med dem. Jag ledsnade till slut och stack.”

”Vad var klockan då?”

Ebba vände bort huvudet.

”Jag vet inte riktigt, kanske sex eller sju.”

”Vart tog du vägen?”

”Jag gick till stranden, inte den i Trouville, den andra som är närmare byn.”

”Fläskberget”, fyllde Adrian i.

”Mmm. Jag satt där en stund och sedan somnade jag. När jag vaknade ville jag helst åka hem, men det var flera timmar tills det skulle gå en färja, så jag gick tillbaka för att leta rätt på mina kompisar, men det var ingen där. Båten var tom och låst.”

Ögonen fylldes av tårar igen.

”Vad gjorde du då?” sa Adrian.

”Jag satt och väntade i aktern, men efter ett tag började jag söka efter dem igen. Jag försökte ringa också, men ingen svarade och till sist tog batteriet slut.”

”Vad var klockan då?”

”Efter elva, tror jag. Solen hade gått ner.”

”Vad hände sedan?”

”Jag gick bort till vakterna utanför krogen för att fråga om någon hade sett dem, men de ville inte hjälpa till och jag fick inte gå in och titta efter. De sista timmarna har jag mest gått runt på bryggorna för att försöka hitta dem."

Ebba snörvlade igen och Adrian reste sig och hämtade lite mer papper till henne.

"Tack", sa hon lågmält.

"Hur många var ni?" sa Adrian. "Vad heter dina vänner?"

"Vi var fem stycken."

Hon tystnade och såg ut som om hon inte visste hur hon skulle fortsätta.

"Det var Christoffer och hans lillebror Tobbe", sa hon efter ett tag. "Och Felicia, det är min bästa kompis, och hennes kille Victor."

Adrian funderade.

Flickans sällskap befann sig troligen i en annan båt där de festade, kanske tillsammans med nyfunna vänner. På fyllan knöt man snabbt nya kontakter och det var lätt att hamna vid en annan brygga än sin egen. Eller också hade de gått till stranden vid Skärkarlshamn, det var ett populärt tillhåll för många ungdomar, inte minst tältarna. Polisen gick dit regelbundet men det hade inte förekommit några incidenter där i år.

Om de var kraftigt berusade kanske de inte hade hört att mobiltelefonen ringde, oavsett var de befann sig. Men det var ändå udda att alla tycktes ha försvunnit på en gång.

Anna dök upp utanför den uppställda dörren.

"Det här är Ebba", sa Adrian. "Hennes kompisar är försvunna. Hon har inte sett dem på flera timmar, inte sedan sextiden."

Ebba torkade bort en tår med baksidan av handen.

"Var inte orolig", sa Anna. "Det är jättemånga här i helgen, det är lätt att tappa bort sina vänner, särskilt nu när det är mörkt."

Hon lutade sig mot dörrkarmen.

"Kan du beskriva dem lite närmare? Vi kanske har stött på dem under kvällen."

"Tobbe är rödhårig, man märker honom med en gång", sa Ebba. "Han har jättelockigt rött hår som står rakt ut. Christoffer är tjugo och har rödbrunt hår, fast rakare. Men de är ganska lika."

"Och de andra?" sa Anna.

Ebba fingrade på sofflädret.

"Victor är lång och kraftig, med ljust hår, precis som Felicia, men hon är kortare, ungefär som jag. Victor ser mycket äldre ut, folk tror alltid att han går på gymnasiet."

”Vad hade Felicia på sig?” sa Anna.

”Jeanskjol, tror jag.”

”Kommer du ihåg vad hon hade mer?”

”En rosa tröja och en vit jeansjacka.”

Anna växlade en blick med Adrian som Ebba uppfattade. Hennes ögon blev blanka.

”Är det något som har hänt?” viskade hon.

Kapitel 11

Nora hade slumrat till i korgsoffan. När hon vaknade hade solen stigit en bra bit utanför fönstret, då måste det ha gått nästan två timmar sedan Jonas gav sig av för att leta efter Wilma.

Förmodligen har hon druckit för mycket och vågar inte komma hem förrän hon har nyktrat till, försökte Nora resonera trots att klumpen i magen växt sig större. Kanske hade hon somnat någonstans.

Wilmas beundran för de äldre kamraterna hade inte gått att ta miste på, det fick Nora att minnas vad ett enda års skillnad kunde betyda på högstadiet. När man gick i åttan var alla i nian mycket mer spännande än de egna klasskamraterna. Det var viktigare än någonsin med rätt kläder och rätt kompisar.

Nora reste sig och gick bort till köket. Utanför fönstret kvittrade några småfåglar, annars var det lugnt och stilla. De faluröda husen som låg nedanför Brandska villan hade rullgardinerna nerdragna, så här dags sov grannarna.

Simons cykel låg slarvigt slängd utanför staketet trots att hon påmint honom om att ställa undan den så att den inte blev stulen.

Det var en vacker morgon, men Nora kände sig frusen och illa till mods. Det var svalt i huset men det var inte därför hon huttrade.

Plötsligt ringde telefonen gällt.

Jonas kom ut i hamnområdet vid Strindbergsgårdens café. Här hade ortsbefolkningen sina bryggplatser, båtarna var betydligt mer anspråkslösa än de påkostade yachterna vid KSSS bryggor.

Hamnen var tom, det gick inte att upptäcka några livstecken hur Jonas än sökte med blicken. Lungorna värkte av ansträngningen och han lutade sig fram för att hämta andan.

Klockan var över fyra på morgonen och det var kyligt ute men han svettades ändå.

Han hade först tagit ett snabbt varv i hamnen och sedan letat i de trånga gränderna i den gamla delen av byn. Efter det hade han sökt runt Missionshuset och vidare mot kyrkogården och bort till Fläskberget. Men när han väl kom dit låg strandremsan öde. Det enda som syntes till var några tomma ölburkar som skvalpade i vattenbrynet.

På vägen tillbaka sneddade han över Adolfs torg där midsommarstången hade rests trettiosex timmar tidigare. Då hade hundratals människor dansat runt stången till dragspelsmusik och Wilma hade burit en blomsterkrans i håret. Hon hade bundit den på förmiddagen trots att hon tidigare deklarerat hur larvigt det var med blommor i håret.

Jonas såg sin dotter framför sig när hon sjöng med i de traditionella midsommarsångerna. Det ljusa håret hade svängt fram och tillbaka när hon hoppat till "Små grodorna" med händerna omväxlande över huvudet och bakom ryggslutet. När hon dansade förbi hade hon kastat en slängkyss i hans riktning. Han hade stått med armen om Nora och glatt vinkat tillbaka.

Nu var hon försvunnen.

Ännu en gång vred han på huvudet och sökte med blicken över området. Som om Wilma tvärt skulle uppenbara sig framför honom.

En strävhårig hund slank förbi och började rota i en plastpåse som låg på marken. Den gav till ett glatt gläfsande och sprang sin väg med något i munnen som liknade rester av en grillad kyckling.

Jonas rätade på ryggen och började gå med hastiga steg mot KSSS-hamnen. Snart hade han passerat kiosken och var framme vid den långa träkajen som löpte framför handelsbodarna.

Där blev han stående.

I det svaga gryningsljuset var hamnen solkig och nersölad. Papperskorgarna som kantade strandpromenaden var överfulla och mängder av skräp låg utspritt på marken. Tomma burkar, chipspåsar och kaffemuggar låg huller om buller. En lukt av gammal fylla stod över området.

Jonas satte sig på en av träbänkarna och försökte tänka efter. Visst hade Wilma nämnt att kompisarnas båt låg vid Via Mare-bryggan i utkanten av KSSS hamnområde?

Han rynkade pannan när han försökte minnas vad kamraterna hette. Wilma hade bara använt deras förnamn. Utan att veta mer kunde han varken ringa föräldrarna eller få tag i någons mobiltelefonnummer.

Jonas svor för sig själv. Hur kunde jag vara så naiv? tänkte han. Det finns ingenting att gå på, ingenting. Vad hjälper det att hon har en mobil med sig när hon inte svarar i den?

Telefonen kunde ha laddat ur, det behövde inte vara värre än så. Hon kunde ha tappat den eller lämnat den någonstans. Men trots att han försökte finna en logisk förklaring formades bilder av alla möjliga saker för hans inre syn.

Borde han ringa Margot? Nej, först måste han hitta Wilma. Det blev inte bättre av att han väckte sitt ex och skrämde upp henne också.

En rörelse på en av de tvärgående bryggorna fick honom att vända sig om. En kille i kalsonger ställde sig sömnigt i aktern på en segelbåt för att kissa.

Jonas sprang bort till honom.

”Ursäkta”, ropade han halvhögt.

Ingen reaktion.

”Hallå”, skrek han, högre den här gången. ”Hallå!”

Nu hörde den sömndruckne honom och vände sig om.

”Har du sett en blond tjej, en fjortonåring, med axellångt hår?”

Grabben gjorde en avvärjande gest med ena handen.

”Va?”

Jonas upprepade sin fråga men fick bara en huvudskakning till svar. Sedan försvann killen ner i kajutan igen utan att säga något mer.

Jonas blev stående mitt på bryggan.

Det låg hundratals båtar förtöjda vid de olika bryggorna. Om Wilma hade följt med någon okänd kunde hon befinna sig ombord på vilken som helst.

Hur skulle han kunna hitta henne då?

Kapitel 12

Nora skyndade fram till telefonen som stod på ett litet bord i hallen. Det var en gammeldags, svart bakelittelefon, av en sort som inte hade gått att köpa på flera decennier.

Telefonen ringde igen och det sög till i magen. Men det kunde inte vara Jonas, han skulle ha använt hennes mobiltelefon.

Hon tvingade sig själv att lyfta luren. Och fick höra en välbekant röst.

”Nora, det är Monica.”

”Monica?”

Nora kunde inte dölja sin överraskning. Hennes före detta svärmor skulle inte ringa klockan fyra på natten om inte någonting allvarligt inträffat.

Gällde det Henrik?

Nora fick anstränga sig för att hålla rösten stadig, hon grep hårt om luren.

”Har Henrik råkat ut för något?”

En sekunds tystnad. Nora höll andan.

”Henrik? Nej, nej. Varför tror du det? Det är inte alls därför jag ringer.”

Nora kunde inte hindra ett nervöst skratt när spänningen släppte. Hon hade varit så övertygad om att något hade hänt honom.

”Jag behöver din hjälp”, fortsatte Monica med sin befallande ton. ”Vi har goda vänner vars barnbarn har tagits av polisen. Kan du tänka dig? Polisen!”

En upprörd inandning.

”Kommer du ihåg Karin och Holger Grimstad? Du har träffat dem hos oss, det är jag nästan säker på. Holger är honorärkonsul för Island, en mycket framstående man. De har ett underbart ställe i Torekov, precis vid havet, med fantastisk utsikt.”

Medan Monica pratade på försökte Nora ställa om hjärnan från oron för Henrik till anledningen till samtalet.

Till slut var hon tvungen att avbryta.

”Monica, snälla du. Vad har hänt?”

”Grimstads barnbarn har omhändertagits av polisen. Hon är tydligen i ett bedrövligt tillstånd och föräldrarna är i Torekov över midsommarhelgen.

Karin ringde precis och var helt förtvivlad. Ingen i familjen befinner sig i Stockholmsområdet."

"Jaha?"

Nora hade fortfarande ingen aning om vad Monica ville.

"Du måste kontakta polisen och ta hand om deras dotterdotter tills föräldrarna kan göra det. Just nu är en kamrat hos henne."

Monica hejdade sig för att hämta andan men innan Nora fick fram något fortsatte hon.

"Karins dotter och måg flyger upp med första avgången i dag, men det går tydligen inte så många plan från Ängelholm till Stockholm."

"Är flickan på Sandhamn?" sa Nora.

Monica suckade otåligt och Nora blundade. Som så många gånger tidigare fick Monica Nora att känna sig som mindre vetande. Hon var en mästare på att förminska människor i sin omgivning, det hade Nora lärt sig under åren tillsammans med Henrik.

"Ja, naturligtvis är hon på ön. Varför skulle jag annars ringa dig?"

Nora önskade att hon kunde ha överseende, men som vanligt blev hon bara irriterad. Det var fullständigt främmande för Monica att be om ursäkt för att hon ringt Nora så tidigt. För henne var det självklart att Nora, liksom resten av omvärlden, skulle dansa efter hennes pipa.

"Lyssna nu", sa Monica innan Nora hann protestera. "Flickan kan inte ta vara på sig och du är den enda jag vet som befinner sig på Sandhamn just nu."

Monica suckade hörbart.

"Tänk så mycket lättare det hade varit om du och Henrik fortfarande varit gifta. Då hade jag kunnat lita på att han tog hand om den här tråkiga historien."

Nora tänkte på Wilma. Hon såg Adam och Simon framför sig. Det kunde ha varit Adam som druckit för mycket och blivit sjuk någonstans där han inte kände en människa. Eller Simon som råkat illa ut.

Hon måste hjälpa till.

"Vad vill du att jag ska göra?"

"Det vore bra om du kunde hämta flickorna och låta dem stanna hos dig tills föräldrarna hinner ut. Polisen vill tydligen bli av med dem så fort som möjligt. Det är ganska oförskämt när man tänker efter."

Det var typiskt Monica att bli upprörd både över att polisen tagit hand om flickan och att de inte ville ha kvar henne. Nu drog Nora faktiskt en aning på munnen.

”När sa du att föräldrarna kommer hit?”

”Så fort de kan. Men det dröjer säkert till lunch, om ens då.”

Nora gjorde ett snabbt överslag.

Om de landade på Bromma flygfält tog det minst en timme att köra till hamnen i Stavsnäs. Därifrån gick Waxholmsbåtarna till Sandhamn. Omkring trekvart brukade båtfärden ta.

”Vad heter de?” sa hon.

”Mamman heter Jeanette. Jeanette och Jochen Grimstad.”

”Har du något telefonnummer till dem?”

”Nej, bara till Karin. Men de har fått ditt nummer så de hör säkert av sig snart.”

”Vad heter deras dotter?”

”Felicia.”

Kapitel 13

När Adrian kom tillbaka till husbilen hade Harry Anjou, en norrlänning som Adrian bara kände ytligt, avlöst Jens Sturup vid skrivbordet.

Adrian gick fram till kaffekokaren och hällde upp det sista av det brända kaffet. Han drack det stående och kände hur kroppen molade av sömnbrist. Nu hade han jobbat i nästan arton timmar.

Utpumpad sjönk han ner i soffan. Klockan närmade sig fyra på morgonen, polisinsatsen skulle snart avslutas. I takt med att nattlivet lugnat sig hade de flesta gått av sina skift. Nu var de bara några få poliser kvar i tjänst.

”Jag har fått tag på föräldrarna till den där flickan i PKC”, sa Adrian till Anjou, som satt med ryggen mot honom och läste något på dataskärmen.

På anslagstavlan ovanför hade statistiken över antalet gripna och omhändertagna ökat betydligt.

”Är de på väg?” sa Harry Anjou och släppte skärmen med blicken.

Adrian skakade på huvudet.

”De befinner sig på andra sidan landet. I Sydsverige. Men de har en bekant som har ett ställe på ön. Hon har lovat att hämta flickorna så snart hon kan. Anna stannade i PKC och väntar på henne.”

”Hur var det med tjejen?”

När Ebba hittat sin kompis hade hon börjat gråta igen. Sedan kröp hon ihop bredvid Felicia. Felicia var fortfarande omtöcknad och hade knappt lagt märke till Ebba.

”Hon är ganska borta”, sa Adrian. ”Men det går väl över till i morgon.”

Adrian drack ur det sista men kunde inte låta bli att grina illa när han kände smaken på tungan.

”Vad gör vi med deras kompisar?” sa han. ”Är det ingen som har sett till dem?”

”De ligger förmodligen och sover ruset av sig i något hål”, sa Anjou. ”Som alla andra som inte haft vett att åka hem med sista nattbåten. Fyllskallar.”

Anjou verkade inte bry sig om Adrians förvånade min. Han kom från ett distrikt i Norrland och hade bara arbetat hos Nackapolisen i ett halvår.

Det var tydligt att tilltalet var grövre i landets nordligare distrikt.

Adrian funderade på om han skulle ta ett sista varv för att leta efter de försvunna kompisarna. Men Anjou hade förmodligen rätt. Flickornas vänner kunde ha slocknat precis var som helst. De skulle säkert dyka upp nästa förmiddag, bakfulla och rödögda. Förmodligen mindre kaxiga än när stackars Ebba hade lämnat dem.

Han sträckte på sig och gäspade stort.

”Då tar jag och lägger mig nu”, sa han. ”Var det klockan tio som vi skulle ses i morgon?”

Transporten som körde deras polisutrustning till fastlandet skulle avgå vid ettiden. Innan dess måste de packa ihop allting. Det skulle inte bli många timmars sömn.

Anjou nickade bekräftande. Han verkade också sliten, ögonlocken hängde.

”Jag stänger ner alldeles strax”, sa Anjou över axeln. ”Är det något som dyker upp så finns jag på telefonen.”

Han pekade på mobilhållaren som hängde på bältet.

Adrian kunde inte hålla tillbaka ännu en gäspning. Han reste sig och ställde ifrån sig muggen.

”Vi ses i morgon.” Han tittade på klockan. ”Eller snarare om några timmar.”

”Okej”, sa Anjou utan att se upp från skärmen.

Kapitel 14

Mollys gnyende hade pågått en bra stund. Till slut gick det inte att ignorera längre och Pelle Forsberg vek undan täcket med en suck.

Ögonen var grusiga och han ruskade på sig för att vakna till, klockan var bara fyra på morgonen.

”Kom då”, sa han med en röst som lät vänligare än han kände sig.

Det var egentligen alldeles för tidigt för en morgonpromenad, men Molly hade många år på nacken och svårt att hålla tätt. Någonstans visste Pelle att det bara var en tidsfråga innan det var dags för ett sista besök hos veterinären. Men de hade kamperat ihop under lång tid och ibland, när skilsmässan pågick och han och Linda bråkade som värst, hade hunden varit hans största tröst.

Hans enda, om sanningen skulle fram, när mor och dotter gaddade ihop sig mot honom.

Ljusglimten i Mollys blick när hon förstod att han fallit till föga fick honom att le.

”Såja, flickan min”, sa han och klappade henne över den lena nosen. ”Du vinner. Vi tar ett varv.”

Han försökte se strängt på henne.

”Men sedan går vi och lägger oss igen. Hör du det?”

Molly viftade ivrigt på svansen och Pelle Forsberg drog på sig jeansen som låg vid fotändan av sängen. Han tog en tröja som hängde på stolen och stack in fötterna i ett par slitna gymnastikskor.

Han fick försöka vila en stund när de kom tillbaka. Det behövdes, det hade inte varit lätt att somna på kvällen.

Huset låg en bra bit från hamnen, precis vid tennisbanorna, men trots det hade ljuden från diskot ekat i natten. Bastonerna trängde genom märg och ben, så hade det i alla fall känts när han drog kudden över huvudet för att slippa oväsendet.

Pelle Forsberg tog ner kopplet från sin krok men lät Molly springa lös. Så här dags behövde han inte koppla henne. Vem skulle bry sig? Men han låste dörren ordentligt bakom sig. Det brukade han inte göra i vanliga fall men just den här helgen skadade det inte att vara försiktig.

Molly sprang i riktning mot stranden vid Skärkarlshamn och det tog inte lång stund innan hon satte sig. Pelle Forsberg kunde nästan känna hennes lättnad och skämdes en smula över att hon hade fått vänta så länge.

Nu när han vaknat till såg han att det var en riktigt vacker morgon. Solen steg bakom Korsö Torn, det skulle förmodligen bli ännu en strålande dag. Det var fräscht i luften, morgonklart.

Medan Molly sniffade stannade han till och trevade i fickan. Han tände en cigarett och njöt av det första blosset. Tillät sig att blunda en stund. Sedan fortsatte han i maklig takt bakom Molly.

Låt henne springa, tänkte han. Låt henne njuta hon med. Så kan vi sova en stund när vi kommer hem.

Han var tvungen att dra på munnen åt sin egen sentimentalitet.

På avstånd uppfattade han några tält i den glesa tallskogen. De grå tältdukarna smälte väl in i naturen där gulgrön mossa fläckvis blandades med blåbärsris. Växtligheten låg som öar i sanden, ofta med en kortväxt tall som mittpunkt i kvadratmeterstora områden med nerfallna barr och kottar.

Han gick ner mot stranden och vek av åt höger. Några hundra meter bort, där stranden slutade, skymtade ett staket som gick ända ner till vattnet. Av hävd brukade man avstå från att inhägna strandtomter, och staketet framför honom retade gallfeber på både ortsbefolkningen och övriga sommargäster.

I Pelle Forsbergs fall ökade det bara lusten att demonstrativt promenera över tomten.

Molly hade fått vittring på något och försvann mot den bortersta delen av stranden. Han följde efter utan att göra sig någon brådska medan han funderade på om de skulle ta och gå bort till Trouville, nu när de ändå var ute.

Pelle drog ännu ett bloss på cigaretten och snubblade till på en rot i sanden. Då han rätade på sig hörde han hur tiken började skälla ivrigt. Hon befann sig några hundra meter bort, framför ett yvigt alträd med tjock trädstam. Det stod precis där stranden övergick i steniga klippor, ett tjugotal meter före det irriterande staketet.

Skallet ekade i den rofyllda morgonen.

”Schhh”, ropade Pelle Forsberg så lågt han kunde. ”Schhh. Molly, tyst med dig. Folk sover fortfarande.”

Han skyndade på sina steg och klev över ett tjockt rotsystem som stack fram i sanden.

Molly fortsatte skälla.

”Nu räcker det!”

Pelle Forsberg höjde rösten och det skarpa tonfallet fick henne att äntligen tystna. Istället övergick hon till ett lågt gnällande som kom långt nerifrån halsen. Men hon stod kvar och ville inte flytta på sig.

Pelle Forsberg gick närmare. Något vitt kunde anas bland det gröna. Han sköt undan ett par utskjutande grenar och föll på knä för att se bättre.

Plötsligt förstod han varför hunden hade reagerat.

På marken, under bladverket, skymtade ett blekt ansikte med livlösa ögon.

Mollys kalla nos mot kinden fick Pelle på benen. Hjärtat hamrade i bröstet när han började springa tillbaka till huset där telefonen låg kvar på nattduksbordet.

Kapitel 15

Nora tog ner sin seglarjacka från kroken. Båda pojkarna sov fortfarande djupt, de skulle förmodligen inte vakna medan hon var borta, men för säkerhets skull skrev hon en lapp som hon lade mitt på köksbordet.

Hon var hungrig men tyckte inte hon hade tid att göra sig en smörgås. Istället hällde hon upp ett glas yoghurt som hon drack på stående fot vid diskbänken. Sedan stängde hon ytterdörren bakom sig och öppnade den vita trägrinden. I förbifarten noterade hon att den snart skulle behöva målas om.

Medan hon med snabba steg lämnade Kvarnberget drog hon upp mobiltelefonen ur fickan och knappade fram Jonas nummer.

Han svarade på första signalen.

”Har hon kommit hem?”

Hjärtat sjönk i bröstet på Nora när hon hörde förhoppningen i rösten. Han måste vara så orolig för Wilma vid det här laget.

”Nej, tyvärr”, sa Nora och pressade luren mot örat. ”Det är inte därför jag ringer. Det har hänt en annan sak.”

Snabbt förklarade hon situationen.

”Jag är på väg till polisens kontaktcenter där flickorna befinner sig. Jag har lovat Monica att ta med dem hem så länge.”

Hon tvekade.

”Har du pratat med polisen om att Wilma är försvunnen?”

”Nej.”

”Borde du inte göra det?”

”Jag har inte sett till några poliser.”

Han andades snabbt och talade mycket fortare än han brukade.

”Ska jag inte höra med poliserna på PKC om de har sett henne när jag ändå går dit? Det kan väl inte skada.”

Hon hörde Jonas ta några djupa andetag.

”Nej”, sa han sedan. ”Det kan det väl inte.”

”Var är du någonstans?” sa Nora.

”Längst ut på yttre pontonen, mittemot Via Mare-bryggan. Jag försöker titta in i de stora båtarna, men det är hopplöst. Alla sover så här dags, det finns inte en kotte att fråga.”

Via Mare-bryggan låg bredvid bensinmacken vid KSSS-hamnen. Det var en lång brygga reserverad för särskilda medlemmar och det krävdes en kod för att öppna grinden.

Nora ville så gärna säga något som kunde lugna honom men hon hade svårt att hitta de rätta orden.

”Hon kommer säkert att höra av sig vilken minut som helst”, sa hon lamt. ”Du ska se att telefonen ringer bara vi lägger på.”

Hon lät mobilen glida ner i fickan och gick så fort hon kunde genom de smala gränderna som kantades av vita och röda spjälstaket. Flädern prunkade och de vackra gräddvita blomklasarna fick henne att minnas hur söt Wilma hade varit dagen innan vid midsommarstången.

När Nora passerat Dykarbaren på baksidan kom hon ut i hamnen, precis vid den ljusa byggnaden där öns mataffär låg.

Jonas hade haft rätt, området var helt övergivet. Vid ångbåtsbryggan var kioskens grå plåtjalusier nerfällda och klädaffären mittemot var förbommad.

Ett par skrakar cirklade i morgondiset en bit bort.

Solen stod redan en bra bit ovanför Korsö Torn men Nora tyckte att det drog kallt.

När Nora ringde på dörren till PKC öppnades den nästan genast av en söt polis med koreanska drag.

”Jag heter Nora Linde, jag tror att jag ska hämta två tjejer här.”

Nora hörde själv hur förvirrad hon lät men polisen tycktes inte reagera på det. Hon sträckte fram handen och hälsade.

”Anna Miller, jag har väntat på dig. De är på övervåningen. Har du någon legitimation?”

”Eh, ja.”

Lätt förbryllad tog Nora fram sitt körkort och höll upp det. Anna tittade flyktigt på texten.

”Tack. Felicias pappa sa att du skulle komma, men jag måste ju kolla att du är du.”

Hon pekade på en trappa.

”Följ med mig så ska jag visa vägen.”

Så unga de är. Tanken slog Nora med en gång när Anna öppnade dörren och hon fick syn på tjejerna.

Smala axlar, halvlångt hår, spensliga kroppar och tunna kläder. De låg tätt bredvid varandra på en brits med en filt över sig.

Den ena flickan ställde sig upp för att hälsa. Hon presenterade sig försiktigt som ”Ebba” och neg hastigt. Ansiktet var strimmigt av tårar. Den andra flickan, som måste vara Felicia, såg inte mycket bättre ut där hon låg med sitt rufsiga hår. Nora tänkte på Wilma, det gick inte att låta bli.

Spontant böjde hon sig fram och gav Ebba en kram.

”Jag heter Nora Linde och bor här på Sandhamn”, sa hon. ”Min svärmor känner Felicias familj, det är därför jag är här. Hur är det med dig och din kompis?”

”Inte så bra”, sa Ebba lågt.

Nora strök henne över håret precis som hon brukade göra med Simon när han behövde tröstas.

”Nu ska ni få följa med mig hem och sova en stund tills era föräldrar kommer i morgon. Det här ordnar sig, ska du se, var inte ledsen.”

Ebba nickade men sa ingenting. Felicia var inte helt onåbar även om ögonen var dimmiga. Men när Nora försökte prata med henne mumlade hon mest.

”Då tar du hand om flickorna”, sa Anna.

Några mörka hårtestar hade släppt från hennes hästsvans och hängde ner mot nacken. Hon lossade på gummibandet, samlade ihop håret och fäste snodden igen.

”Ska jag göra något särskilt?” sa Nora, med ens osäker på vad hon hade åtagit sig.

”Låt dem sova och ta igen sig”, sa Anna. ”Det vore bra om du kan få i dem lite att äta och dricka så småningom.”

”Har hon blivit alkoholförgiftad?” sa Nora lågt med en blick på Felicia.

”Fullt så illa var det inte, då hade vi fått skicka in henne till sjukhuset. Men hon har definitivt druckit för mycket, hon var verkligen borta när vi hittade henne.”

”Jag förstår”, sa Nora fastän hon inte gjorde det.

Flickorna var knappt äldre än Adam. Skulle han kunna råka ut för något liknande, omhändertagen av polisen, ur stånd att ta vara på sig själv?

Hon kunde inte föreställa sig sin son i onyktert tillstånd, än mindre redlöst berusad.

”Börjar det verkligen så tidigt?” sa hon mot bättre vetande.

”Du anar inte. Vi hittar ungar från mellanstadiet som är helt väck på öl och vin.”

”Men hur kan det komma sig?” sa Nora. ”Var får de tag på alkohol?”

Anna tittade på Nora som om hon levde i en annan värld.

”De snor från föräldrarna, eller så får de sina äldre syskon att köpa åt dem. Professionella langare är en annan möjlighet, de håller till utanför skolorna på fredagarna.”

Ett överseende leende.

”Brukar du låsa in alkohol som du förvarar i hemmet?” sa Anna som om hon redan visste svaret.

Nora skakade förläget på huvudet. Tvärtom, i hennes kök stod det vinflaskor framme på köksbänken, i en snidad ställning av olivträ som hon hade köpt i Spanien en gång. En öppnad box med vitt vin förvarades i kylskåpet. Inte för en sekund hade hon tänkt på att plocka undan det fastän hon själv hade sett hur Wilma förberedde sig inför kvällen.

Så aningslöst.

Ebba avbröt dem.

”Ursäkta”, sa hon skyggt. ”Jag undrade … har ni hittat våra kompisar?”

”Tyvärr inte”, sa Anna. ”Men du ska inte vara orolig. De ligger säkert och sover någonstans precis som ni borde göra.”

Hon verkade utpumpad, tänkte Nora, läpparna var torra och ögonen matta.

Nora rörde vid Annas arm.

”Jag måste få fråga dig en annan sak.”

De gick undan några meter, till ett fönster som vette mot norr, så att inte Ebba och Felicia skulle höra vad hon sa.

”Min …”

Hon avbröt sig. Vad skulle hon kalla Wilma? Styvdotter lät främmande, hon bodde inte ens ihop med Jonas. Bonusbarn, var det bättre?

Hon började om.

”Dottern till min pojkvän kom inte hem i natt. Hennes pappa är ute och letar. Vi är ganska oroliga, som du kanske förstår.”

Annas rynkade panna fick Nora att inse att hon hade hoppats på en annan reaktion. Ett vänligt leende, några lugnande ord om tonårstjejer som var ute och festade och inte kunde passa tiden. Ingenting att hetsa upp sig för.

Istället sa polisen: ”När försvann hon?”

”Hon skulle ha varit tillbaka klockan ett.”
”Har ni försökt ringa henne?”
”Hon svarar inte på sin mobil.”
Anna gav Nora en forskande blick.
”Ta inte illa upp nu”, sa hon, ”men det vore bra att veta om ni hade grälat innan hon gick. Om det fanns något skäl till att hon skulle vilja hålla sig undan?”
”Absolut inte”, sa Nora, häftigare än hon tänkt sig. ”Hon skulle bara fira midsommar med några kompisar.”
”Är du säker på det?”
”Javisst.”
Frågan var inte ovänligt ställd men den fick ändå Nora att känna sig skyldig. Som om hon borde ha varit mer uppmärksam.
Anna hade fler frågor.
”Det fanns inga tecken på något ovanligt, till exempel att hon var ledsen eller upprörd över något?”
”Nej, sa jag ju.”
Nora hörde själv att hon lät defensiv men kunde inte låta bli.
”Okej, vi släpper det”, sa Anna. ”Hur ser hon ut, finns det några särskilda kännetecken?”
Nora beskrev Wilma så gott hon kunde, hennes kläder och hårfärg.
”De är nog ganska lika”, avslutade hon och tittade bort mot Ebba och Felicia.
Hon tänkte på fotot på Wilma som Jonas hade som skärmsläckare på sin mobiltelefon. Leendet som obekymrat mötte betraktaren, det ljusa håret.
”Deras kompisar saknas också”, sa Anna och gjorde en gest mot flickorna. ”Vad sa du att hon hette?”
”Wilma, Wilma Sköld. Hennes pappa heter Jonas Sköld och hyr hos mig.”
Varför hon lade till det sista hade hon ingen aning om, det fanns inget skäl att tala om för polisen att Jonas var hennes hyresgäst.
”Hur gammal är hon?”
”Fjorton.”
”Hittar hon på ön?”
”Det vet jag inte riktigt.”
”Bara fjorton alltså”, upprepade Anna.
Nora tyckte inte om klangen i rösten.

Kapitel 16

Adrian hade sagt till Anjou att han skulle gå och lägga sig men han gick ändå bort till pontonen där båten med Ebbas kompisar låg. Han ville ta en sista koll, kanske hade någon kommit tillbaka vid det här laget.

Båten låg nästan längst ut. Det var en fyrtiotvåfots Sunseeker med stort soldäck och vit skinnmöbel i aktern. Det första Adrian såg var en intorkad fläck på däck, förmodligen från rödvin. Ebba hade sagt att båten tillhörde pappan till en av kompisarna, han skulle nog hålla sig för skratt när han upptäckte den.

Det verkade som om dörren inte var riktigt stängd. Var det någon där?

Adrian klev ombord och prövade handtaget. Dörren gled upp utan problem och han stack in huvudet.

”Hallå”, sa han halvhögt.

Ingen svarade.

När han vant sig vid det skumma ljuset uppfattade han både en matplats och ett pentry, inredningen var påkostad med blänkande trä och snyggt mahognygolv. Några tomma ölburkar fyllde vasken och flera flaskor stod på bordet. En energidryck hade rullat in i ett hörn.

I den väl tilltagna skinnsoffan låg en kille och sov på mage. Håret var rött och burrigt och han var fullt påklädd.

”Hallå”, sa Adrian igen, högre den här gången.

Ingen reaktion.

Efter lite tvekan klättrade Adrian ner och inspekterade den rymliga kajutan. I en bokhylla stod flera böcker om båtliv, på golvet låg kuddar med signalflaggor som motiv.

En dörr i ädelträ, med mässingshandtag, ledde till en dubbelkoj längst fram. När Adrian kikade in upptäckte han ett par som även de var försänkta i djup sömn. Tjejen hade bara på sig ett par trosor och lakanet hade halkat ner och trasslat in sig mellan benen. Killen bredvid låg på rygg och sov med öppen mun.

Det luktade alkohol i det trånga utrymmet.

Adrian backade och vände sig om. Han lade handen på den sovande tonåringen i soffan och ruskade honom.

När ingenting hände skakade han igen, hårdare den här gången.

”Vad fan”, muttrade grabben plötsligt och slog upp ögonen.

Han vred huvudet i Adrians riktning. När han såg uniformen blinkade han till.

”Jag har inte gjort något”, sa han direkt.

Yrvaket satte han sig upp med det röda håret åt alla håll. Han tittade på Adrian igen.

”Vad vill du? Är det något som har hänt?”

Adrian förstod att han skrämt upp honom och backade ett par steg.

”Vad heter du?”

”Tobbe. Tobias Hökström.”

”Känner du en tjej som heter Ebba Halvorsen?”

Killen nickade, fortfarande förvirrad. Det grova sofftyget hade gjort ränder i kinden där ett blåmärke bredde ut sig mot ena örat.

”Ja, vi går i samma klass.”

”Vet du om att hon har letat efter dig och dina kompisar hela natten?”

”Varför då? Det var ju hon som drog från oss.”

”Men ni kom hit tillsammans. Det hade väl varit schyst om du hört av dig till henne och talat om vart ni stack. Hon kontaktade oss för att hon var så orolig.”

”Gick hon till polisen! Är hon inte riktigt klok?”

Adrian visst inte hur han skulle reagera på tonåringens utbrott.

”Var har ni varit någonstans?” sa han istället.

Tobbe kliade sig i nacken och gäspade.

”Vi var på en annan båt och festade, med kompisar till min brorsa.”

”Var ni där hela tiden?”

”Tror det.”

Ännu en gäspning.

”Du tänkte inte på att ringa Ebba och tala om var ni var någonstans?”

”Nää”, sa Tobbe med tom blick.

”När kom ni tillbaka hit?”

”Vet inte riktigt. Jag minns inte.”

Adrian nickade åt paret i den främre kojen.

”Vilka är det där?”

Tobbe reste sig halvvägs och kikade genom dörrspringan.
”Det är min storebror.”
”Tjejen då?”
”Han träffade henne på den andra båten.” Han gäspade igen. ”Jag har inte gjort något. Får jag sova nu?”
Adrian funderade.
”Vi har tagit hand om er kompis Felicia och enligt Ebba har hon letat efter sin kille, Victor. Vet du var han håller hus någonstans?”
”Har inte Victor kommit tillbaka?”
”Det kan nog du svara på bättre än jag.”
Motvilligt reste sig Tobbe igen och stack in huvudet i den andra kabinen där en bag och en jacka låg slarvigt slängda på madrassen.
”Det är ingen där”, påpekade Adrian, fastän det var överflödigt.
Tobias sjönk ner på soffan och såg ut som om han var på väg att somna.
”Då är han väl med Felicia.”
Adrian började tröttna.
”Hörde du inte vad jag sa? Felicia har tagits om hand av polisen.”
Den här gången tog orden. En glimt av förvåning syntes i Tobias ögon.
Adrian fortsatte: ”Hon är med Ebba nu. Men jag undrar vart Victor har tagit vägen. Följde han med till båten där ni festade?”
”Jag tror inte det.”
”När träffade du honom sist?”
Tobbe såg vilsen ut. Han rev sig i håret och tittade osäkert på Adrian.
”Det vet jag faktiskt inte.”

Kapitel 17

Anna fingrade på polisradion som om hon inte riktigt visste vad hon skulle göra. Nora kände hur oron växte. Så verkade det som om Anna fattat ett beslut, för hon förde munnen mot den lilla mikrofonen som var fäst på jackan och mumlade något som Nora inte kunde uppfatta.

Blicken blev inåtvänd när hon lyssnade på svaret. Anna avslutade samtalet och vände sig till Nora:

”Enligt min kollega saknas en av de andra ungdomarna fortfarande.”

Hon gjorde en gest i flickornas riktning. Det knöt sig i magen på Nora.

”Det är förmodligen ingenting att oroa sig för”, fortsatte Anna. ”Det händer hela tiden. Du anar inte hur många det är som kommer till oss och har tappat bort sina vänner. Men eftersom din killes dotter också är försvunnen vill vi ändå kolla några grejer. Kan du vänta här en liten stund?”

”Visst.”

Nora nickade, utan att bli särskilt mycket lugnare.

”Ska jag be hennes pappa komma hit?”

”Om du vill.”

”Tror du att det har hänt något allvarligt?” sa Nora.

Utan att svara började Anna tala in i mikrofonen igen.

Adrian stängde till kajutan och klev iland. Tobias Hökström hade redan somnat om.

”Hallå där, vänta ett tag!”

När Adrian vred på huvudet för att se vem som ropat upptäckte han en man i trettiofemårsåldern som kom småspringande utan att se var han satte ner fötterna, trots att träspången var förrädiskt hal av morgondaggen.

”Vänta lite”, ropade han igen och viftade med armen i luften.

När han kom fram var han så andfådd att han knappt kunde tala. Ändå välldе orden fram.

”Ursäkta, får jag prata med dig? Jag heter Jonas, Jonas Sköld. Min dotter är försvunnen och jag har letat i flera timmar efter henne.”

Oron gick inte att ta miste på. Blicken irrade fram och tillbaka.

”Jag har sökt överallt.”

Adrian insåg vem han hade framför sig.

”Är det din sambo som skulle ta hand om den upphittade flickan och hennes kompis?” sa han.

”Ja.”

Mannen verkade förvånad.

”Hur vet du det?”

”Jag har precis pratat med min kollega om din dotter. Följ med mig så ska vi försöka reda ut det här.”

Nora satt i en stol vid det avlånga bordet i PKC när dörren öppnades. Ögonlocken var tunga och hon hade svårt att hålla sig vaken. På bordet stod några kvarlämnade smutsiga kaffekoppar som ingen hade orkat plocka undan.

Flickorna var kvar på övervåningen. Nora hade förklarat att de skulle gå hem till henne alldeles strax, hon måste bara ordna med en sak först. De hade inte protesterat, Ebba hade lagt sig ner bredvid Felicia igen och nu dåsade de under den gemensamma filten.

En lång polis i trettioårsåldern med cendréfärgat hår och sympatiska drag klev in. Bakom honom kom Jonas. Han var rufsig i håret och grå i ansiktet. De bruna seglarskorna var dammiga från gruset på vägarna. Nora reste sig med en gång och omfamnade honom. Han log missmodigt, men sa ingenting.

Anna kom ner från övervåningen. Just som hon skulle sträcka ut handen för att hälsa på Jonas sprakade det till i polisernas hörsnäckor.

Nora märkte att båda två stelnade till.

Den långe polismannen vände sig bort så att hon inte kunde se hans ansikte. Han sa något i mikrofonen, lyssnade och började sedan prata igen.

Orden gick inte att höra, men oron ökade när han sneglade på henne och Jonas medan han talade.

”Ursäkta oss”, sa han plötsligt och drog med sig sin kvinnliga kollega till pentryt där de förde ett mumlande samtal.

”Vad är det som händer?” sa Jonas halvhögt till Nora.

”Jag vet inte. Jag förstår ingenting.”

Hon kände hur tårarna trängde på, om det var av rädsla eller bara utmattning kunde hon inte svara på.

Poliserna kom tillbaka.

”Vi måste lämna er en stund. Jag tror det bästa är om ni tar med tjejerna hem, så kontaktar vi er senare.”

Jonas tog ett steg fram och sa med ett tonfall Nora inte hört tidigare:

”Nu får ni faktiskt berätta vad som pågår. Det är min dotter som är försvunnen.”

Jonas stirrade på den långe polisen. Anna var redan på väg ut genom dörren men stannade när hon hörde att han höjt rösten.

”Jag kan tyvärr inte förklara situationen just nu”, sa polismannen. ”Jag beklagar.”

Anna vände sig om.

”Det bästa är verkligen om ni tar med flickorna hem så länge”, sa hon till Nora. ”Vi kommer att höra av oss.”

Kapitel 18

Adrian klev in i framsätet på jeepen som stod till polisens förfogande och startade motorn. Anna satte sig bredvid.

”Anmälaren väntar på er vid tennisbanorna”, ropade Jens Sturup bakom dem. ”Han heter Pelle Forsberg.”

Med ett ryck gick bilen igång och Adrian svängde runt den. Sedan styrde han mot den branta backen bakom Seglarhotellet, mot Skärkarlshamn.

När de kom fram till de höga stängslen som inhägnade öns två tennisbanor väntade en gänglig man vid grinden. Adrian bromsade in och stannade bredvid honom.

”Var det du som ringde in larmet?”

”Ja, det var jag”, sa mannen och sträckte fram en lätt darrande hand. ”Pelle Forsberg.”

”Kan du visa oss till fyndplatsen?” sa Adrian.

”Visst.”

”Hoppa in.”

Adrian pekade på hunden som svansade omkring och glatt hade skällt när poliserna närmade sig.

”Det vore bra om du kunde ta med hunden så att hon inte springer i vägen när vi åker. Jag vill inte råka köra på henne.”

Tiken gnydde lite när hon inte fick springa fritt men fogade sig när hennes husse lyfte upp henne i knäet med ett stadigt grepp.

”Kör in vid det stora gula huset där framme”, sa Pelle Forsberg och pekade med ena handen.

Med jeepen tog det bara några minuter att komma fram till alträdet på stranden. Adrian parkerade och de klev ur.

”Här är det”, sa Pelle Forsberg och pekade på en hög med slarvigt staplade växter och löv.

Någonting stack fram ur bladverket.

Adrian gick närmare för att se efter. Mer behövdes inte.

Han lyfte kommunikationsradion till munnen.

Jonas stirrade mot ytterdörren som poliserna hade stängt bakom sig. Kroppen var framåtlutad, som om han velat springa efter men hejdat sig i sista stund.

Nora ville sträcka ut handen och röra vid honom men tvekade. Hon insåg att hon inte hade någon aning om hur han reagerade i en krissituation.

Han är pilot, tänkte hon. Han har tränat i hundratals timmar för att hantera svåra situationer. Det är hans jobb att vara lugn även under press.

Men nu gällde det hans egen dotter. Det handlade om Wilma. Vad hjälpte all utbildning då?

Anna hade sagt att det var vanligt att folk tappade bort varandra en sådan här helg, påminde hon sig. De måste hålla fast vid det.

Men klumpen i magen ville inte försvinna. Varför hade poliserna gett sig iväg i så fall? Varför hade de fått så bråttom?

Utanför fönstret mötte småfåglarna gryningen med ett ihållande kvittrande. Någon hade plockat en bukett ängsblommor och ställt på konferensbordet bredvid en liten midsommarstång i svenska flaggans färger.

”Ska vi inte göra som polisen säger och gå hem med tjejerna?” sa Nora. ”Det är ingen idé att vi är kvar här. Vi kan inte göra något ändå och Felicia och Ebba behöver komma i säng, de är utmattade båda två.”

Den runda klockan i stål på väggen visade på tjugo i fem. Sömnbristen gjorde Nora darrig i kroppen, det spände över tinningarna.

Adam och Simon var fortfarande ensamma hemma. Hon ville inte nämna det men hon hade varit borta mycket längre än hon tänkt sig. Simon skulle bli orolig om hon inte var där när han vaknade.

Jonas satte sig på kanten av träbordet och knäppte händerna bakom huvudet som om han försökte tänka efter. Han var grå i ansiktet och det värkte i Nora när hon såg honom på det viset.

Jonas suckade djupt och böjde på huvudet.

”Gå hem med flickorna. Jag tänker fortsätta leta efter Wilma.”

När telefonen ringde satte sig Thomas upp med en gång. Sedan Elin föddes var han mer lättväckt än någonsin. Sömndrucken blinkade han och ryckte åt sig telefonen och dämpade signalen.

Det var ljust ute. Genom fönstret skymtade de ljusgröna löven på den stora hängbjörken intill huset. De hade slagit ut bara några veckor tidigare. Allting kom senare i skärgården, syrenerna hade nyss blommat klart.

Bredvid honom sov Pernilla på mage. Det ljusa håret hade vuxit sig en bra bit nedanför nacken, det bredde ut sig på det blå örngottet där små ankare bildade oregelbundna mönster. Thomas tyckte om att hon låtit det växa, när de träffades hade hon haft långt hår.

Pernilla rörde sig inte, den gälla telefonsignalen hade inte stört sömnen, istället makade hon sig åt sidan och borrade in ansiktet djupare i kudden. Elin låg fortfarande på rygg, men i sömnen måste hon ha kommit åt sin nallebjörn för det vita gosedjuret låg med nosen mot madrassen. Även hon slumrade i godan ro, trots mobilen.

Med telefonen i handen gick Thomas ut på verandan och stängde ytterdörren bakom sig. Han hade haft krimjouren hela helgen, och var förberedd på samtal.

När han lyssnat i några minuter förstod han att det inte skulle bli någon mer sömn.

Kapitel 19

Med tunga steg gick Nora mot verandan och slog sig ner i korgsoffan. Hon ställde ifrån sig en bricka på bordet och blundade. Varje rörelse var en kraftansträngning men det var lönlöst att försöka sova nu, hon var alldeles för uppe i varv för det. Istället hade hon gjort i ordning en kopp te och en smörgås. Hon tog en tugga av surdegsbrödet, kanske skulle lite mat få henne att må bättre.

Flickorna hade somnat i gästrummet. Samma säng där Wilma borde ha legat för länge sedan, Nora kunde inte låta bli att tänka tanken. De hade slocknat med en gång, tätt ihopkrupna, innan Nora ens hunnit dra ner rullgardinen och stängt om dem.

Felicias pappa hade ringt i nästa sekund och bara minuter efter att de lagt på luren var det dags för nästa samtal, med Ebbas mamma, Lena Halvorsen. Även hon befann sig på flera timmars avstånd från Sandhamn men skulle komma så fort hon kunde.

Båda föräldrarna hade låtit forcerade, som om de var lättade över att flickorna var välbehållna och samtidigt skämdes.

”Jag är jätteledsen för allt besvär”, hade Lena Halvorsen sagt gång på gång. ”Jag var övertygad om att Ebba sov över hos Felicias familj. Jag hade ingen aning om att hon var ute i skärgården.”

Nora hade försäkrat henne att det inte var någon fara och att hon var glad över att kunna hjälpa till.

”Jag har egna pojkar. Jag förstår hur det känns. Men flickorna har det bra här tills du kommer. De ligger och sover nu. Vi ses om några timmar.”

Med en suck drog Nora upp benen under sig. Jonas var inte tillbaka än, Nora ville inte tänka på hur orolig han måste vara. Hon kände sig ruggig och frusen och värmde händerna runt muggen.

Genom soldiset upptäckte hon en båt som närmade sig från nordväst. Den såg ut att styra rätt mot hennes brygga. Nora ställde ifrån sig teet och reste sig för att se bättre. Visst var det Thomas utombordare, en fem meters Buster med gråskimrande aluminiumskrov.

Bröstkorgen blev med ens blytung. Någonting allvarligt måste ha inträffat om det krävde hennes barndomsväns närvaro. Hon kunde inte komma på ett enda skäl till att han skulle åka till Sandhamn så här dags om det inte var i tjänsten.

Det måste gälla Wilma. Nora mindes poliserna på PKC som abrupt hade lämnat henne och Jonas. Herregud.

Utan att fundera mer hämtade hon sina skor och sin jacka och sprang ut för att möta Thomas. Hon kom ner till bryggan just som han ströp gasen och rundade bryggnocken.

Aluminiumbåten gled smidigt in vid den mellersta stenkistan och samtidigt fick Thomas syn på henne. Först verkade han förvånad, sedan lyfte han handen och vinkade åt henne.

”Kan du ta emot?” ropade han och slängde förtampen till Nora som snabbt gjorde fast den runt en pollare.

Automatiskt kände hon efter att knopen satt som den skulle.

Thomas fäste aktertampen på samma sätt och klev iland.

”Har ni hittat Wilma?” sa Nora omedelbart. ”Är hon skadad?”

Hon lyfte blicken för att se hans ansikte. Var det medlidande hon skymtade där? Eller något värre?

Panikkänslor som hon inte hade vetat om fick henne att skrika rätt ut:

”Varför har ingen sagt något till oss? Thomas, du måste vara ärlig mot mig.”

Han tog ett steg tillbaka. Den slarviga rakningen avslöjade att han hade gett sig av med kort varsel. Nora tog tag i Thomas skuldror.

”Du måste berätta varför du är här”, sa hon. ”Snälla Thomas.”

Utan att säga något drog Thomas henne intill sig. Lika plötsligt som paniken kommit, lika plötsligt gav den med sig, Nora slappnade av mot hans bröstkorg och tvingade sig att andas långsammare.

”Vad är det som har hänt?” sa han när han märkte att Nora lugnat sig.

Hon mumlade mot hans jacka: ”Wilma har varit borta hela natten och vi kan inte hitta henne. Jag är så rädd att hon är skadad eller har råkat ut för något farligt.”

Thomas sköt henne mjukt ifrån sig så att hon såg hans ansikte.

”Är Wilma borta?”

Han lät uppriktig.

”Jonas är inte hemma, han är ute och letar”, sa Nora. ”Han har sökt efter henne hela natten och när du kom blev jag så rädd …”

Rösten brast och hon svalde. Efter någon minut fick hon tillbaka kontrollen över den.

”Förlåt”, viskade hon. ”Jag är bara så stressad över det här med Wilma, det har varit en kaotisk natt, du anar inte.”

Thomas lade sin arm om hennes axlar. De började gå in från bryggan medan Nora berättade om Monicas samtal och att hon hämtat Felicia och Ebba hos polisen.

När de kom till bryggfästet stannade Thomas till.

”Så här är det”, sa han. ”Jag vet inte mer om Wilma än du för tillfället och jag måste verkligen ge mig iväg nu. Men jag hör av mig så fort jag kan.”

Sömnbristen, tänkte Nora, det är därför jag överreagerar så här. Jag behöver bara sova några timmar så blir jag okej igen.

”Klarar du dig nu?” sa han.

Nora nickade, fortfarande darrig i knäna.

”Förresten”, sa Thomas och pekade på Bustern. ”Kan båten ligga där i några timmar, det är så bökigt att klämma in den i hamnen så här dags.”

Nora försökte pressa fram ett leende.

”Självklart”, sa hon. ”Du behöver inte ens fråga om något sådant.”

Nora följde Thomas bort till grinden. Väl där granskade han henne närmare.

”Har du sovit något alls i natt?”

”Inte så mycket.”

”Gå in och försök vila lite, så ringer jag sedan. Jag lovar.”

Thomas försvann med hastiga kliv.

Det var först när han hade gått sin väg som Nora insåg att Thomas inte hade talat om varför han var på ön.

Kapitel 20

Den snabbaste vägen från Brandska villan till Skärkarlshamn gick förbi den gamla skolan och över sandfälten.

Gruset knastrade under Thomas fötter när han passerade Missionshuset och sedan genade över höjden ovanför sandtaget.

Mobiltelefonen ringde. Thomas såg på displayen att det var länskommunikationscentralen.

”Andreasson.”

En manlig röst i luren, med svag Gotlandsdialekt.

”Malmqvist här. Tänkte att du ville veta att teknikerna är på väg. Helikoptern lyfte för tjugo minuter sedan. De borde snart vara där.”

”Det är jag också. Vilka är det som kommer ut?”

”Vänta ska jag kolla.” En kort paus. ”Staffan Nilsson. Han har med sig Poul Anderberg.”

Thomas hade jobbat med Nilsson tidigare, det var en erfaren kriminaltekniker som kände till Sandhamn med omnejd. När ett otäckt styckmord inträffat på ön förra året hade Nilsson kallats in. Den gången hade de tillbringat många iskalla timmar tillsammans i skogen.

”Förresten”, sa Thomas. ”Säg till piloten att han ska gå ner direkt i Skärkarlshamn, det är ingen idé att de landar på plattan.”

Sandhamns officiella helikopterplatta låg vid tullbryggan, precis intill Sandhamns värdshus. Om Nilsson och hans utrustning släpptes av i det området skulle det ta dem minst en kvart till brottsplatsen. Då var det bättre att landa direkt på stranden. Det innebar visserligen att alla som bodde i närheten skulle bli väckta och förstå att någonting hade hänt, men det skulle alla snart göra ändå.

Det gick inte att hålla något hemligt på en liten ö som Sandhamn.

”Okej, jag fixar det.”

”Tack.”

Snart hörde Thomas det välbekanta ljudet från en helikopterrotor som kom allt närmare. När det var så nära att det dånade i öronen såg han polishelikoptern flyga över huvudet och vidare bort mot fyndplatsen.

Thomas ökade takten.

Sandfältets öppna landskap hade övergått i tallskog, marken var täckt av blåbärsris och mjuk grön mossa. Ljung med små rosa blommor växte överallt.

Thomas visste att det hundra år tidigare hade gått att se tvärs över ön, men det var svårt att tro nuförtiden. Han kunde lika gärna ha befunnit sig i de djupa småländska skogarna, så tätt stod furorna.

När han kom fram till tennisbanorna noterade han en jeep vid stängslet, och en polisman med mörkt hår vinkade åt honom.

Han var väntad.

Thomas fortsatte fram till kollegan och insåg att de hade träffats tidigare.

”Jens Sturup, insatsledare för Sandhamn och Möja under helgen”, sa den något yngre polisen och sträckte fram handen. ”De sa att du var på väg, så jag gick upp för att möta dig. Följ med mig så ska jag visa dig var kroppen ligger.”

Thomas tittade sig omkring.

De stod vid ett staket som omgärdade en stor vacker grosshandlarvilla. Rakt nedanför låg Skärkarlshamn, öns nordöstra strand med Korsö mittemot. Hit gick många Sandhamnsbor som ville undvika den kända Trouvillestranden där turisterna höll till. Platsen var också populär bland öns vindsurfare, det märktes på de brädor som var uppdragna en bit ifrån vattnet.

Det var tungt att gå i sanden och efter bara några steg hade Thomas fått sand i skorna. Men de var snart framme.

Ett stort område var redan inhägnat. Den blåvita polistejpen var spänd runt trädstammar och ramade in ett område på några hundra kvadratmeter. En bortglömd orange barnflytväst låg i skuggan av en tall, den fick honom att tänka på Elin.

Liv och död bredvid varandra.

Helikoptern som nyss släppt av rättsteknikerna hade redan lyft igen. Nu syntes den bara som en liten prick på himlen på väg tillbaka till fastlandet.

Thomas och Jens Sturup kröp under tejpen och fortsatte fram till Staffan Nilsson som stod framför ett tätvuxet alträd. Han hade redan fått fram en kamera ur den halvöppna väskan. Den andra teknikern var en bit bort, i full färd med att undersöka omgivningen.

”Tjenare Andreasson”, sa Staffan Nilsson. ”Ska vi ta oss en titt?”

Kapitel 21

När Nora hörde ytterdörren öppnas skyndade hon ut i hallen. Jonas stod där med sänkt huvud och hon gick fram och kramade honom hårt. De stod stilla en stund, tysta. Sedan släppte hon honom och tog några steg tillbaka.

”Har du hittat henne?” sa hon trots att hon redan visste svaret.

”Nej.”

Han tog av sig jackan och gick ut på verandan där han satte sig i en av korgstolarna. Plötsligt dunkade han en knuten näve i stolskarmen.

”Var kan hon vara?” halvskrek han.

Nora sträckte ut handen och rörde vid hans kind.

”Hon kommer säkert tillrätta snart”, mumlade hon utan övertygelse.

”Jag måste ringa Margot”, sa Jonas tungt. ”Hon kommer att bli ifrån sig.”

Han suckade.

”Har du sovit något?” sa han sedan och sträckte sig efter Nora.

Han drog henne till sig och hon satte sig på armstödet och lutade huvudet mot hans. Jonas bruna hår var aningen fuktigt och luktade hav.

Hon skakade på huvudet.

”Jag vilade en stund här på soffan, det var allt. Det är inte så lätt att koppla av.”

Hon pekade mot bryggan nedanför huset där aluminiumbåten låg. Den slet i sina förtöjningar när vågorna från morgonens första Waxholmsbåt rullade in.

”Thomas är här, hans båt ligger där nere.”

”Är Thomas här?” sa Jonas och rätade på ryggen. ”Varför det?”

Han reagerade precis som hon själv hade gjort när hon sett båten komma. Oron låg precis under ytan.

”Jag vet inte”, viskade hon. ”Han sa inte det.”

Mekaniskt såg hon på klockan. Snart halv åtta, då hade det gått en knapp timme sedan hon pratat med Thomas och han gett sig iväg.

Jonas rörde på sig som om den nervösa energin gjorde att han inte kunde sitta still.

”Jag frågade om han hört något om Wilma”, sa Nora, ”men han visste ingenting. Han lovade att höra av sig.”

”Vet du när han kommer tillbaka?”

Jonas reste sig och gick fram till fönstret. Han betraktade Thomas båt utan att säga något. Nora ställde sig bakom med armarna om hans midja och nosade honom försiktigt i halsen.

”Ska inte du försöka sova lite? Du har varit uppe hela natten, du måste vara helt slut.”

”Jag vet faktiskt inte om jag kan.”

”Vill du ha något att äta då? Jag kan göra en ostmacka åt dig om du vill.”

”Det vore snällt.”

Jonas ruskade på sig. Sedan sa han lågt, som för sig själv, utan att bry sig om att Nora var där.

”Jävla unge.”

Kapitel 22

Pernilla läste lappen som Thomas lämnat till henne på köksbordet.

”Det har hänt en grej på Sandhamn, jag ringer när jag vet mer.”

Den slarviga handstilen fick henne att dra på munnen. Den var förfärlig, på gränsen till oläslig, men med åren hade hon lärt sig tyda den.

En grej på Sandhamn, vad kunde det betyda?

Thomas hade visserligen haft krimjouren under midsommarhelgen men hittills hade det varit lugnt, mot alla odds. De hade fått tillbringa en fridfull midsommarhelg tillsammans på Harö.

Elin hade somnat om efter morgonens amning och Pernilla njöt av friden.

Varje minut med Elin var värdefull, men Pernilla kände av att hon inte var en särskilt ung mamma. I november skulle hon fylla fyrtioett och vaknätterna tog på krafterna. Thomas försökte avlasta men det var trots allt hon som hade maten.

Att bara få sitta ner och rå sig själv var någonting hon längtade efter, även om hon knappt tordes medge det. Det kändes som ett svek, både mot Elin och mot Emily.

Hon satte på kaffebryggaren och tog fram en mugg ur ett av de gammeldags köksskåpen.

Sommarhuset var en ombyggd gammal lada på en tomt som Thomas föräldrar styckat av från sin egen fastighet några år tidigare. Då, när de planerade bygget, hade det låtit perfekt med öppen planlösning och ett rymligt sovloft under taket, dessutom med utsikt över vattnet.

Nu, med en liten bebis, var det tydligt att de måste hitta på något annat så att de fick till ordentliga sovrum till både sig och Elin.

Pernilla tog fram mjölkpaketet ur kylskåpet samtidigt som hon hörde hur kaffet började droppa ner i kannan.

Under de svåra åren, då hon och Thomas sörjde Emilys död på varsitt håll, hade hon inte tillåtit sig själv att tänka på huset på Harö.

De hade tillbringat sina bästa stunder här och när skilsmässan gick igenom bestämde hon sig för att aldrig mer åka hit. Inte till Sandhamn heller, det var för tätt inpå. Varje gång hon hörde ortsnamnen värkte det i henne.

Vid skilsmässan hade Thomas behållit fritidshuset och hon hade tagit lägenheten i Stockholm. Det hade varit en naturlig uppdelning och ingen av dem ville förlänga den smärtsamma processen genom att bråka om ägodelar. Hon hade hyrt ut lägenheten och flytt till ett nytt jobb som projektledare på en reklambyrå i Göteborg.

De mörka minnena låg fortfarande nära ytan men hon och Thomas hade ändå lyckats hittat tillbaka till varandra. De hade Elin och hon var fast besluten att inte låta det förflutna ta över. När Pernilla berättade att hon var gravid hade Thomas nästan inte trott på henne. Emily hade varit frukten av flera års försök och IVF-behandlingar. Att Pernilla kunde bli med barn på naturlig väg hade inte föresvävat någon av dem.

Det hade inte undgått Pernilla hur lång tid det tog innan Thomas riktigt kunde ta det till sig. Det var först när barnmorskan höll fram Elin, med skrynkligt ansikte och hopknipna ögon, som han för första gången vågade släppa fram glädjen.

Ett ljud från barnsängen fick henne att skynda bort till sin dotter. Elin låg med öppen mun och log med rosa, tandlösa gommar. Pernilla lyfte upp henne och snusade med näsan mot den lena huden.

"Ingenting får hända dig", mumlade hon. "Ingenting ska någonsin få hända dig. Det svär jag på."

Kapitel 23

Thomas väntade medan Staffan Nilsson varsamt lyfte undan växterna som använts för att dölja liket.

Den buskiga alen framför dem bredde ut sig med tjocka grenar bara några meter från vattnet. Marken under den var övervuxen med lummig grönska och runt om stod höga strandväxter med färska knoppar i toppen och utblommade rosa blommor nertill.

Nilsson klev åt sidan så att Thomas skulle se bättre.

Kroppen låg på rygg, med huvudet delvis bortvänt så att den ena kinden var nertryckt i marken. En armbåge låg i en onaturlig vinkel, bakom ryggen, som om någon hade försökt trycka ihop den döde så mycket som möjligt.

Några flugor surrade omkring i morgondiset och flera hade slagit sig ner på den döda kroppen. Thomas såg hur de med spretiga flugben plockade i det stelnade blodet.

Nilsson studerade kroppen. Han bar likadana plasthandskar som Thomas nyss dragit på sig och sökte efter något i sin svarta väska.

”Någonstans mellan femton och arton år skulle jag tro”, sa Nilsson. ”Inte mycket mer än ett barn. Det är för jävligt.”

Thomas lät blicken långsamt glida bort mot ett långt spjälstaket som slutade vid vattnet. Innanför låg flera grå trähus, det största hade förbommade fönsterluckor, som om det stått tomt under midsommarhelgen. Ingen rörde sig på tomten eller kikade nyfiket genom fönstren.

Thomas hoppades ändå att någon hade varit där under natten, de behövde alla vittnen de kunde få tag i.

Staffan Nilsson var klar med sina foton. Nu plockade han undan de sista grenarna så att kroppen blottades i sin helhet.

”Titta”, sa han och pekade på huvudet som nu inte längre låg med kinden mot marken.

Den ljusa luggen hade fallit tillbaka och ett stort sår syntes i vänster tinning. Något mörkt hade runnit utmed kinden, håret hade klibbat fast i blodet.

De vidöppna ögonen saknade allt mänskligt uttryck.

Det kändes som om hon just hade somnat då telefonen ringde och när Nora vred sig mot klockan insåg hon att det var precis så.

Visarna stod på tjugo över åtta och hon hade sovit i högst tretton minuter. Utmattad vred hon på huvudet, Jonas slumrade på rygg bredvid henne. Det var i alla fall bra, han var ännu tröttare än hon och behövde några timmars vila.

Hon grep telefonen, väste ”Vänta”, och skyndade sedan nerför trappan med luren i handen.

”Hallå, det är Nora”, sa hon när hon kom in i köket.

Solen låg på från sydöst och det var redan lika varmt som mitt på dagen.

”Nora, vad håller du på med? Varför svarade du så märkligt alldeles nyss?”

Monica.

Självklart var det Monica som hörde av sig när Nora försökte få lite sömn innan Felicias och Ebbas familjer kom för att hämta sina flickor. Snart skulle Simon vakna och undra varför det låg två främmande tjejer i Wilmas rum.

Det skulle bli en lång dag.

”God morgon, Monica.”

”Har du tagit hand om flickorna? Varför har du inte ringt och berättat hur det har gått?”

Nora insåg att Monica också måste ha oroat sig, men hon hade fullständigt glömt bort sin före detta svärmor under de senaste timmarna. Relationen var fortfarande sårig efter skilsmässan och Nora försökte undvika henne så mycket som möjligt så att inte alla trista minnen skulle tränga sig på.

Med högerhanden öppnade Nora ett fönster för att få in frisk luft.

”Flickorna sover på övervåningen och jag har talat med deras föräldrar”, sa hon. ”Allt är under kontroll här ute.”

”Jag är besviken över att du inte har hört av dig. Förstår du inte att jag har suttit uppe hela natten och väntat?”

Nora hade en syrlig kommentar på tungan men tog några djupa andetag för att hålla sig lugn.

”Det var inte meningen att göra dig upprörd”, sa hon istället. ”Det har bara varit lite mycket.”

”Jag har precis talat med Henrik och han kan inte heller förstå varför du inte har ringt tillbaka.”

Hade människan dragit in Henrik i det här också?

”Monica, jag förstår inte riktigt vad Henrik har med saken att göra, men jag gör mitt bästa just nu. Du får nog lita på det.”

”Vi kommer ut med elvabåten. Det är det minsta jag kan göra under omständigheterna. Det är jag skyldig mina kära vänner.”

”Kommer du hit?”

Nora drog ut en vit köksstol med gamla fläckar som avslöjade Simons förkärlek för ketchup.

”Självklart åker vi ut. Harald och jag hjälper gärna till. Så kan vi passa på att träffa Adam och Simon också. Det ska bli riktigt trevligt att besöka er och du behöver inte göra dig något besvär, en lätt lunch med lite vitt vin duger gott åt oss.”

Nora försökte tänka ut ett vänligt men bestämt sätt att hindra sin före detta svärmor från att komma till ön.

”Monica, lyssna nu, du behöver verkligen inte det. Flickornas föräldrar kommer om några timmar och jag tror faktiskt inte att det blir bättre för att du och Harald också åker hela vägen till Sandhamn.”

”Nonsens, kära du. Vi har redan bestämt oss. Men det vore snällt om du kunde möta oss vid bryggan klockan tolv.”

Monica lade på. Nora slöt ögonen och försökte förgäves hitta någon sorts inre frid.

Kapitel 24

Thomas satte sig på huk och betraktade den döda kroppen.

”Känner du igen honom?” sa Nilsson.

”Jag har ingen aning om vem det är.”

Tonårspojken hade ljust hår och blå ögon. Den raka näsan var lite röd som om han hade varit i solen för länge och han var klädd i en beige Lacostetröja. Bermudashortsen hade fått gräsfläckar. En klocka som påminde om ett dykarur satt på vänstra handleden.

”Dyr pjäs”, sa Nilsson och nickade mot armbandsuret.

”Mmm.”

Thomas gick runt för att se bättre. Sedan backade han någon meter och vände sig om, mot klipporna på andra sidan trädet. Där gick Nilssons kollega Anderberg omkring med nerböjt huvud och studerade marken runt om.

Thomas gick bort till honom.

”Vi har hittat en handduk med spya på”, sa Anderberg till Thomas. ”Om den har med det här att göra eller inte är för tidigt att säga. Den luktar inget vidare i alla fall, så den är ganska färsk.”

”Okej.”

”Men här har vi något”, sa Anderberg och pekade på en ensam sten som reste sig ur marken ungefär en halvmeter från klipporna.

Den var omkring åttio centimeter hög och fyrtio centimeter bred, men något spetsig i toppen. Flera mörka fläckar syntes på den grå graniten.

”Är det blod?” sa Thomas.

”Det ser så ut.”

Thomas böjde sig fram och undersökte ytan.

”Om killen fallit eller knuffats kan han ha slagit i tinningen mot den här klippan”, sa han. ”Det kan förklara såret i pannan. Det var på vänster sida, då måste han ha stått med ryggen mot vattnet.”

Thomas ställde sig i samma position och såg sig noga omkring. Snett till vänster låg det stora grå huset, framför sig hade han tallskog.

”Och vad händer sedan?” sa han tankfullt.

Han vände sig mot Anderberg igen och besvarade sin egen fråga.

”Pojken avlider eller blir i vart fall skadad, kanske medvetslös.”

Thomas tog några steg mot det buskiga trädet. Vegetationen var tillplattad, som om någon hade släpat någonting tungt över marken. Spåren slutade precis där kroppen låg.

”Så gärningsmannen drar in grabben under trädet för att dölja honom.”

”Det verkar så”, instämde Anderberg.

”Skulle man gömma kroppen om det var en ren olyckshändelse?” funderade Thomas högt. ”Då tillkallar man väl hjälp?”

”Enligt min åsikt”, sa Anderberg bakom hans rygg, ”är det slarvigt gjort. Det var bara en tidsfråga innan kroppen skulle upptäckas. Gärningsmannen har rafsat ihop lite växter att täcka med. Om två dagar skulle alltihop ha vissnat och då hade kamouflageeffekten varit borta.”

”Det var inte välplanerat med andra ord.”

”Inte särskilt.”

”Det tyder också på att gärningsmannen hade bråttom”, sa Thomas, ”både med att dölja liket och att komma härifrån.”

Thomas granskade marken med rynkad panna.

”Finns det möjlighet att säkra några skoavtryck?”

”Vi får hoppas det”, sa Anderberg, ”men det är inga idealiska förhållanden. Jag ska göra mitt bästa.”

Staffan Nilsson låg fortfarande på knä på andra sidan trädet och studerade den döde pojken.

”Thomas, kom hit ett slag”, ropade han.

Nilsson hade makat på kroppen så att bakhuvudet var synligt. Han pekade på ytterligare en sårig fördjupning lite högre upp, ovanför det högra örat.

”Flera slag”, sa han med ett talande tonfall. ”Gärningsmannen har ansträngt sig för att ta livet av sitt offer. Såret i tinningen räckte inte, han slog honom med något hårt också.”

Nilsson tog fram ett förstoringsglas och studerade skadan.

”Det här kommer inte från klippan, det kan jag sätta en månadslön på.”

”Vad tror du det är då?” sa Thomas.

Rättsteknikern lät tveksam.

”Det är svårt att säga, men förmodligen något trubbigt, en vapenkolv kanske.”

Thomas blick föll på stenarna i vattenbrynet. De fanns överallt på Sandhamn i alla möjliga olika former. Många använde dem i sina trädgårdsland som kantprydnader.

”Kan det vara en vanlig gråsten?”

”Det är inte omöjligt.”

Thomas såg ut över vattnet.

”Jag undrar om han kastade i den efteråt … det skulle i alla fall jag ha gjort.”

”Du får väl be någon av de yngre att ta av sig skorna och bli blöt om fötterna”, sa Nilsson. ”Det kan inte skada att vada runt en stund. Det är väl det man gör på Sandhamn, njuter av frisk luft och havsbad.”

Det fanns en antydan till ironi i Nilssons ord men han rörde inte en min.

”Kan du säga något om tidpunkten för dödsfallet?” sa Thomas och reste sig.

”Det har nog gått en tio tolv timmar sedan han dog, kanske mer. Kroppen är kall. Men det beror också på nattemperaturen, det vet du.”

Thomas såg på klockan som nu var kvart i nio.

”I går kväll, alltså?” sa han.

”Förmodligen, men du får vänta på rättsläkarens utlåtande om du vill ha en mer exakt angivelse.”

En liten segelbåt passerade utanför och slog i vinden. Seglen fladdrade till i morgonbrisen. Ljudet flöt genom luften.

”Varför gömde han sitt offer just här?” sa Thomas högt.

”Han kanske hade bråttom, om det är nära brottsplatsen”, föreslog Nilsson. ”Det är avskilt.”

Thomas vred på huvudet.

På vägen ner hade han passerat några tält, nu konstaterade han att dessa inte gick att se där han stod. Fyndplatsen låg helt i skymundan, med undantag av de tomma fritidshusen en bit bort.

Om man skulle gömma en död kropp i Skärkarlshamn fanns det förmodligen inte ett bättre ställe. I varje fall inte om man ville undgå att transportera kroppen någon längre sträcka.

”Enklaste alternativet, med andra ord.”

”Det kanske man kan säga.”

Thomas var just på väg bort till det grå fritidshuset när Nilsson ropade på honom igen.

”Jag har hittat något, kom hit får du se.”

Försiktigt lirkade Nilsson fram en mobiltelefon ur fickan på den dödes kakishorts. Det var en Ericsson, inte en av de billigare modellerna.

”Här har du något att identifiera honom med.”

Thomas vägde telefonen i handen.

Vem är du? tänkte han. Var hör du hemma?

Kapitel 25

Simon hade förstås vaknat när farmor ringde, men han hade varit på gott humör och sprang gärna till bageriet och handlade. Snart hade han varit tillbaka med färska frallor och seglarbullar.

”Jag sticker till Fabian”, sa han nu, med munnen full.

Nora var tacksam för lite andrum, det kändes övermäktigt att hantera en pratglad son mitt i allt kaos.

Hon blev sittande i köket med en bulle och en kopp extra starkt kaffe trots att den sura känslan i magen antydde att hon inte borde dricka mer kaffe på ett tag. Men kanske skulle det få mattheten att gå över. Det susade fortfarande i öronen.

Som vanligt borstade hon för säkerhets skull bort pärlsockret från ytan på den ännu varma och kardemummadoftande bullen. Hon hade redan kontrollerat blodsockret och tagit sitt insulin. Kalorier istället för sömn, tänkte hon, inte precis utbytbara storheter.

Steg hördes i trappan. Till Noras förvåning visade sig Adam på tröskeln. Det var alldeles för tidigt för hennes morgontrötte son.

”Hej, min vän”, sa hon och försökte låta pigg. ”Är du redan uppe?”

För en gångs skull hade han ett par pyjamasbyxor på sig, men de var för korta vid anklarna. Han skulle bli lång, precis som Henrik.

”Vilka är det som sover i Wilmas rum? Varför är inte hon där?”

Hur visste han det? Så mindes Nora att hon lämnat dörren på glänt. För säkerhets skull, så att hon skulle höra om de vaknade.

”Det har varit lite rörigt i natt”, sa hon och bestämde sig för att ge honom en friserad version av sanningen. ”Felicia och Ebba är barnbarn till några av farmors vänner. De fick sova över här tills deras föräldrar kan komma och hämta dem.”

”Var de fulla?”

”Varför tror du det?” sa hon försiktigt.

”Det luktar där inne, och alla är fulla här på midsommar.”

Varför trodde hon fortfarande att Adam var ett litet barn när det var så uppenbart att han höll på att växa upp?

"Var är Wilma förresten?" sa Adam och öppnade kylskåpet.

Nora tvekade, hur skulle hon göra? Hon ville inte skrämma upp honom men kunde knappast låta bli att berätta sanningen.

"Wilma har inte kommit hem än."

"Oj", sa Adam och slog sig ner vid bordet med ett mjölkpaket i handen. "Har det hänt något?"

Nora lade sin hand över Adams.

"Jag hoppas inte det. Hon ligger nog och sover hos en kompis någonstans."

Nora erbjöd honom den sista biten av sin seglarbulle. Han stoppade in den i munnen och sa: "Då är väl Jonas skitsur?"

"Mest orolig, tror jag. Men han sover nu, han har varit uppe hela natten och letat. Hon dyker säkert upp när hon vaknat."

Adam flinade.

"Du skulle bli galen på mig om jag kom hem så mycket för sent."

"Ja." Nora kunde inte låta bli att le tillbaka. "Jag skulle bli skogstokig. Du får lova mig att aldrig göra något sådant."

Hon reste sig och gick bort till köksbänken där det färska brödet låg på skärbrädan.

"Vill du ha en smörgås?"

"Mmm."

Han gäspade ljudligt.

"Förresten", sa Nora. "Det verkar som om farmor och farfar kommer hit i dag."

"Varför det?"

"De ville väl hälsa på er. Det var ett tag sedan ni sågs."

"Pappa sa att vi ska åka till Ingarö nästa vecka när vi är hos honom."

Monica och Harald Linde hade ett lantställe på Ingarö utanför Stockholm. Där hade Nora genomlidit ett antal jular under årens lopp. Det var en av de traditioner hon inte saknade från sitt äktenskap.

"Jaha. Ska Marie följa med då?"

Varför hade hon sagt så? Nora ångrade sig med en gång. Hon ville inte bli en mamma som frågade ut sina barn om exmakens nya kvinna. Hon skar en tjock brödskiva som hon bredde leverpastej på.

"Vet inte."

Adam ryckte på axlarna och Nora bytte hastigt samtalsämne.

”Förresten, sa Wilma något till dig om vilka hon skulle träffa i går kväll?”

”Nej.”

Svaret kom snabbt. Kanske för snabbt? Nora ställde fram smörgåsen och satte sig ner, mittemot Adam.

”Gjorde hon det? Det är jätteviktigt att du talar om det i så fall.”

Var han besvärad?

”Vet du var hon är?” sa Nora allvarligt.

”Nej.” Adam drog på svaret. ”Men jag vet en kille som hon gillar och ville träffa.”

”Vem är det?”

”En som heter Mattias.”

”Hur vet du det?”

Nu blev han generad.

”Du vet i går, när hon snackade i telefon hela tiden, nere vid bryggan. Hon satt och skrev på en tidning när hon pratade, samma namn hela tiden.”

Plötsligt såg han skyldig ut, som om han hade snokat.

”Jag såg det när du sa åt mig att samla ihop alla grejerna och städa upp”, förklarade han hastigt. ”Hon hade skrivit Mattias säkert tjugo gånger på omslaget.”

”Vet du vad han heter mer än Mattias?”

”Samma som Malena förmodar jag, det är hennes storebrorsa.”

Nora visste att Wilma skulle träffa Malena, men inte att det fanns ett syskon också.

”Vad heter Malena i efternamn?” sa hon.

”Det vet väl inte jag. Kolla på nätet.”

Det kändes trots allt tryggare att veta att Wilma var med Malena och hennes äldre bror.

Adam tryckte i sig det sista av mackan. Utan att säga något mer reste han sig och försvann från köket. Han plockade inte undan efter sig. Några sekunder senare hörde Nora hur tv:n sattes på i nästa rum.

Hon tittade på klockan. Om några timmar skulle Monica dyka upp. Med ens kändes svärmoderns besök övermäktigt. Det fanns bara en sak att göra, situationen kunde knappast bli värre.

Hon tog sin mobiltelefon och tryckte fram Henriks nummer. När hon hörde signalerna gå fram ångrade hon sig. Men det var för sent.

”Det är Henrik.”

”Hej, det är Nora.”

”God morgon.” Det lät som om han var på gott humör. ”Hur är det med dig? Jag förstår att mamma var på dig i natt.”

”Det kan man lugnt säga. Jag har två tonårstjejer här som fick hämtas hos polisen mitt i natten och jag har inte sovit en blund.”

”Det låter som min kära mor i ett nötskal.”

Var det sagt med ett leende? Nora kände inte igen sin exman.

Hon gav honom en kort sammanfattning av händelseförloppet, men utan att säga något om Wilma. Det angick inte honom.

”Men det är inte det …” Hon höll på att säga ”värsta”, men ändrade sig i sista stund. ”Det enda som jag ville prata med dig om.”

”Okej, vad är det då?”

”Din mor är på väg till Sandhamn tillsammans med din far. Hon insisterade på att komma ut för att hjälpa till och de har tänkt ta en båt från Stavsnäs om några timmar.”

Bara Henrik inte brusade upp. Hon skulle inte orka med det.

”Oj, det är inte precis vad du behöver just nu.”

Tonen var medkännande. Det var inte likt den Henrik som alltid brukade ta sin mamma i försvar.

”Nej”, höll hon med. ”Inte precis.”

Hon tog sats.

”Jag undrade om du kunde slå henne en signal och få henne att ändra sig.”

Henrik småskrattade.

”Ta det lugnt, jag ringer mamma med en gång. Hur är det med pojkarna?”

Nora log när hon tänkte på sina söner.

”Det är bara bra, Simon sprang precis över till Fabian och Adam slöar framför tv:n. Vill du prata med honom?”

”Nej, stör honom inte. Men hälsa dem så mycket. Och oroa dig inte för mamma, jag ska övertala henne att stanna hemma.”

Nora lade ifrån sig telefonen på köksbordet. Tittade på den. Hade Henrik verkligen tagit hennes parti, så där utan vidare?

Kapitel 26

När Thomas öppnade till PKC satt Jens Sturup redan där tillsammans med Staffan Nilsson och Poul Anderberg. På bordet stod ett fat med färska bullar och det luktade nybryggt kaffe i rummet. Visarna på väggklockan närmade sig elva.

Från övervåningen hördes ljud från de ordningspoliser som packade det sista av utrustningen som skulle skeppas tillbaka till stationen. Husbilen hade redan körts bort till Ångbåtsbryggan i väntan på transporten.

Just som Thomas slog sig ner vid bordet öppnades dörren igen och Adrian Karlsson klev in med Anna Miller i släptåg. Efter dem följde en polis med mörk skäggväxt.

Jens Sturup nickade mot den okände polisen.

”Det här är Harry Anjou, han ska börja jobba hos er på Utredningsroteln redan i morgon. Han har roteringstjänstgöring och är klar med sina sex månader hos oss.”

Harry Anjou sträckte fram handen för att hälsa på Thomas.

”Du kommer med förstahandsinformation om vad som har hänt på ön”, sa Thomas. ”Vi kan behöva det om vi ska få rätsida på den här saken.”

Alldeles nyss hade han fått bekräftat att föräldrarna var på väg. Han såg den döde pojkens ansikte framför sig, det toviga håret som pressades mot grönskan.

Medan han gick från brottsplatsen till PKC hade Thomas försökt tänka igenom situationen. Det rådde ett nästan overkligt lugn på Sandhamn, men han visste av egen erfarenhet hur stökigt det måste ha varit kvällen före.

Någonstans bland de hundratals båtarna fanns det människor som visste exakt vad som hade utspelat sig ett halvt dygn tidigare när en tonåring mördades. Men hur skulle de hinna få tag i dem innan bryggorna tömdes och folk gav sig iväg?

Det var en omöjlig uppgift.

Thomas rycktes ur sina funderingar när Jens Sturup harklade sig. Det var dags att börja mötet.

”Då så”, sa Thomas. ”Ska vi försöka sammanfatta vad vi vet hittills? Offret heter med all sannolikhet Victor Ekengreen, vi har hittat en mobiltelefon som tillhör en person med det namnet. Dessutom verkar åldern stämma, han var sexton.”

”Victor”, upprepade Adrian Karlsson. ”Det är samma namn som på den där pojkvännen som anmäldes saknad i natt.”

Thomas vände sig mot honom.

”Vad sa du?”

”Vi tog hand om en ung tjej i går kväll som var alldeles väck och hade kommit bort från sitt kompisgäng. Så småningom dök hennes tjejkompis upp och frågade efter henne. Det var så vi fick reda på vem hon var. Flickan som omhändertogs har en pojkvän som heter Victor.”

Adrian bläddrade i sitt anteckningsblock. Så fortsatte han:

”Båten där flickorna hör hemma ligger vid den första KSSS-pontonen. Jag var där för några timmar sedan, vid femtiden, men då hittade jag bara två bröder plus den äldstes flickvän. Pojkvännen fanns inte ombord.”

”Var är tjejerna nu?” sa Thomas.

”Föräldrarna befinner sig i södra Sverige, i Skåne, men de kände en kvinna på ön som har tagit hand om både henne och kompisen tills familjerna kan ta sig hit.”

Vad hade Nora berättat på morgonen? Thomas sökte i minnet. Någonting om två unga flickor som hon hade hämtat mitt i natten hos polisen. Kunde det stämma? Det lät som en osannolik tillfällighet.

”Vi måste se till att ingen i kompisgänget ger sig av innan vi hunnit snacka med dem”, sa han.

Adrian reste sig.

”Jag går till båten på en gång.”

”Gör det”, sa Jens Sturup. ”Ta med dig Anna och hämta hit alla du kan hitta ombord.”

”Vi kommer att behöva prata med varenda en”, fyllde Thomas i.

Han hade alldeles nyss fått ett sms som sa att Margit Grankvist, hans parhäst på Nackapolisen, var på väg ut. Till dess fick han förlita sig på de kollegor som var på plats.

Adrian Karlsson stannade på tröskeln.

”Det var ett knivslagsmål i hamnen i går kväll, mc-killar. Borde man inte kolla upp det med tanke på vad som hänt?”

”När var det?” sa Thomas.

”Omkring midnatt”, sa Jens Sturup. ”Jag ska se till att du får dokumentationen.”

Thomas nickade och gjorde en anteckning. Sedan vände han sig till Staffan Nilsson.

”Vill du också säga något?”

”Vi har genomfört en teknisk undersökning av fyndplatsen som tillika utgör brottsplatsen. Det står klart att Victor Ekengreen har dött genom flera slag mot huvudet. Döden inträffade någon gång under gårdagskvällen, oklart när för tillfället. Vi tror preliminärt att det inträffade före klockan tjugotvå.”

”Var är kroppen nu?” sa Sturup.

”Vi har flyttat den från Skärkarlshamn. Seglarhotellet har ställt ett utrymme till förfogande. Sjöpolisen står beredd att transportera in den till Stavsnäs, men det är väl lika så gott att ta hand om identifieringen här på plats?”

Han såg sig omkring som om han väntade sig protester, men när inga kom sa han ändå:

”Jag tänker förstås på Ekengreens föräldrar, inte tonåringarna, jag är inte ute efter att skapa livslånga trauman hos unga människor.”

Nilsson vände sig till Thomas.

”Visst sa du att familjen var på väg?”

”Ja”, bekräftade Thomas. ”De har ett ställe som ligger på en ö norr om Sandhamn. De är nog här inom en halvtimme.”

”Stackars satar”, mumlade Anderberg.

Han var en försynt man som närmade sig sextioårsåldern. Håret hade tunnats ut och han svettades över flinten.

”Vi kommer att behöva kontakta alla som bor i närheten för att se om det finns personer som har hört eller sett något”, sa Thomas. ”Flera tältare fanns i skogen, de måste också höras innan de hinner sticka.”

”Finns det några ögonvittnen?” sa Harry Anjou.

”Inte vad vi vet i nuläget. Brottsplatsen är dessutom väl skyddad från insyn.”

Thomas gav Jens Sturup en blick.

”Kan du ta hand om grannar och tältare och se till att någon snackar med dem och tar deras kontaktuppgifter? Jag måste möta föräldrarna så fort de kommer. Sedan vill jag träffa grabbens kompisar också, allesammans. Kan vi använda det här utrymmet?”

”Jag ordnar det”, sa Sturup. ”Vi kommer att slå i övertidstaket så det dånar om det, men det får väl bli en senare historia.”

Han log snett.

”Finns det en präst på ön?” sa Thomas och såg sig runt om bordet. ”Det skulle vara rätt bra att ha någon med sig när föräldrarna kommer hit.”

”Ingen aning”, sa Sturup.

”Det är okej”, sa Thomas, ”Jag kan kolla med en bekant.”

Nora kanske visste om det gick att hitta en präst. Han måste ändå gå bort till Brandska villan för att tala med Victors flickvän och den andra tjejen.

Som om Nora känt på sig att han hade henne i åtanke pep Thomas mobil till. Han slängde en hastig blick på displayen, det hade kommit ett sms från henne.

”Har du hört något om Wilma?”

Var Wilma fortfarande borta? Thomas hade glömt bort att Jonas dotter också saknades.

Fanns det ett samband?

Kapitel 27

Den solbrände mannen som stod bakom ratten på den stora motorbåten bar mörka solglasögon av pilotmodell. Thomas kände ändå igen honom med en gång.

Johan Ekengreen var en av landets mest omtalade riskkapitalister med ett förflutet som storföretagsledare. Lika bekant för sina hårda nypor som för sitt sinne för affärer. Han var i sextioårsåldern men det ljusa håret var tjockt och han såg kraftfull ut, trots att han just hade mottagit ett dödsbud.

Thomas begrep att sonens dramatiska bortgång skulle ge eko i pressen. Det hade han inte räknat med, men innan han såg fadern hade han inte förstått kopplingen till den kände Johan Ekengreen.

Thomas avvaktade på bryggan medan två hamnvakter i röda KSSS-jackor hjälpte till att förtöja Delta 42:an. Med snabba rörelser lade de ut alla fendrar mellan pontonen och skrovet så att det inte skulle skava mot bryggkanten.

De kraftiga motorerna brummade till en sista gång innan de slogs av.

Johan Ekengreen blev stående vid ratten, som om han stålsatte sig inför det som väntade. Sedan tog han ur nyckeln, böjde sig ner och ropade något genom dörröppningen till kajutan.

En mycket blond kvinna, i vita jeans och svart topp, blev synlig på det översta trappsteget. Hon bar mörka solglasögon precis som sin man. Plötsligt stannade hon upp som om hon blivit osäker på vart hon skulle ta vägen.

Thomas gick fram till dem. En vindpust förde med sig lukten av bensin från macken vid pontonen bredvid.

”Thomas Andreasson”, sa han och sträckte fram handen. ”Kriminalinspektör vid Nackapolisen. Vad bra att ni kunde komma så snabbt.”

Johan Ekengreen tog ett språng iland och hjälpte sedan sin fru att lämna båten. När han hälsade på Thomas syntes det tydligare att han inte längre var en ung man. Huden under hakan var slapp och han hade leverfläckar på händerna.

Även Madeleine Ekengreen såg äldre ut på nära håll men åldersskillnaden mellan makarna måste vara åtminstone femton år, gissade Thomas, om inte mer. Madeleine Ekengreen snyftade till och kramade sin mans arm. Hon böjde på huvudet som för att slippa möta Thomas blick, trots de mycket mörka solglasögonen.

”Är det säkert att det är han?” sa Johan Ekengreen hest. ”Det kanske är ett misstag, sådant kan hända, vi kommer inte att ta illa upp för det.”

Han tog sig över håret.

”Polisen har mycket att göra, tänk om det har skett en förväxling?” fortsatte han. ”Det kanske inte alls är Victor som ni har hittat? Visst kan det vara så?”

Thomas fylldes av medlidande. Men det var inget han kunde göra, han måste be dem följa med och titta på kroppen. Det vore bra om det skedde så snart som möjligt så att den kunde transporteras in till rättsmedicin i Solna.

Han hade inte hunnit fråga Nora om det fanns någon präst på ön men Anna Miller skulle möta dem utanför. Det var bättre att vara två och i det här fallet ville han gärna ha med sig en kvinna, inte minst med tanke på Victors mamma.

Irrationellt önskade han att Margit varit där, hon var mycket bättre på att hantera sådana här situationer. Thomas kände sig alltid illa till mods inför den sorg som blottades hos dem som förlorat någon nära. Hur han än försökte hittade han inte de rätta orden, istället lät det bara klumpigt och tafatt.

Johan Ekengreen såg ut som om han väntade på att Thomas skulle säga något.

”Jag beklagar”, sa Thomas. ”Tyvärr tror jag inte att vi har tagit miste.”

Johan Ekengreens ansikte ryckte till men han sa ingenting.

Det droppade från skalmen på Madeleine Ekengreens solglasögon. Thomas ville ge henne en tröstande klapp på armen men kunde inte förmå sig att sträcka ut handen.

Istället sa han: ”Följ med mig så ska jag visa er vägen.”

Polisen hade fått låna en av Seglarhotellets mindre stugor som stått tom över midsommarhelgen. Så snart den initiala undersökningen var klar hade man flyttat kroppen. Nu låg den i en liksäck på en brits i entrén till den röda seglarstugan.

När de kom fram till det lilla huset stod Anna Miller utanför tillsammans med en gråhårig kvinna som presenterade sig som Gunilla Apelkvist, kyrkoherde i Oscars församling. Seglarhotellet hade fått tag i henne. Visserligen var hon bara på besök, men hon kunde stanna några timmar och hjälpa till.

Det långa grå håret var uppsatt med ett spänne, men förmodligen var hon inte äldre än femtio, misstänkte Thomas. Ansiktet var slätt.

Det var en lättnad att ha henne där.

"Känner ni er redo?" sa Thomas. Han vände sig till Johan Ekengreen. "Vill ni följa med bägge två eller ska bara du…?"

Frågan blev hängande i luften.

Madeleine Ekengreen svajade till och den vänliga prästen tog ett steg framåt och stack in armen under Madeleines.

"Du kanske vill vänta här med mig?" Hon pekade på bänken intill husknuten. "Vi kan sätta oss en stund, du och jag, så får du samla dig. Det blir nog bäst så."

Johan Ekengreen vände sig mot sin fru.

"Gör det. Stanna här så länge."

Thomas gav dem någon minut, sedan såg han på Johan Ekengreen som klappade sin hustru på kinden och tog ett djupt andetag. Han nickade till Thomas som stack in nyckeln i låset och vred om. Dörren gick upp.

Trots solljuset utanför var det skumt i den lilla hallen. Från den mörka skepnaden som låg utsträckt på den provisoriska britsen mitt på golvet kom en svag lukt. Eller var det bara som Thomas inbillade sig?

Johan Ekengreen tvekade i dörröppningen, så klev han över tröskeln.

Thomas öppnade blixtlåset som löpte utmed den gummiaktiga liksäcken. Med en varlig rörelse vek han undan den övre delen som täckte ansiktet på den döde pojken. Sedan tog han ett steg åt sidan så att Victors far skulle komma åt att se.

Johan Ekengreen sträckte ut handen för att röra vid sin son, men hejdade sig i luften. Fingrarna grep om ingenting, sedan vek han sig dubbel.

Thomas blev stående i bakgrunden, det fanns ingenting han kunde säga eller göra för att lindra den förtvivlan som fyllde rummet.

Efter några sekunder tog Johan Ekengreen tag i britsen där kroppen låg utsträckt. Tungt sjönk han ner på knä bredvid den, med sitt eget huvud tätt intill sonens livlösa ansikte.

"Victor", viskade han med kvävd röst. "Pappa är här nu."

Han lutade sig framåt så att han kom i ögonhöjd med sin son, så nära att de två nästan snuddade vid varandra.

Med darrande hand rörde han vid det bleka ansiktet, över haka, mun, näsa och kinder. Han stannade upp vid ett färskt myggbett, men lät sedan fingrarna glida vidare, som om han smekte ett spädbarn som alldeles strax skulle somna och behövde komma till ro.

Johan Ekengreen vred huvudet mot Thomas med tusen frågor i blicken innan han återigen vände sig mot sonen.

”Varför måste det vara du? Varför just du?” viskade han och pressade läpparna mot Victors panna.

Sedan brast det och tårarna trängde fram. Han pressade en knuten näve mot munnen i ett försök att samla sig.

Thomas väntade utan att säga något.

”Du får inte visa honom för Madeleine”, tvingade Johan Ekengreen fram. ”Hon får inte se honom så här. Lova mig det.”

Thomas nickade.

Johan Ekengreen blev varse det djupa såret i huvudet på Victor. Misstroget snuddade han vid sårkanterna och smekte det tilltrasslade ljusa håret där blodet levrat sig. De intorkade rännilarna fortsatte över kinden och örat och vidare på den nerfläckade tröjkragen.

Med fingertopparna läste han av slagen som hade tagit livet av hans son.

Ögonen mörknade. Johan Ekengreen knöt händerna så hårt att knogarna tydligt framträdde under huden.

”Han ska få ångra det här”, andades han i Victors öra, så tyst att Thomas knappt kunde uppfatta orden. ”Det lovar jag dig, Victor. Den som gjorde det här ska få ångra sig.”

Ryggen var böjd när Johan Ekengreen gick ut i solen för att möta sin förtvivlade hustru.

Madeleine Ekengreen hade farit upp från bänken så snart hennes man visade sig och hon började skrika innan han kunde säga något.

”Nej, nej”, ropade hon och försökte ta sig in i huset där kroppen låg.

När Johan Ekengreen hindrade henne slog hon honom i ansiktet. Hennes vigselring rev upp ett sår på hans kind, blodet färgade de infattade stenarna.

”Släpp mig, jag måste till Victor. Jag vill se honom.”

Han höll fast henne tills hon slutade kämpa emot.

Så småningom kom gråten, häftig och otröstlig. Prästen försökte krama om henne. Johan grät också.

Thomas höll sig i bakgrunden. Jag vet inte hur man gör, tänkte han.

Kapitel 28

Jonas låg och sov när Nora smög in i sovrummet för att hämta sin dator. Skulle hon väcka honom? Nej, det hade varit en jobbig natt, det var bättre att han fick sova.

Klockan var fem över tolv och Wilma saknades alltjämt. Thomas hade inte hört av sig, trots att Nora skickat två sms.

Varken Felicia eller Ebba visade några livstecken, de sov djupt när Nora kikade in. Deras föräldrar skulle komma med Waxholmsbåten om lite mer än två timmar, kvart över två.

Med datorn under armen gick Nora ner till köket där hon kopplade upp sig. Det tog ett bra tag för det sega modemet att gå igång, mottagningen i skärgården lämnade en del att önska. Så plingade det till i datorn.

”Adam”, ropade Nora.

Han låg fortfarande i soffan framför tv:n. Men i dag orkade hon inte bry sig om det.

”Adam”, ropade hon igen. ”Kan du komma hit ett slag.”

”Vad är det?”

”Kom hit istället för att gapa.”

”Det gör ju du med”, ropade han tillbaka.

Men någon minut senare stod han i dörren.

”Är du kompis med Wilma på Facebook?” sa Nora.

Adam skakade på huvudet.

”Nej, varför skulle jag vara det?”

Nora kände hur modet sjönk. Kanske var hennes plan för att leta rätt på Malena och brodern Mattias inte så briljant som hon hade trott?

Adam vände sig om för att gå tillbaka till tv:n. På avstånd hördes musikvinjetten till en amerikansk tv-serie som han gillade.

”Men Simon är det”, sa han över axeln och försvann i korridoren.

”Är du säker?” ropade hon efter honom.

”Tror det.”

”Vänta Adam, kom tillbaka.”

Adam dök upp igen med en min som starkt antydde att han inte uppskattade att bli störd.

”Vad är det nu?”

”Du är väl kompis med Simon?”

”Jaaa”, sa han dröjande.

”Då funkar det, om du gör mig en tjänst. Vi måste bli Facebookkompisar.”

Adam såg förskräckt ut.

”Du är ju min mamma, jag kan inte ha dig där.”

”Älskling, jag vet det. Krångla inte nu.”

Hon drog milt honom mot datorn.

”Jag lovar att du får ta bort mig så snart jag är klar. Okej?”

Adam var alltjämt misstänksam.

”Varför vill du bli kompis med mig på Facebook?”

Nora förklarade. Om Adam lade till henne skulle hon komma åt Simons Facebookkompisar. En av dem var Wilma. Den vägen kunde hon hitta Malenas efternamn.

Det var det enda sättet att komma i kontakt med Malenas familj som hon kunde komma på. Kanske hade Margot kunnat hjälpa till, men Jonas hade inte fått tag på henne. I går hade mobilen varit avstängd.

”Okej då.”

Nora flyttade på sig och Adam knappade snabbt in sitt lösenord och lade till Nora som vän.

”Så, får jag gå nu?”

”Ja. Tack ska du ha.”

Nora böjde sig över tangentbordet. Måtte nu det här gå vägen.

Kapitel 29

Tobias och Christoffer Hökström var på plats då Thomas kom in på PKC. Harry Anjou satt mittemot dem vid det avlånga konferensbordet.

När han såg Thomas reste han sig och kom fram.

”Den äldre av dem har fyllt tjugo”, sa han lågt och böjde på huvudet i brödernas riktning. ”Vi kanske slipper vänta på föräldrarna om vi snackar med dem samtidigt.”

Minderåriga skulle inte förhöras utan en vårdnadshavare i rummet. Men det här var inget riktigt förhör, tänkte Thomas, snarare ett slags samtal.

Det brådskade, snart skulle alla midsommarfirare ha hunnit lämna ön.

Thomas bestämde sig. Han gick fram för att hälsa.

”Är det någon som vill ha lite vatten innan vi börjar?” sa han och gick bort till pentryt och vred på kranen.

”Ja tack”, svarade den yngre brodern som hade presenterat sig som Tobbe.

Det lockiga röda håret liknade en krullig mössa som dragits ner över huvudet. Ett färskt blåmärke bredde ut sig på ovansidan av den högra kinden och blånade mot örat.

Vem har gett dig det där? undrade Thomas.

Storebroderns hår drog mer åt det vågiga hållet, men det fanns ett tydligt syskontycke mellan bröderna, de hade samma slags haka och fräknar över näsan.

Båda två verkade omtumlade, som om de inte hade någon aning om varför polisen hade hämtat dem.

Thomas räckte över plastmuggen med vatten till Tobbe och drog ut en stol.

”Vi behöver tala med er båda om ett dödsfall som inträffade på ön i går kväll.”

Bröderna tittade förbryllat på honom.

”Varför då?” sa Christoffer.

Det fanns inget sätt att mildra sanningen.

”Jag måste tyvärr berätta att er kamrat Victor Ekengreen har påträffats död.”

”Är Victor död?” stammade Tobbe. ”Är du inte klok?”

”Tyvärr är det så”, sa Thomas. ”Hans kropp hittades i morse.”

”Men vi var tillsammans i går”, protesterade den äldre brodern och for upp. ”Det är omöjligt, han var med oss i går. Du har fel.”

”Jag beklagar det verkligen”, sa Thomas. ”Ska du inte ta och sätta dig?”

Han reste sig och hämtade ännu ett glas vatten.

”Här”, sa han och sträckte fram det. ”Drick lite.”

Christoffer Hökström tog emot glaset med vänster hand. Oförstående stirrade han på sin bror. Tobbe satt som förstenad. Ansiktet var blankt.

Plötsligt tryckte Tobbe händerna mot magen och lutade sig över bordet.

”Hur är det, mår du illa?” sa Thomas.

”Ja”, mumlade han med pannan mot bordskanten.

Ansiktet var grönblekt.

”Behöver du kräkas? Vill du lägga dig ner?”

Tobbe skakade på huvudet och drog hörbart efter andan.

Efter en stund sa han: ”Är det riktigt säkert att det är Vic... att det är han?”

Rösten sprack när han försökte uttala vännens namn.

”Dessvärre är det så”, sa Thomas. ”Victors föräldrar har varit här och identifierat honom.”

”Hur dog han?” sa Christoffer och blinkade ursinnigt utan att lyckas hindra tårarna som trängde fram.

Thomas ville inte gå in på detaljer.

”Han har skadat sig i huvudet”, sa han kort.

”Trillade han?” viskade Tobbe, fortfarande med huvudet vilande mot bordet.

”Vi tror att han har blivit ihjälslagen”, svarade Thomas lågmält.

Christoffer Hökström gapade.

”Menar du att någon har mördat honom?”

”Det är i alla fall en av flera möjligheter vi håller på att utreda just nu.”

Tobbe satte sig upp. Han öppnade munnen, men det kom inga ord. Till sist fick han ur sig:

”Vet ni vem som har gjort det?”

”Tyvärr inte. Det är därför det är så viktigt att tala med er. Vi kommer att kontakta alla som var i ert sällskap för att få reda på vad Victor gjorde innan han dog. Vi måste förstå vad som hände under hans sista timmar i livet.”

Tobbe snyftade till och gömde ansiktet i händerna.

Borde jag ha väntat på föräldrarna? tänkte Thomas. Nej, det fanns ingen tid till det.

Han reste sig och hämtade några pappersservetter som han sköt fram mot den chockade pojken.

Tobbe tog en och snöt sig.

"Går det bra?" sa Thomas sedan. "Det vore fint om vi kunde fortsätta, men om du inte orkar kan vi ta det senare."

Harry Anjou såg ut som om han ville protestera, men han sa ingenting.

Tobbe snöt sig igen.

"Jag är okej", sa han och svalde.

Hans bror klappade honom valhänt på armen.

"När träffade ni Victor sista gången?" sa Thomas efter en liten stund.

"I går kväll", sa Tobbe.

"Kan du vara lite mer konkret? Vi behöver ta reda på vad Victor gjorde under sin sista dag i livet. Alla detaljer kan vara viktiga."

Tobbe vände bort ansiktet, snörvlade, sedan började han berätta.

Tobbe

När Tobbe vaknade i båten på midsommardagen var klockan över tolv.

Jävlar, vilket drag det ska bli i kväll, tänkte han och sträckte på sig. Han var svettig fastän han bara hade kalsonger på sig. Men sovsäcken var av dun och solen sken utanför kajutans fönster.

Tjejerna var redan uppe och påklädda medan Victor fortfarande låg och drog sig i akterkojen.

”Kom igen nu!” Felicia satt utomhus, i aktern, och ropade på dem. ”Vi tänkte sticka till bageriet och käka frukost. Jag är skithungrig.”

När de kom tillbaka började hamnen fyllas av båtar. Victor och Tobbe gjorde high-five när en stor yacht med snygga brudar i bikini lade till en bit bort.

Eftermiddagen flöt förbi, de softade i aktern med utomhushögtalarna påslagna. Så småningom skulle volymen skruvas upp, de skulle byta till hårdare och snabbare klubbmusik som höjde temperaturen. Men under tiden var det perfekt med gamla sköna sommarlåtar blandat med Coldplay och Beyoncé.

Då och då pep det till i någons telefon, sms från olika kompisar som också var på väg ut till Sandhamn. Bordet fylldes av glas och flaskor.

Någon gång på eftermiddagen, vid halv fem kanske, ropade någon från bryggan. När Tobbe såg upp stod tre tjejer där som han kände igen från plugget. De frågade om de fick hänga med dem ett tag. De hade nyss gått ut åttan men var jävligt fräscha.

Victor flinade mot besökarna.

”Vill ni komma ombord?”

Han gjorde en inbjudande gest med handen, fastän det syntes att Felicia inte ville. Victor kunde vara ganska brutal när han var packad.

Tjejerna klev ombord och slog sig ner, det fanns gott om plats i aktern på den stora motorbåten. De hade kommit ut vid lunchtid med Waxholmsbåten och fått låna gäststugan hos en kompis på ön.

De fortsatte att chillkröka, det var så schyst att sitta där i solen. Båten låg mitt i smeten, det var folk överallt, som om hamnområdet hade förvandlats till en stor festivalplats, typ Stockholmsveckan på Gotland eller värsta Båstad i juli.

Tobbe lyfte sitt glas och skålade med Victor.

Tjejerna som hade slagit sig ner i båten fnittrade åt det mesta. Den som snackade mest, Tessan, var het. Hon hade på sig en röd bikinitopp med smala axelband och fransiga jeansshorts.

Han märkte att hon kollade in honom.

Efter ett tag höll hon fram sitt cigarettpaket och frågade om han ville ha. Kunde han tända hennes cigarett?

När han strök eld på tändstickan flyttade hon sig så att hon hamnade bredvid honom. Hon satte cigaretten mellan läpparna och lutade sig fram mot Tobbes hand.

Brösten gungade varje gång hon rörde på sig. När han höll fram den brinnande tändstickan kom hon så nära att de snuddade vid honom.

Victor följde skådespelet med halvslutna ögon. Felicia satt bredvid, det var tydligt att hon inte gillade det.

Tessan drog ett bloss och lutade sig mot ryggstödet så att hennes lår pressades mot Tobbes. Huden var varm och solbränd. Hon blåste ut röken och log mot honom bakom solglasögonen. Precis som han hade hon ett par mörka Aviators på sig.

Ebba satt närmast kajutan och blev allt surare. Då och då kastade hon en arg blick på Tobbe.

Han gillade henne fortfarande trots att de hade gjort slut, men hon hade blivit så tjurig. Faktiskt hade han inte räknat med att hon skulle följa med till Sandhamn, men det var väl Felicia som hade övertalat henne, de gjorde allting ihop.

Tessan var riktigt på, hon liksom råkade komma åt honom hela tiden och när hon fimpat cigaretten kollade hon på honom och frågade om det fanns något att dricka.

Det var inget problem. Christoffer hade fixat krök och Tobbe hade handlat från vodkabilen utanför plugget innan de stack från stan.

I en handvändning hämtade Tobbe en röd Fanta från ruffen och gjorde en rejäl grogg till Tessan och sig. Han brydde sig inte om att fixa något till Ebba, hon fick sköta det själv.

Timmarna gick, han kände sig inte så packad, mera rusig, men det var klart att han var full. När han ställde sig upp för att hämta mer groggvirke fick han ta stöd mot bordet, men han trillade inte eller så.

Efter ett tag hamnade Tessan i hans knä. De kysstes några gånger. Han satt med armen om henne och hennes ena bröst pressades mot honom, det var mjukt och han blev lite tänd. Hennes kroppsvärme gjorde honom svettig över ryggen, det var soft att sitta där i solen med henne.

Det märktes att Ebba var skitsur över att han hånglade med Tessan. Hon fällde kommentarer, taskiga grejer om småtjejer som gjorde vad som helst för äldre killar.

Vad fan, det var inte han som hade dragit sig undan de senaste månaderna. Det var Ebba som blivit märkvärdig. Men om hon inte ville vara med honom var det ju tydligt att det fanns andra som var intresserade.

Typ Tessan.

Tanken fick honom att flina och han fortsatte strula med henne. Någon del av honom njöt av att göra det framför Ebba. Tessan var med på noterna, hon började också bli rätt full, men det gjorde inte saken sämre.

Plötsligt fick Ebba spel.

”Fan, vad du är äcklig”, skrek hon till honom. ”Du är så jävla vidrig.”

Tessan fattade ingenting, hon satt bara och stirrade i hans knä.

På ett ögonblick hade Ebba hoppat iland och försvunnit i folkmängden. Felicia gjorde en rörelse som för att gå efter henne men Victor sträckte ut armen och stoppade henne.

”Låt henne vara”, sa han. ”Hon är bara lack för att Tobbe har scorat.”

Victor var också packad. Han hade groggat hela eftermiddagen och svajade i rörelserna. Nu försökte han dra ner Felicia i sitt knä och smeka henne, men hon hade blivit på dåligt humör när Ebba stack. Hon fortsatte tjata om Ebba och till slut fräste hon åt Victor att sluta kladda.

”Skit i det då”, sa Victor och flyttade på sig.

Han satte igång att snacka med Tessans kompis, med ryggen vänd mot Felicia.

Det började spåra ur och Tobbe blev less. De var ju där för att festa och ha kul. Varför måste det bli så komplicerat hela tiden?

Felicia eldade upp sig. Hon tjafsade mer och mer med Victor. Först sket han i henne men efter ett tag grälade de öppet med varandra.

Tobbe hade sett det förut.

Victor hade blivit lynnig under våren, det behövdes inte mycket för att han skulle tända till, och när Felicia hade druckit kunde hon också gå loss.

”Du är så jävla korkad, din dumma kossa”, skrek Victor åt Felicia.

Han räckte henne långfingret men Felicia gav igen.

”Du är fan sjuk i huvudet.”

Victor såg ut som om han skulle slå till henne.

”Håll käften.”

”Du kan hålla käften.”

Victor drämde glaset i bordet så hårt att det sprack. Han reste sig och lämnade båten.

Då började Felicia gråta.

”Vänta Victor”, skrek hon och sprang efter honom.

Tobbe fattade inte vad som hände. Det var bara så jävla onödigt, att sabba allting sådär. Ibland orkade han inte med Victor, inte Felicia heller.

En stund efter bråket kom Christoffer tillbaka. Han hade varit och hämtat mat på grillen, farsan hade skickat med dem stålar. Några polare från Handels hade lagt till med sin båt, det var ett stort gäng och Christoffers brorsa fick gärna ta med sig sina kompisar.

Varför inte? tänkte Tobbe.

Tjejerna var på och ärligt talat orkade han inte bry sig om de andra. Victor och Felicia höll väl på att reda ut sina problem någonstans och om Ebba surade var det hennes eget fel.

Han tog en stor klunk av groggen, sedan drog han beslutsamt Tessans ansikte mot sitt och nafsade efter hennes läppar.

När de hade ätit upp hamburgarna tog de med lite krök och gick till den andra båten. Den låg en bit därifrån, inne vid Via Mare-bryggan. Christoffer hade fått koden till grinden så de kom in utan problem.

Han var kvar där tills musiken slutade på Seglarrestaurangen och slocknade med en gång när han kom tillbaka till båten.

Sedan vaknade han av att det stod en polis i kajutan.

Kapitel 30

Tobbe undvek Thomas blick. Istället började han bita på en pekfingernagel. Thomas lade märke till att samtliga naglar var kraftigt avbitna hela vägen ner till roten. Det var så lite nagel kvar att fingertopparna verkade svullna mot de avgnagda resterna.

Det såg ut som om Tobbe önskade att han befann sig någon helt annanstans. Ansiktsuttrycket var på en gång misstroget och olyckligt.

De hade alltså varit fem ungdomar som lagt till i Sandhamn för att fira midsommar. Under loppet av några korta timmar hade tre av dem stuckit iväg och kvällen hade slutat i katastrof.

Tobbe hade fått sin gamla flickvän att förtvivlad lämna båten och irra omkring under kvällen. Sedan hade Felicia kollapsat i hamnen och hennes pojkvän hade slagits ihjäl på stranden. Men de två bröderna som satt mittemot honom tycktes inte ha märkt någonting eller ens funderat över vad som kunde ha inträffat.

Istället hade de festat med sina nya kompisar.

Thomas kunde inte låta bli att slås av aningslösheten men han sa ingenting. Harry Anjou var mer upprörd.

”Undrade du inte vart dina vänner hade tagit vägen?” sa han med skärpa i rösten. ”Eller sket du bara i det för att du var full?”

Tobbe sjönk ihop ännu mer på stolen. Rösten darrade när han öppnade munnen.

”Jag försökte få tag i de andra för att säga att vi hade hängt på Christoffer och hans kompisar, men det var ingen som svarade. Jag skickade sms till Victor men han hörde aldrig av sig. Jag menade inte att skita i honom, inte tjejerna heller. Vi är ju polare.”

Det såg ut som om han höll på att brista i gråt.

”Hur skulle jag kunna fatta att han var död?” sa han. ”Jag trodde att han var med Felicia och att de skulle komma senare. Jag lovar.”

Tumnageln, eller det som var kvar av den, försvann in i munnen.

”Om jag förstår dig rätt var Ebba, Felicia och Victor borta från omkring klockan nitton på midsommardagen", sa Thomas. "Ni undrade aldrig om något hade hänt?"

Han tittade frågande på den äldre brodern. Bredvid Tobbes smalare gestalt verkade Christoffer Hökström fullvuxen, axlarna var breda i den gröna tennisströjan.

Men blicken var tom.

Harry Anjou vände sig direkt till Christoffer.

"Borde inte du ha reagerat när så många i ert sällskap försvann? Din bror och hans kompisar har bara gått ut högstadiet. Ingen annan är väl myndig i gänget?"

Nu var det Christoffers tur att skaka på huvudet.

"Jag tänkte inte på det", sa han ansträngt. "Det var så mycket folk överallt, alla festade och höll igång. Jag fattade liksom inte att de var borta."

Han svalde några gånger.

"Alltså… Jag önskar att jag hade haft bättre koll… Men jag trodde att de var okej, att de skulle dyka upp så småningom."

Det tjänade inte någonting till att skuldbelägga bröderna ännu mer. Det klarade de av själva. Thomas lutade sig fram.

"Grabbar", sa han. "Ni får försöka hjälpa oss nu. Är det ingen av er som har en aning om var er kompis kan ha befunnit sig under kvällen? Vart han kan ha tagit vägen?"

"Nej", sa Tobbe samtidigt som han förstulet sneglade åt sidan.

Thomas hann uppfatta den snabba ögonrörelsen. Hade Tobbe ställt en tyst fråga till sin bror? Eller var det bara inbillning?

Men innan han kunde säga något mer bröt Harry Anjou in.

"Var Victor skyldig någon pengar? Eller var han ovän med någon?"

"Jag tror inte det", sa Tobbe.

Thomas betraktade återigen blåmärket på Tobbes kind. Hade killarna råkat i luven på varandra?

"Varifrån kommer det där blåmärket?" sa han.

Tobbes hand flög upp till kinden nästan av sig själv.

"Jag ramlade", sa han.

"Hur gick det till?"

"Jag halkade på en klippa."

"Jaha", sa Thomas och väntade på fortsättningen men Tobbe tittade ner i bordet utan att säga någonting.

Anjou tappade tålamodet.

”Någonting måste du väl kunna berätta för oss?” utbrast han.

Thomas såg hur tonåringen reagerade på tonfallet. Han gav Anjou en blick för att få honom att ta det lugnt, det hjälpte inte att göra bröderna ännu mer upprörda. Men Harry Anjou tycktes inte uppfatta signalen.

”Din bästa kompis är mördad”, sa Anjou. ”Hjälp oss istället för att sitta där och muttra. Någonting måste du väl veta?”

Tobbe tog sig åt magen igen. Thomas bestämde sig för att det var dags att avsluta.

”Ni kan gå nu”, sa han, ”men vi vill att ni stannar kvar på ön under dagen, ifall vi har fler frågor.”

Christoffer reste sig. När hans bror inte rörde på sig knuffade han på Tobbe som fortfarande satt hopkrupen.

”Kom nu.”

Stumt följde Tobbe efter mot dörren. Men just som han skulle gå ut vände han sig om och gav Thomas ett bedjande ögonkast.

”Är du verkligen säker på att han blev mördad?”

Kapitel 31

”Vad gör du för något?”

Jonas röst överraskade Nora. Hon spratt till där hon satt vid köksbordet med datorn uppslagen. Han stod i dörröppningen med tilltufsat hår. Ögonen var bara små springor.

”Är du uppe?” sa hon.

”Du borde ha väckt mig för länge sedan”, sa Jonas, men utan övertygelse. ”Wilma har väl inte kommit hem än?”

”Nej, tyvärr, då hade jag sagt till med en gång.”

Nora pekade på kaffebryggaren.

”Det finns nybryggt kaffe om du vill ha, och bröd från bageriet. Du borde äta något.”

Nora hörde själv att det lät som om hon pratade till en av sina söner. Hon bytte tonfall.

”Jag försöker hitta efternamnet på Wilmas kompisar så att vi kan komma i kontakt med dem. Då kanske vi kan få tag på Wilma den vägen.”

Hon pekade på sin dator och Jonas slog sig ner på stolen bredvid henne.

Nora förde musen över skärmen. När hon klickat några gånger dök Wilmas leende ansikte upp. Jonas ryckte till när han såg sin dotter.

Med snabba rörelser klickade Nora på rubriken *vänner* direkt under fotot på Wilma. Hon hade flera hundra stycken.

En lista med samtliga vänner och deras foton, uppställda efter förnamn i bokstavsordning, dök upp och Nora scrollade ner tills hon kom till bokstaven M.

M för Malena och för Mattias.

Ett fyrkantigt foto på en brunhårig flicka dök upp.

”Här har vi henne”, sa Nora. ”Wassberg, Malena heter Wassberg i efternamn. Och hennes storebror är …” Hon skrollade lite till. ”Här.”

Hon tryckte på bilden av en kille i sjuttonårsåldern och omedelbart kom Mattias Wassbergs Facebookprofil upp.

Enligt den spelade han basket och hade precis gått ut andra året på Östra Real, ett gymnasium i Stockholms innerstad. Han hade också hundratalet vänner och gillade musikband som Nora aldrig hade hört talas om.

Han såg bra ut, det måste hon tillstå, även om glimten i ögat antydde att han var medveten om sitt utseende. Till och med Nora kunde förstå att han var cool på tonåringars vis.

Var det därför Wilma hade blivit så förälskad?

Han var sjutton och Wilma bara fjorton. Tre år var en stor skillnad i den åldern, tänkte hon och kände något oroligt röra sig i magen.

”Känner du igen någon av vännerna?” sa hon till Jonas.

”Nej, det är ingen av hennes gamla kompisar.” Han kliade sig på hakan. ”Förr i tiden hade jag koll på de flesta som hon umgicks med, föräldrarna också. Men det förändrades när hon började på högstadiet. Det blev en annan sak i den nya skolan. Mycket mindre kontakt med både klassen och deras familjer.”

Nora öppnade ett nytt fönster på skärmen och gick in på *hitta.se*, snabbt skrev hon in Malena Wassberg i sökrutan.

Ingenting.

Hon prövade med Mattias Wassberg och fick upp tjugofem personer varav fyra bodde i Stockholmsområdet.

”Bingo”, sa Jonas.

Han gick bort till kaffebryggaren och hällde upp en halv kopp.

”Vill du ha?”

”Det är bra, tack. Jag har redan hällt i mig för mycket. Jag kommer att få magkatarr om jag dricker mer i dag.”

Nora sträckte sig efter telefonen.

”Ska vi pröva?”

Utan att vänta på svar knappade hon in det nummer som stod överst. Sedan tryckte hon på högtalarfunktionen så att Jonas också skulle höra.

Signalerna gick fram, men så tog telefonsvararen över.

”Hej, du har kommit till Mattias, lämna namn och telefonnummer så ringer jag upp så snart jag kan.”

”Han låter medelålders”, sa Jonas. ”Inte som en ung kille.”

För säkerhets skull talade Nora ändå in ett meddelande och bad mannen ringa upp.

Nästa Mattias Wassberg visade sig vara en familjefar som inte hade någon aning om vad hon talade om när hon frågade efter en Wilma Sköld. Artigt bad hon om ursäkt och lade på.

”Vi har två kvar”, sa hon till Jonas som stod kvar vid kaffebryggaren.

Hon slog in det tredje numret. Signalerna gick fram utan att någon svarade. Nora förväntade sig en röstbrevlåda, men så kopplades samtalet bort.

”Vad konstigt”, sa hon. ”Ska jag försöka igen?”

”Gör det.”

Hon tryckte på knappen för återuppringning, flera signaler gick fram. Just som hon trodde att samtalet var på vippen att kopplas bort igen svarade någon.

Det var en ung kille. Rösten lät yrvaken.

”Hallå, det är Mattias.”

Någonting hördes i bakgrunden. Var det fåglar? Det lät nästan som måsar. Om han befann sig i skärgården kunde det vara rätt person.

Nora presenterade sig snabbt.

”Jag undrar om du känner en flicka som heter Wilma, Wilma Sköld? Jag försöker ta reda på var hon är någonstans.”

”Wilma? Ingen aning.”

Det blev tyst. Så klickade det till i luren och samtalet bröts.

Nora stirrade på luren. Det var hopplöst. För ett ögonblick hade hon trott att hon fått tag på rätt Mattias Wassberg.

Långsamt slog hon det sista numret.

Efter två signaler svarade en äldre man, rösten var lite knarrig.

”Hos Wassberg.”

Luften gick ur Nora.

”Förlåt”, sa hon bara. ”Fel nummer.”

Jonas vände sig om för att ställa undan kaffemuggen på bänken men den hamnade på kanten, föll och gick sönder mot golvet.

”Men det var väl som fan”, utbrast han. ”Jävla skit också.”

Nora fällde ner locket på datorn och ställde sig upp.

”Nu går jag bort till PKC och letar rätt på Thomas”, sa hon. ”Det är dags för polisen att göra något.”

Kapitel 32

Thomas och Harry Anjou satt kvar på PKC sedan bröderna Hökström gått sin väg. Det var lunchtid.

”De där grabbarna vill verka så oskyldiga”, sa Anjou. ”Men det märks lång väg att de är riktiga brats. Det går bra att dricka sig full i farsans motorbåt men inte att skärpa till sig hos polisen.”

Han gnuggade sig i ögonen och sträckte på armarna.

”Kolla bara blåmärket hos den rödhårige. Det skulle inte förvåna mig ett dugg om han har varit i slagsmål med Ekengreen.”

”Du menar att något gick över styr?” sa Thomas.

Anjou ryckte på axlarna.

”Fulla tonåringar gör dumma grejer. Du hörde vad han sa. De hade krökat hela dagen. Kanske rök de ihop senare på kvällen, vad vet jag? Än så länge har vi bara hans ord på att kompisen stack iväg och att han inte träffade honom efter det.”

Dörren öppnades. Adrian Karlsson klev in över tröskeln.

”Jag skulle hälsa från Jens och säga att det är två patruller i hamnen som ’knackar dörr’ nu.”

Han gjorde citattecken i luften med fingrarna.

”Eller vad man nu säger när man går runt på en brygga och talar med båtägare. Det kommer ut ytterligare folk om en halvtimme som avlöser killarna vid avspärrningarna. Jens sa att du kan ringa honom om det är något mer du behöver.”

”Tack för det”, sa Thomas. ”Då vet jag.”

”Vi sticker nu”, fortsatte Adrian, ”men de nya är kvar hela dagen.”

Han kvävde en gäspning och Thomas insåg att killen måste ha varit på fötterna i mer än tjugofyra timmar. När han tänkte efter satt även Harry Anjou och gned sig i ögonen gång på gång.

Det hade varit en mycket lång midsommarhelg.

”Ska du också följa med transporten tillbaka till stationen eller blir du kvar?” sa Adrian till Anjou.

Det verkade som om Anjou slets mellan pliktkänsla och utmattning. Han dröjde med svaret, och innan han kunde säga någonting avgjorde Thomas saken.

”Du har varit uppe hela natten”, sa han till Harry. ”Åk hem och sov några timmar så ses vi i morgon bitti i Nacka.”

Det var ingen idé att köra slut på honom innan han ens hade hunnit börja på Utredningsroteln.

Thomas kikade på klockan och insåg att Margit alldeles strax skulle komma till ön. Så snart hon anlänt ville han gå till Noras hus och prata med Victors flickvän och den andra tjejen, Ebba.

Han reste sig och sträckte på ryggen.

”Jag kan följa med er till bryggan, jag ska ändå möta min kollega vid båten om några minuter.”

Han skulle just trycka ner handtaget då ringklockan ljöd. När han öppnade stod Nora utanför. Hon var blek, håret var hopfäst i en slarvig hästsvans och tröjan nerstoppad i urblekta shorts.

”Thomas”, utbrast hon stressat och högg tag i hans arm. ”Wilma är fortfarande borta. Vi har försökt hitta Mattias Wassberg, en kille som hon antagligen skulle träffa i går, men vi får inte tag i honom. Nu måste ni göra något, snart har det gått tolv timmar sedan hon skulle vara hemma.”

Nora tog ett steg fram och upptäckte de andra poliserna.

”Ursäkta”, sa hon generat.

Det märktes att hon inte uppfattat att det fanns andra i rummet.

Adrian höjde handen till hälsning.

”Vi träffades i natt när du var här och hämtade tjejerna”, sa han.

”Ja, just det. Förlåt att jag inte kände igen dig.”

Hon sträckte fram handen och hälsade på både honom och Harry Anjou.

”Det har varit lite mycket de senaste timmarna”, sa hon. ”Min killes dotter är försvunnen och vi får inte tag på henne.”

”Jag var precis på väg hem till dig”, sa Thomas.

”Varför då?”

Rädslan dök upp i ögonen igen och Thomas begrep att hon misstolkat honom.

”Det har ingenting att göra med Wilma”, försökte han. ”Jag tror fortfarande att hon sover ruset av sig någonstans.”

”Du anar inte hur ofta det händer”, sa Harry Anjou till Nora. ”Du är inte den första föräldern som hört av sig till oss den här helgen.”

”Men det har hänt en sak under natten”, fortsatte Thomas. ”Jag behöver prata med både Ebba och Felicia så snart som möjligt.”

”Vad då? Är det något farligt?” sa Nora.

Rösten svajade och Thomas förstod att han inte hade lugnat henne det minsta. Han drog ut en stol till Nora och satte sig bredvid henne.

”Du behöver inte sprida det här på byn men det har inträffat ett dödsfall. En tonårspojke hittades död i Skärkarlshamn i morse.”

Ett förskräckt utrop, Nora slog handen för munnen.

”Det verkar vara Felicia Grimstads pojkvän, det är därför jag var på väg till dig. Vi måste tala med henne, som du kanske förstår.”

Nora hade blivit vit i ansiktet.

”Är du okej?” sa Thomas.

”Är du säker på att det inte har någonting med Wilma att göra? Tänk om hon också har råkat ut för något...”

De sista orden svaldes av en snyftning.

Thomas fattade att hans uttalande hade gjort saken ännu värre, men det fanns ingenting mer att säga. Han fick lita på sin instinkt, att Wilma var okej.

Adrian Karlsson reste sig från bordet. Han lyfte upp en svart övernattningsväska som stod i ett hörn vid pentryt.

”Vi måste ge oss av nu”, sa han.

Anjou nickade åt Thomas och följde efter Adrian ut i solskenet.

Thomas ställde sig upp.

”Det vore bra om vi kunde gå hem till dig”, sa han till Nora. ”Margits båt kommer till bryggan vilken minut som helst, hon ska också följa med.”

Han gav henne en uppmuntrande klapp på kinden.

”Var är Jonas förresten?”

”Kvar i huset. Han försöker ringa till Wilmas andra kompisar för att höra om någon hört av henne. Jag hoppas verkligen att du har rätt...”

Tvivel dröjde kvar i rösten.

Det hoppas jag med, tänkte Thomas.

Kapitel 33

Margit klev iland först av alla. Det kortklippta håret såg rödare ut än vanligt i det starka solskenet. Hon höjde handen till en hälsning när hon fick syn på Thomas och Nora som väntade en bit bakom dem som trängdes vid landgången.

”Hej Nora”, sa Margit när hon kom fram till dem. ”Jag förstår att du också har blivit indragen i den här saken. Vilken tråkig historia, det är alltid svårt när det rör sig om unga personer.”

Nora nickade tyst. Hon hade träffat Margit åtskilliga gånger tidigare och visste hur mycket Thomas uppskattade sin kärva kollega.

De började gå tillsammans mot Brandska villan medan Thomas lågt sammanfattade morgonens händelser för Margit.

Brottstycken av samtalet nådde Nora som gick några steg framför. Klumpen i magen växte. Hur kunde Thomas vara så säker på att Wilma inte också råkat ut för något? Tänk om han hade fel och hon var inblandad i det som hänt?

De vek av vid Värdshuset och tog den smala gränden som ledde förbi Barnberget, en liten bergsknalle där en smal ränna visade var tusentals ungar hade åkt kana på byxbakarna genom åren. Ytan var glatt, några fyraåringar åkte som bäst när de passerade.

De glada skratten fick Nora att känna sig ännu mer illa till mods, kontrasten blev för stor. Hon saktade in på stegen så att hon gick jämsides med Thomas och Margit och försökte tänka på något annat. Snart var de framme vid Brandska villan.

Jonas satt i köket när Nora öppnade dörren. Han kom med en gång ut i tamburen när han hörde dem. Nora märkte direkt hur han reagerade på Thomas och Margits närvaro. Samma rädsla som kommit över henne då Thomas berättade om nattens dödsfall visade sig hos Jonas.

Hon skyndade sig att lugna honom.

”Det har ingenting med Wilma att göra. Thomas och Margit är här för att prata med tjejerna om något helt annat.”

Thomas skakade Jonas hand och gav honom en kamratlig klapp på axeln.

De hade träffats några gånger under vintern men sedan Elin föddes hade det inte blivit något bra tillfälle. Faktum var att hon och Thomas bara hade talats vid på telefon de senaste månaderna. Det kommer att finnas gott om tid under sommaren, hade Nora tänkt, när bebisen har vuxit till sig och de fått lite rutiner.

Att de skulle ses under de här omständigheterna hade hon inte kunnat föreställa sig.

Omedveten om Noras funderingar vände sig Thomas till Jonas.

”Jag sa nyss till Nora att Wilma förmodligen har somnat någonstans. Du ska veta att det ligger bakfulla tonåringar överallt i dag.”

Jonas verkade slappna av en aning, Nora kände lättnaden när en del av hans oro gav med sig.

”Hon skulle ha varit hemma klockan ett”, sa han. ”Förbaskade unge. Men jag hoppas du har rätt, att hon kommer lommande snart. Snacka om att jag drar in hennes månadspeng i flera år efter det här.”

Ett blekt leende, men det var en början.

En ivrig röst från verandan fick dem att vända sig om.

”Mamma, var är du? Får jag följa med Fabian och köpa glass?”

Det var Simon. Thomas svarade i Noras ställe.

”Är det inte förbjudet med glass till unga pojkar nuförtiden? Det trodde jag att polisen hade bestämt.”

”Thomas?”

Simon kom inom synhåll och gick fram till sin gudfar som gav honom en varm kram. Thomas drog fram plånboken ur bakfickan.

”Tillåt mig”, sa han och tog fram en hundralapp.

”Får jag köpa glass för alltihop?” sa Simon förtjust.

”Du kan ju bjuda din bror också.”

”Tack så jättemycket.”

Han sneglade på Nora som om han inte var säker på att han fick ta emot pengarna, men hon gjorde tummen upp. Glatt tog Simon emot sedeln och sprang ut igen.

”Du skämmer bort honom”, sa Nora.

Thomas ryckte urskuldande på axlarna men såg inte ut att ångra sig ett dugg.

Margit harklade sig.

”Ska vi ta och prata med tjejerna?”

Hon vände sig till Nora.

”Vi kanske kan sitta på din veranda om det är okej?”

”Visst. Men de sover fortfarande, ska jag gå och väcka dem?”

”Det vore bra.”

Snart måste Thomas berätta vad som hänt, tänkte Nora när hon gick upp till gästrummet. De närmaste timmarna kommer att bli svåra för flickorna.

Hon blev stående på det översta trappsteget när tanken slog henne: Om de inte redan visste hur det låg till.

Kapitel 34

När Nora öppnade till gästrummet hade Ebba redan vaknat. Hon låg på rygg i sängen och stirrade i taket. Felicia sov, med täcket högt uppdraget över sig, det enda som syntes var påslakanets gulvita prästkragar och lite hår som stack fram.

Solen sken in genom den tunna vita rullgardinen som inte gjorde mycket för att stänga ute ljuset. Utanför fönstret hördes ljudet från en Waxholmsbåt som tutade en varning innan den skulle gå igenom sundet.

Vid åsynen av Nora ryckte Ebba till.

”Hur är det med dig?” frågade Nora och slog sig ner på sängkanten bredvid henne.

Flickan verkade fortfarande vilsen och Nora önskade att hon kunde få henne att känna sig bättre till mods. Snart skulle hon få nyheter som skulle ruska om henne ännu mer.

”Är du hungrig?” sa Nora.

”Lite grann.”

Ebba satte sig upp i sängen.

”Vill du ha något att äta?”

”Ja, tack.”

Det märktes att hon gjorde ett försök att le.

”Vet du vad klockan är?” sa Ebba efter en liten stund.

Nora kastade en blick på handleden.

”Hon är snart halv två.”

”Så mycket?”

”Ja. Din mamma kommer om ungefär trekvart. Felicias föräldrar är också på väg, de skulle ta samma båt.”

Ebba såg ner i täcket.

”Är de arga på oss?” sa hon lågt.

Nora sträckte ut handen och klappade flickan på armen.

”De är nog mest lättade över att ni är välbehållna. Jag skulle inte oroa mig så mycket om jag var du.”

Ebba skruvade på sig. Hur skulle Nora fortsätta?

"Vi måste väcka Felicia", sa hon försiktigt. "Polisen är här och de behöver tala med er."

"Polisen. Varför då?"

Ebba fick ett förskräckt uttryck i ögonen.

"Det är nog bäst att de får berätta det. Men det vore bra om du kunde klä på dig och komma ner så snart som möjligt, två poliser väntar på nedervåningen."

Nora reste sig och pekade på en hög med handdukar som hon tagit med sig.

"Om du vill tvätta av dig ligger badrummet mittemot. Jag har lagt fram tandborstar till dig och Felicia."

Nora vände sig om för att gå. En viskning bakom ryggen fick henne att stanna till.

"Tack för att du är så snäll."

När Nora kom ner i köket tog hon fram några bullar till Thomas och Margit. Hon gjorde i ordning en bricka med kaffemuggar och ställde dit bullfatet och två ostsmörgåsar till Ebba.

De vardagliga göromålen lugnade henne, det var en lättnad att brygga kaffe istället för att bekymra sig om Wilma.

Nora kände att hon befann sig på bristningsgränsen. Oron för Wilma låg i bakhuvudet samtidigt som huset var fullt med folk som på olika sätt behövde tas om hand. Hon måste fokusera på en sak i taget, annars skulle hon tappa greppet.

Adam hade skickats ut på byn för att leta efter Wilma, och Jonas satt i sovrummet och fortsatte ringa runt till Wilmas vänner. När hon nyss kikade in såg han så sammanbiten ut att hon drog sig tillbaka utan att störa.

Nora visste att det inte var någon idé att ta upp saken med Thomas igen, han hade fullt upp med att undersöka vad som hade hänt den döde pojken.

Men det var som att befinna sig i ett dårhus. Nora kunde knappt förstå att det var hennes egen röst som låtit så lugn och samlad när hon pratade med Ebba.

Med mekaniska rörelser torkade hon av diskbänken. En sak i taget, tänkte hon och vred ur trasan och hängde upp den på kranen. Sedan torkade hon händerna på en röd och vit kökshandduk som fanns kvar sedan Signes tid. Den var märkt med hennes broderade initialer: *SB.*

Thomas och Margit skulle börja med Ebba. Under tiden hade Nora åtagit sig att få upp Felicia. Flickan behövde duscha och klä på sig, snart skulle föräldrarna komma. Nora hade lovat möta dem vid bryggan.

Hon måste hålla ihop ett tag till.

Kapitel 35

Felicia kräktes i badrummet, Nora hörde det tydligt och blev villrådig. Skulle hon lämna flickan i fred eller öppna och försöka hjälpa henne?

Ett sista hulkande, så hördes ljudet av toaletten som spolade.

”Hur är det med dig?” ropade Nora genom den stängda dörren.

”Jag är alldeles snart klar”, kom ett svagt svar.

”Okej, säg bara till om du behöver något.”

Nora stod kvar i några minuter men när hon hörde duschen som vreds på gick hon ner till köket igen.

Genom verandadörrarna trängde ett dovt mummel, men det gick inte att höra vad samtalet rörde sig om. Nora tyckte sig höra en snyftning från Ebba.

Hur kunde det bli så här? Hur kunde en sextonårig kille ligga död på stranden samtidigt som hans jämnåriga flickvän hittades så berusad att hon var närapå medvetslös?

Nora mindes känslan när Adam lades i hennes famn för första gången. Det lilla röda ansiktet, rött och hopskrynklat. Dragen som så småningom hade slätats ut när han sökte sig till bröstet och började suga. Jag ska ta hand om dig, hade hon lovat den gången. Du är trygg hos mig.

Hade Victor Ekengreens mamma avgett ett likadant löfte?

När skapade vi ett samhälle där våra barn kan fara så illa? tänkte hon. Vi vill skydda dem från allt ont, men misslyckas ändå. De söker sig till brännpunkten av egen kraft.

Hur leder man den som inte vill ha vägledning?

Noras ögon blev fuktiga och hon lutade pannan mot den svala kylskåpsdörren.

Steg hördes i trappan och Nora öppnade kylskåpet och låtsades leta efter någonting så att det inte skulle synas att hon nyss gråtit.

Felicia visade sig i dörröppningen.

”Kom så ska du få något att äta”, sa Nora och svalde hårt medan hon stängde kylskåpet.

Hon vände sig om för att ställa fram tallriken med smörgåsar, i hastigheten höll hon på att slå omkull den lilla vasen med vita och gula blommor som Simon plockat åt henne på midsommarafton.

Det var bara två dagar sedan men det kändes oändligt avlägset.

”Vill du ha lite te?” sa hon till Felicia. ”Eller kanske hellre varm choklad om du är ruggig?”

”Te går bra.”

Felicia satte sig försiktigt på den yttersta kanten på stolen. Nora hade lånat ut en tröja även till henne men den glada turkosa färgen underströk bara det bleka ansiktet.

Felicia betraktade olyckligt smörgåsarna med leverpastej och gurka.

”Jag vet inte om jag kan äta något”, sa hon. ”Jag mår inte så bra.”

”Det är okej”, sa Nora. ”Men du borde få i dig någonting, det känns alltid bättre när man har mat i magen.”

Jag låter som min egen mamma, tänkte hon.

Felicia tog en minimal tugga, sedan lade hon ifrån sig mackan på fatet.

”Mamma och pappa är nog jättearga.” Underläppen darrade. ”Jag hade sagt att jag skulle fira midsommar hos Ebba på hennes land. Hon gjorde likadant.”

”Det ordnar sig nog, ska du se”, sa Nora och undrade hur många gånger hon upprepat den slitna frasen de senaste tolv timmarna.

Hon hällde mjölk och socker i en mörkbrun mugg av keramik, lade i en tepåse och fyllde på med hett vatten.

”Här är lite te. Kan du inte smaka på det åtminstone?”

”Tack.”

En antydan till smilgropar syntes i Felicias ansikte men hon såg inte glad ut. Hon fortsatte fingra på smörgåsen men åt inte av den. Efter en stund sa hon skyggt:

”Ursäkta, men vet du var våra kompisar är? Victor och Tobbe? Vet de om att vi har sovit hos dig i natt?”

Nora räddades av att Jonas ropade på henne från övervåningen. Hon reste sig hastigt från bordet, tacksam över att slippa svara.

”Sitt kvar du och ät, jag kommer tillbaka alldeles strax.”

Hon tog trapporna två steg i taget. Jonas stod i sovrummet med sin mobiltelefon i handen och höll fram den så att hon kunde se displayen.

”Det här kom precis från Wilma.”

Nora läste. Det var bara ett ord i meddelandet.

”Förlåt.”

”Åh herregud så skönt.”

Nora insåg att hon faktiskt hade fruktat det värsta, utan att ens våga erkänna det för sig själv.

Jonas drag var fortfarande spända men han tog ett djupt andetag.

”Ja, tack och lov.”

Han sjönk ner på den obäddade sängen med ryggen mot väggen. Nora satte sig intill och kurade ihop sig mot honom.

Så småningom viskade Jonas, nästan som för sig själv: ”Men var är hon någonstans?”

Kapitel 36

När Ebba hade hälsat på Thomas och Margit satte hon sig i en av korgstolarna. Thomas pekade på tallriken med smörgåsar.

”Ska du inte äta något?” sa han. ”De är till dig.”

Hon sneglade på fatet. Utan att säga något tog hon den ena smörgåsen och bet av en tugga. Sedan sträckte hon sig efter muggen med te som Nora gjort i ordning och drack några klunkar. Fortfarande under tystnad ställde hon den ifrån sig och återgick till smörgåsen.

Margit och Thomas lät henne äta i sin egen takt utan att skynda på. Det var viktigt att inte jaga upp henne. Först när Ebba ätit klart och fått lite mer färg i ansiktet sa Thomas med vänlig stämma:

”Vi skulle vilja att du berättade för oss vad som hände i går kväll, innan du sökte upp polisen.”

Tröjan som Ebba fått låna av Nora var aningen för stor, ärmarna var långa och gick ner över hennes knogar. Trots det verkade hon frusen.

”Jag har redan sagt allting till den andra polisen”, sa hon. ”Han i husbilen, som hittade Felicia i hamnen.”

”Vi skulle gärna vilja att du berättade för oss också”, sa Thomas. ”Så att vi kan bilda oss en egen uppfattning.”

Ebba gjorde inga fler invändningar. Men hon höll muggen framför sig som om hon försökte gömma sig bakom den.

Utanför det breda verandafönstret passerade fritidsbåtar i en strid ström på väg tillbaka till fastlandet.

”Börja från början”, sa Margit lugnt. ”Försök vara så detaljerad som du kan. Det är viktigt att allting kommer med.”

Flickan sög in underläppen som om hon var rädd för att fråga om något.

”Förresten”, sa hon. ”Har ni hittat våra kompisar än?”

Hon kom av sig, tvekade, men sa sedan: ”Tobbe, han som är rödhårig, vet ni var han är?”

Det låg tusen förhoppningar i frågan.

Thomas och Margit växlade en blick.

”Ja”, sa Thomas. ”Men vi kan väl få höra vad du har att berätta först så tar vi det sedan.”

Ebbas leende slocknade.

”Vad var det som hände i går kväll?” sa Margit.

Ebba

Ebba visste inte att någonting kunde göra så ont som då Tessan satte sig i Tobbes knä. Det var värre än när hon som tioåring fick höra om skilsmässan, när hennes pappa sa att han skulle flytta därifrån. Då hade det känts som om hon inte fanns längre, som om hon var en teckning som knycklades ihop för att den inte blivit riktigt som man tänkt sig.

Den gången hade hennes pappa lyft upp henne i knäet och lovat att hon och hennes lillasyster alltid skulle vara lika viktiga, det var bara det att han och mamma inte älskade varandra längre. Han hade kramat henne och till slut hade hon vågat tro att han talade sanning.

Pappa hade hållit sitt löfte men nu fanns det ingen som kunde trösta henne.

Ebba kände så väl igen sig i Tobbe, båda hade skilda föräldrar och omgifta pappor med nya familjer. Men hon och syrran bodde med sin pappa varannan vecka, han hade inte stuckit sin väg, så där som Tobbes farsa.

Tobbe talade aldrig om skilsmässan. Inte annat än genom de kommentarer han då och då undslapp sig, som att han nu var både skilsmässobarn och rödhårig, han var dömd att fucka upp.

Han flinade alltid när han sa så, halvt på skämt, halvt på allvar, men hon visste att bitterheten låg under ytan.

Tobbe och hon hade strulat lite på våren i åttan, men hon hade spanat in honom mycket tidigare.

Före honom hade hon inte haft någon seriös kille, bara korta grejer på olika fester. Men det var någonting speciellt med Tobbe som väckte hennes intresse. Han var så rolig, det var omöjligt att vara allvarlig i hans sällskap.

Efter sommarlovet blev de tillsammans.

Nian var tuff på många sätt men Ebba vaknade varje morgon med en pirrande förväntan i kroppen. Även om Tobbe var galen gillade hon hans upptåg och drogs med av sorglösheten. När han såg på henne blev hon varm, han var hennes första, så där på riktigt.

Sedan kom kvällen då Victor och Felicia blev tillsammans. De hade kollat in varandra ett bra tag, Felicia kunde knappt prata om något annat än Tobbes bästa kompis. Hur snygg han var, så het.

Victors föräldrar var i Paris, han hade hela huset för sig själv. Alla var på partyhumör, det klirrade om Tobbes ryggsäck och så fort de kom innanför dörren hos Victor pekade Tobbe på ryggan.

”Jag har fixat lite schysta grejer.”

Det röda håret var tämjt med frisyrgelé och han log brett, kysste Ebba på munnen, och krängde av sig jackan. De gick in till vardagsrummet och slog sig ner i den vita lädersoffan.

”Kan inte du fixa några glas”, sa Tobbe till Victor.

Felicia flög upp.

”Jag kan hjälpa till och bära”, sa hon.

Tobbe blinkade åt Ebba när Victor försvann till köket med Felicia i släptåg. Det tog över en halvtimme innan de kom tillbaka med glas och två skålar med chips.

Lite senare dånade musiken i undervåningen, det var folk överallt. Det var första gången Ebba såg Victor röja ordentligt men inte den sista. Han var som förvandlad den kvällen, skrattade som en galning och hånglade vilt med Felicia. Orden sprutade fram och han dansade så skjortan blev genomsvettig.

Någon knuffade till Victor så att han skvätte ut sin grogg på Felicia. Hon skrek till när vätskan träffade hennes topp där den spetskantade behån skymtade.

”Sorry, det var inte meningen”, sa Victor.

”Det gör ingenting.” Felicia fnittrade till. ”Vad blött det blev.”

”Du kan låna något av mig om du vill. Kom.”

Victor tog Felicia i handen och Ebba fick ett hastigt leende innan hon följde med Victor uppför trappan till hans rum.

Efter den helgen hängde de jämt tillsammans, alla fyra.

Under vintern festade Victor och Tobbe mer och mer. Victor var egentligen ganska lugn, nästan blyg, men när han var påverkad blev han som förvandlad, precis som Tobbe.

Tobbe blev gränslös och Victor stridslysten.

Ett par gånger gjorde Tobbe några riktigt dumma grejer. Han gick på tågspåren trots att bommarna hade gått ner och en natt satte han sig mitt i gatan. En bil höll på att köra på honom men i sista sekunden hoppade han undan. Sedan skrattade han bara och lade armen om Ebbas axlar. Som om allting var ett skämt.

Flera gånger försökte hon prata med Tobbe men han ville inte lyssna. Dessutom låg Victor på. Hans föräldrar hade ingen koll och de hängde ofta hemma hos honom. På vårterminen började Victor festa i veckorna också, inte bara på helgerna, och han drog med sig Tobbe. Ebba försökte hålla emot, de gick i nian, det gällde slutbetygen.

När ingenting funkade, när Tobbe inte ville lyssna, började Ebba dra sig undan. Hon tänkte att han skulle fatta om hon inte ville vara med honom längre. Att det skulle ta skruv. Men istället fick hon höra att hon var sur och grinig.

Gapet ökade.

Ett par gånger, då hon inte följde med på en fest, hånglade Tobbe med andra tjejer.

Ebba fick höra det på omvägar, hon blev både förbannad och sårad. Men när hon tog upp det skyllde han ifrån sig, sa att han varit så packad att han inte kom ihåg något, det spelade väl ingen roll? Sedan var han extra gullig ett tag och då släppte hon det. Men det var klart att det skavde, hon visste inte om hon kunde lita på honom längre.

Hon försökte prata med Felicia men hon slingrade sig och ville inte förstå. Felicia var tokkär i Victor och gjorde precis som han ville. Det var bara när hon blev riktigt full som Felicia sa ifrån. Annars höll hon med Victor. När Ebba ville snacka kom hon med undanflykter.

Det blev svårare och svårare för Ebba att anförtro sig till Felicia. De hade varit bästisar och supertajta under hela högstadiet men nu höll också hon på att gå förlorad.

När det tog slut med Tobbe ville Ebba bara gråta.

Först hade hon inte velat följa med till Sandhamn över midsommarhelgen. Men så tänkte hon att det var ett bra tillfälle. Någonstans hoppades hon att det skulle ordna sig. Kanske skulle Tobbe och hon bli ihop igen.

Hon ville så gärna vara med honom.

Sedan kom den där tjejen ombord. Tessan med sina stora bröst. Det var bara så tydligt vad hon ville. Och Tobbe tog för sig, han sket i att Ebba satt där. Det var som om han njöt av att hångla med den där fjortisen medan hon tittade på. Han smekte henne helt öppet inför Ebba.

Bakom solglasögonen kämpade Ebba med tårarna samtidigt som hon registrerade varje rörelse, varje smekning. När Tobbes tunga sökte sig till Tessans mun blundade hon. Det tryckte över bröstet och hon fick svårt att andas. Till varje pris fick Tobbe inte se hur olycklig hon var. Då skulle hon gå under.

Ett tag tänkte hon stöta på hans brorsa för att hämnas, men hon kunde inte. Dessutom hade Christoffer alltid varit schyst mot henne.

Det brast ändå trots allt.

Hon kom inte ihåg vad hon hade skrikit åt dem, bara att ingenting kändes bättre efteråt.

När hon sprang utmed kajen värkte det i strupen men hon lyckades ta sig till stranden som låg en bit därifrån. Den var tom när hon kom dit och då kom tårarna. Hon grinade och grinade när hon satt där alldeles ensam vid strandkanten.

Jävla Tobbe, med sitt jävla röda hår. Hon borde skita i honom, hon var ett pucko som brydde sig så mycket.

Det tog lång tid innan hon lugnade sig. Utmattad lade hon sig ner i sanden och där måste hon ha somnat för när hon vaknade höll solen på att gå ner och hon frös.

Efter ett tag gick hon tillbaka till hamnen och letade rätt på en toalett.

När hon tittade sig i spegeln såg hon inte klok ut, mascaran hade runnit och håret var sandigt och tovigt. Hon försökte snygga till sig, drog en kam genom håret och tvättade ansiktet.

Det tog emot att gå bort till båten igen men hon hade ju sina grejer där. När hon kom dit var båten låst och ingen hade sett till hennes kompisar. Hon försökte ringa till både Felicia och Tobbe men de svarade inte på mobilen.

Till slut, när hon letat i timmar, gick hon till husbilen där polisen fanns.

Kapitel 37

När Ebba var klar kröp hon ihop i stolen alldeles söndergråten.

Margit kunde inte låta bli att luta sig fram och krama om henne, för ett ögonblick ersattes den luttrade polisen av en medkännande tonårsmamma.

Margits döttrar, Anna och Linda, var bara några år äldre än Ebba. Hon var väl förtrogen med den sorg som olycklig tonårskärlek kunde framkalla hos en ung flicka.

Thomas tänkte på Elin, det var svårt att låta bli. Måtte hon aldrig sitta så här, i en korgstol bland främlingar, fullständigt förkrossad.

Margit kramade Ebbas axel och räckte henne en pappersnäsduk som hon tog fram ur fickan.

Vi måste berätta för henne att Victor Ekengreen är död, tänkte Thomas.

Helst ville han vänta tills de talat med Felicia. Det gick inte att förutse hur flickorna skulle reagera.

Det knackade och Nora stack in huvudet.

”Ursäkta att jag stör, men jag ville bara säga att jag går till bryggan för att möta Ebbas och Felicias föräldrar. Felicia är uppe, hon sitter i köket.”

Margit sneglade på Thomas som förstod vad hon menade. Skulle de prata med Felicia innan föräldrarna kom?

Han böjde på huvudet i samförstånd.

Ebba kramade temuggen. En droppe snor hängde under näsan och hon släppte muggen med ena handen och torkade bort den med den hopknyckade näsduken.

”Kände inte Tobbes och Victors föräldrar till vad som pågick?” sa Margit. ”Att de festade så mycket? Märkte de ingenting?”

”Jag vet inte.” Hon snörvlade till. ”Tobbe bor hos sin morsa och Victors föräldrar är jämt bortresta.”

”Snart kommer din mamma och hämtar dig”, sa Margit i låg ton. ”Så får du åka hem och sova i din egen säng. Du kommer att känna dig bättre om några dagar, jag lovar.”

Blicken i Ebbas ögon var tröstlös.

Kapitel 38

Adam var tillbaka. Han lutade cykeln slarvigt mot staketet och kom fram till grinden just när Nora öppnade ytterdörren.

”Hej älskling”, sa hon. ”Du hittade henne inte, va?”

Adam skakade på huvudet.

”Tack för att du försökte. Det var jättesnällt av dig.”

Adam dröjde sig kvar vid grindstolpen.

”Varför är Thomas här?” sa han.

”Han behövde snacka lite med tjejerna som bodde hos oss i natt.”

”Det är jättemycket poliser vid Skärkarlshamn. De har satt polistejp runt en massa träd...”

Nora låtsades inte om den outtalade frågan.

”Jag måste gå och hämta flickornas föräldrar vid bryggan”, sa hon istället.

Hon tog sin egen cykel och gav honom en klapp i förbifarten.

”Jonas är däruppe”, sa hon. ”I mitt sovrum. Han håller fortfarande på och ringer Wilmas kompisar för att kolla om hon är hos någon av dem.”

Med ena foten drog Adam några streck i gruset.

”Är Wilma inblandad i det som har hänt i Skärkarlshamn?” sa han. ”Är det därför hon inte kommer hem?”

Olusten dröjde kvar i Nora medan hon cyklade till hamnen, det gick inte att skaka av sig den.

På Värdshusets uteservering var det fullt med folk, barnvagnar stod utanför och flera personer köade vid den lilla trappan som ledde till trädäcket. På borden skymtade ölsejdlar och vinglas fyllda med rosé. Men vid tullbryggan låg två polisbåtar förtöjda. De påminde om vad som hade hänt under natten.

Det kändes overkligt att Thomas och Margit satt på hennes veranda och förhörde Ebba och Felicia.

Det bultade bakom tinningarna av sömnbrist och stress. Så fort hon kom hem igen måste hon ta en huvudvärkstablett.

Oron ville inte ge med sig. Kunde Wilma vara inblandad i Victor Ekengreens död? Tänk om någon annan hade tagit hennes mobil och skickat meddelandet? Någon som kanske höll henne fången.

Sluta nu, tänkte hon. Det är ingen idé att du jagar upp dig, framför allt inte när Thomas inte verkar orolig.

Nora kom fram till ångbåtsbryggan just som den vita Waxholmsbåten gled igenom sundet. Det var ”Sandhamn”, en av de största båtarna som trafikerade ön. I torsdags, när hon åkte ut med Jonas och barnen, hade den varit proppfull med förväntansfulla midsommarfirare.

På avstånd såg hon att det redan var massor av människor på ångbåtsbryggan. Kön till båten ringlade sig hela vägen förbi kiosken och fortsatte sedan ett femtiotal meter bort. Hon kände igen flera Sandhamnsbor som väntade på sin tur.

Färjan lade till och matrosen sköt över landgången. Det var få passagerare som skulle gå av men tre personer fångade genast Noras uppmärksamhet: en grupp i hennes egen ålder, två kvinnor och en man som otåligt väntade på att få gå iland.

De båda kvinnorna var klädda i vita jeans och bar på stora handväskor, mannen hade på sig ett par blå byxor och en vit pikétröja.

Hon förstod att det måste vara Ebbas mamma och Felicias föräldrar och vinkade så att de skulle se henne.

Vad skulle hon säga? Måste hon berätta om Victor? Fick hon ens det?

Felicia tittade förstulet på Thomas och Margit. Ebba hade gått på toaletten och hon var ensam på verandan med de två poliserna.

”Kan vi inte vänta tills mamma och pappa kommer?” sa hon tyst. ”De är snart här.”

Thomas önskade att hon inte sagt så. Det hade varit bättre att höra flickan utan föräldrarna och sedan skylla på tidspressen. Risken var stor att hon inte skulle prata fritt annars. Men han visste vad som gällde enligt regelverket.

Ljudet av ytterdörren som öppnades avgjorde saken.

”Felicia”, ropade en kvinna och det räckte för att hon skulle flyga upp ur korgstolen.

”Mamma.”

Felicia kastade sig i sin mammas famn. Hon började snyfta högt och våldsamt, mamman försökte hyssja på henne, men Felicia kunde inte behärska sig.

Bakom dem stod en bredaxlad man i fyrtiofemårsåldern. Det måste vara Felicias pappa, Jochen Grimstad, tänkte Thomas. De hade samma anletsdrag.

Dörren till toaletten gick upp och Ebba kom ut. När hon upptäckte sin egen mamma kollapsade även hon.

”Förlåt”, snyftade hon. ”Jag ska aldrig mer göra så här. Förlåt.”

Tio minuter senare hade flickorna lugnat ner sig och Thomas hade lyckats få dem alla att slå sig ner i Noras matsal.

När Nora kom bärande på ännu en kaffebricka kände Thomas ett styng av dåligt samvete. Hennes hem hade förvandlats till en temporär polisfilial. Nora såg minst sagt utmattad ut och han mindes att hon hade sina egna problem att tänka på.

”Är Wilma hemma än?” sa han lågt när hon kom tillbaka från köket med en mjölkkanna och ett fat med småkakor.

”Nej, men hon har skickat ett sms till Jonas.”

”Så bra.”

Thomas andades ut, då hade hon nog bara blivit berusad och somnat någonstans, precis som han trott.

Innan Nora hann säga något mer avbröts de av att Thomas mobiltelefon ringde. Det var Jens Sturup.

”Jag ville bara säga att kroppen nu är på väg till rättsläkaren”, sa han. ”Men Staffan Nilsson och hans gäng är kvar ett tag till på fyndplatsen.”

”Okej.”

”Det har kommit ut en reporter också, bara så att du vet. Från TV4. Det kommer nog ett inslag på nyheterna i kväll, sådant här sprider sig fort.”

Det var inte vad som behövdes, men Thomas hade inte tid att tänka på det nu. Presstjänsten fick ta hand om den saken.

Han knäppte bort samtalet och gick tillbaka in i Noras matsal där föräldrarna slagit sig ner runt matbordet tillsammans med de utmattade flickorna.

De två mammorna förde ett viskande samtal. Det verkade som om de pratade om familjen Ekengreen, det lät som om en av dem hade försökt ringa till Madeleine Ekengreen utan att komma fram.

Thomas märkte med en gång att stämningen var undrande, på gränsen till irriterad.

Det var bråttom att tala med Felicia.

”Så här är det”, sa Thomas. ”Vi skulle vilja ställa några frågor till Felicia, helst på egen hand om det går för sig. Sedan kommer vi att informera er om vad som har hänt."

"Kan det inte vänta?" invände Jochen Grimstad.

"Tyvärr går inte det", sa Thomas. "Vi vill väldigt gärna tala med henne med en gång."

"Min dotter är ganska medtagen som du kan se", sa Jochen Grimstad och lade armen om Felicias axlar. "Vi vill ta med henne hem så fort som möjligt."

Han gav Thomas en misstänksam blick, som om han anade att någonting allvarligt hade inträffat och precis skulle kräva att de lade korten på bordet.

Thomas vägde för- och nackdelar med att berätta sanningen. Ännu en gång kom han fram till samma slutsats: det var bättre att höra Felicia innan hon visste hur det låg till.

Om hon inte redan gjorde det.

Margit förekom honom. Hon riktade sig till Felicias pappa.

"Det behöver inte ta så lång tid och vi skulle verkligen uppskatta om vi fick den här möjligheten", sa hon. "Vi har nyss suttit med Ebba och vill gärna tala några minuter i enrum med er dotter om ni inte har något emot det."

Felicia förde undan håret från pannan och reste sig.

"Det är okej", sa hon. "Bara det är säkert att jag får åka hem sedan. Lovar ni det?"

Thomas nickade lugnande. Felicia gick före poliserna till verandan.

Felicia

Varför hade hon skrikit så där åt honom? Hon älskade ju Victor. Jättemycket, gånger tre.

Men hon hade aldrig sett honom så ursinnig förut och det gjorde henne skräckslagen. När han stack från båten sprang hon efter honom. Han gick väldigt fort och Felicia höll först på att tappa bort honom men så upptäckte hon ryggtavlan i folkvimlet. Han var på väg från hamnen, mot minigolfbanan, nu gick han förbi den och uppför en brant backe.

”Victor”, ropade Felicia. ”Vänta på mig.”

Hon lyckades springa ikapp honom på krönet.

”Kan du inte vänta lite?”

Det lät som om han väste jävla fitta, men hon hoppades att hon hört fel.

”Victor.”

Hon sträckte ut handen och högg tag i hans tröja, men han vred loss hennes fingrar och fortsatte gå. Hon började gråta, det gick inte att låta bli. Det fick inte bli slut, då skulle hon dö.

Jag gör vad som helst bara han inte dumpar mig, tänkte hon i panik. Vad han vill.

”Snälla”, snörvlade hon, ”vi kan väl prata i alla fall.”

Han saktade ner lite grann, så pass att hon hann ikapp honom, men sa fortfarande ingenting. Hon vågade inte röra honom och fick småspringa för att hålla jämna steg, men höll sig tyst så att han inte skulle brusa upp ännu mer.

De kom förbi en höjd där skogen öppnade sig mot havet. Där satt ett gäng och hade picknick, men Victor fortsatte, förbi en lång rad hus och in på en skogsstig intill en stor grosshandlarvilla. Plötsligt svängde han av, ner mot vattnet, till en strand som hon inte sett förut.

Han fortsatte en bra bit, tills stranden nästan tog slut.

”Kan vi inte sätta oss ner ett tag?” fick Felicia ur sig.

Hon var andfådd och orkade knappt hänga med längre.

Utan att säga något stannade Victor tvärt på en liten plats mellan ett stort träd och en klippskreva. Trädgrenarna skymde dem från resten av stranden, hon såg inte till några andra, bara några grå hus en bit bort som verkade förbommade.

De var ensamma.

Felicia satte sig ängsligt bredvid Victor. Hon var fortfarande rädd för att säga något som kunde få honom att ge sig på henne igen. Hon kämpade för att hålla tillbaka tårarna, hon kände på sig att han skulle bli ännu mer irriterad om hon fortsatte grina. Hon ville inte bråka med honom, hon ville bara att det skulle bli bra.

Efter en lång stund sökte hon hans hand, han lät henne ta den och drog sig inte undan. Det kändes lite bättre. Victor till och med log. Men så blev hon illamående och kände att hon måste spy. Victor förlorade humöret igen, han svor åt henne fastän hon sa förlåt.

Efter ett tag måste hon ha somnat. När hon vaknade var han inte där längre och hon kom inte ihåg var hon befann sig. Hon mådde så dåligt, var törstig och frös och det dunkade i huvudet. Hon kunde knappt stå på benen.

Först visste hon inte vad hon skulle ta sig till men så småningom letade hon sig tillbaka till hamnen.

Men då var Victor och alla andra borta.

Kapitel 39

Thomas öppnade dörren till matsalen där Felicias föräldrar väntade tillsammans med Ebba och hennes mamma. Han pekade på en stol bredvid Jeanette Grimstad.

”Ska inte du gå och sätta dig, Felicia”, sa han.

De måste få besked nu, det gick inte att skjuta upp det längre.

Han misstänkte att skaran runt bordet inte skulle uppskatta att han hade hållit inne med informationen om Victors död. Men det hade varit nödvändigt. Felicia skulle aldrig ha pratat så öppet med dem om hon vetat vad som hade hänt.

Han väntade tills Felicia hade satt sig och sa sedan:

”Jag måste tyvärr berätta något tråkigt för er.”

Ebba pressade händerna mot munnen. Hade hon förstått vad som inträffat? Eller fruktade hon att det rörde hennes förre kille, den rödhårige?

Felicia föreföll helt ovetande om att hennes pojkvän var död. Ingenting i deras samtal antydde att hon visste vad som hänt.

Margit hade följt efter in i rummet och ställde sig bredvid Thomas. Han försökte hitta de rätta orden.

”Det är dessvärre så att Victor Ekengreen har påträffats död i dag på morgonen.” Thomas riktade sig särskilt till de två flickorna. ”Det är anledningen till att vi behövde prata med er nu och att vi inte kunde vänta.”

”Victor”, fick Felicia fram, sedan föll hon ihop i mammans famn.

”Lilla gumman”, sa Jeanette Grimstad med darrig stämma.

Jochen Grimstad lade ifrån sig sin telefon.

”Vad är det som har hänt?” sa han. ”Vad har han råkat ut för?”

”Vi tror tyvärr att det rör sig om ett brott”, sa Margit. ”Victor hittades på stranden i Skärkarlshamn i morse och det ser ut som om någon avsiktligt har dödat honom.”

Hon gjorde en liten paus, lät informationen sjunka in, och fortsatte:

”Utredningen har precis påbörjats, vi har inte mycket mer information i nuläget.”

Felicia rörde sig inte. Hon stirrade på Thomas utan att blicken nådde honom. Det var som om hon försvunnit in i sig själv.

”Vad betyder det här?” sa Jochen Grimstad med rynkad panna. ”Varför talade ni inte om det med en gång?”

”Vi gjorde bedömningen att det var bättre att få tala med flickorna innan de blivit informerade om dödsfallet”, sa Thomas. ”Jag hoppas att ni kan ha förståelse för det.”

Grimstad gav de båda poliserna ett förargat ögonkast. Han trummade ljudligt med fingrarna på bordet.

”Jag vill veta om min dotter är misstänkt för något eller om vi kan åka härifrån?” sa han.

Thomas försökte hålla känslorna i schack. Vill du klaga, så gör det, tänkte han. Vi har viktigare saker för oss just nu än dina sårade känslor. Men om han bet ifrån skulle han förmodligen få ångra sig.

Margit kom till hans undsättning.

”Varken Ebba eller Felicia är misstänkta för något i dagsläget”, sa hon. ”Men vi behöver kunna komma i kontakt med båda två den närmaste tiden, så det är bra om ni håller er i Stockholmsområdet.”

Jochen Grimstad lät sig inte blidkas.

”Vi kommer att vara på vårt landställe på Vindalsö. Numret står i telefonkatalogen, vill ni nå oss får ni slå upp det. Nu tänker jag ta med mig Felicia härifrån.”

Ebba var vit i ansiktet.

”Hur är det med Tobbe?” viskade hon.

”Han och hans bror är kvar på båten”, svarade Margit. ”Ingenting har hänt dem, du behöver inte vara orolig för det.”

Thomas såg lättnaden hos Ebba innan hon sänkte huvudet.

Nora hade erbjudit sig att följa hela sällskapet tillbaka till hamnen, men Felicias pappa hade insisterat på att det inte var nödvändigt.

Hon kunde inte låta bli att undra varför han var så ohyfsad, på gränsen till bufflig. Även om han skämdes över att hans dotter blivit berusad och omhändertagen av polisen fanns det värre saker. Han kunde ju föreställa sig familjen Ekengreens situation till exempel. Men kanske var det här hans sätt att hantera chocken.

Jochen Grimstad hade knappt bytt två ord med Nora och inte heller ödslat någon tid på småprat medan de väntade på att förhöret med Felicia skulle bli klart. Nu manade han på sin dotter och hustru så att de skulle komma därifrån så fort som möjligt.

Ebbas mamma, Lena Halvorsen, var betydligt mer sympatisk.

”Jag vet inte hur vi ska kunna återgälda det här”, sa hon när hon tog adjö på tröskeln. ”Jag är så tacksam för att du tog dig an min dotter när hon behövde det. Du är en fin människa.”

Nora gav henne ett blekt leende. Det var omöjligt att tala om sanningen, hur påfrestande det hade varit. Istället flöt vita lögner ur hennes mun.

”Det var så lite”, sa hon. ”Jag har egna söner i samma ålder. Jag är bara glad att jag kunde hjälpa till. Vi får hoppas att flickorna får vila ut lite nu, det här är mycket att hantera i deras ålder.”

Hon sträckte ut handen för att ta farväl, men Lena Halvorsen lutade sig fram och gav henne en varm omfamning istället.

”Vi måste få tacka dig på något sätt”, sa hon. ”Det insisterar jag på. Men vi får återkomma om det.”

”Det är säkert, det behövs inte”, upprepade Nora.

Hon vände sig till Ebba.

”Hej då Ebba”, sa hon och gav flickan en kram. ”Sköt om dig nu.”

Just när de skulle gå ryckte Ebba lätt i mammans ärm.

”Mina grejer är kvar på båten”, sa hon. ”Vi måste hämta dem innan vi åker.”

”Hinner vi det?” sa Lena.

Nora såg på klockan. Nästan fyra. Det gick en tur tillbaka både klockan fem och halv sex.

”Det beror på vilken båt ni tänkte ta, men det går båtar nästan varje timme i dag.”

”Snälla”, sa och Ebba och trampade oroligt. ”Vi kan väl åtminstone kolla om Tobbe och Christoffer är kvar i hamnen?”

Kapitel 40

Thomas och Margit hade lämnat Brandska villan och gått tillbaka till PKC. Det var tomt i den gula byggnaden när de kom dit och det var en lättnad att slå sig ner i tystnaden efter de upprörda rösterna hemma hos Nora.

Innan de gav sig av hade Jochen Grimstad ännu en gång kritiserat dem för att de hade, som han sa, medvetet förtigit informationen om Victors död. Det rådde ingen tvekan om att Grimstad sökte någon att ta ut sin frustration på.

Likafullt retade det Thomas.

Han kände sig utpumpad och nickade åt kaffebryggaren i pentryt.

”Vill du ha kaffe?” sa han till Margit som för en gångs skull tackade nej.

”Vi har inte mycket att gå på”, sa hon eftertänksamt och tog fram sin anteckningsbok och en kulspetspenna som hon skakade innan hon tryckte fram spetsen. ”Antingen mötte Victor gärningsmannen medan flickvännen var ur spel. I så fall var han troligen redan död och gömd under trädet när hon vaknade till igen. När hon inte hittade honom fick hon panik och sökte sig till hamnen utan att förstå att pojkvännen var alldeles i närheten.”

Hon ritade ett träd, en cirkel och en pil på den tomma sidan.

”Eller så återvände han vid en senare tidpunkt då han träffade på gärningsmannen”, sa Thomas. ”Han kanske kom tillbaka för att se till sin flickvän. De kan ha gått om varandra.”

”Jag undrar om Felicia ljuger”, sa Margit. ”Tror du att hon har hittat på alltsammans därför att hon är inblandad?”

Thomas rynkade pannan.

”Hon skulle aldrig ha orkat släpa in honom under trädet. Titta bara på henne, hon klarar knappt av att bära en tung väska. I så fall måste hon ha haft hjälp.”

”Ebba?” spekulerade Margit.

”Du menar att båda är inblandade?”

Thomas hade svårt att föreställa sig att tjejerna skulle vara så förslagna.

”Tänk om Felicias historia delvis är riktig”, sa Margit. ”Hon följde med Victor till stranden för att göra allting bra igen. Men istället började de bråka och det gick åt skogen.”

”Du menar att Ebba fick se sin bästa kompis slåss med sin kille och försökte hjälpa henne?”

”Ungefär. Victor var för stark och det slutade med att någon av flickorna tog en sten och slog till honom. Säkert inte för att döda, men när de insåg vad de hade gjort blev de rädda och gömde honom så gott de kunde.”

Margit reste sig och gick bort till fönstret och öppnade det. Det var befriande med den friska luften som strömmade in i det varma rummet.

”Felicia lämnade stranden precis som hon säger”, sa hon, ”men senare, efter Victors död. Hon har bara kastat om tidpunkten.”

”Och Ebba?”

”Vad gjorde Ebba?” sa Margit och satte sig ner igen. ”Hon vandrade omkring, chockad precis som Felicia. De kom ifrån varandra och efter ett tag blev hon desperat. Då sökte hon upp polisen och på så sätt fick hon dessutom ett alibi.”

”Är man så kall i den åldern?”

”Det finns prov på värre”, sa Margit torrt.

Thomas visste att hon hade rätt. Det skedde inte ofta, men det fanns exempel på tonårsmördare som begått fruktansvärda brott.

”Var kommer killarna in i bilden?” sa han. ”Låt oss fundera på dem ett tag.”

”Bröderna Hökström? Det var du som träffade dem.”

”De ger varandra alibi”, sa Thomas.

Han mindes hur tagen den yngre brodern hade verkat. Hade det bara varit ett spel för galleriet? Harry Anjou hade blivit misstänksam mot honom nästan med en gång.

Varifrån kom egentligen det stora blåmärket på kinden?

”Skulle en ung grabb döda sin bäste kompis?” sa Thomas.

”Det händer”, sa Margit. ”För mycket alkohol, bråk om någon tjej. Ebba sa ju att killarna festade alldeles för mycket. Felicia också för den delen.”

Hon lade ifrån sig pennan och kliade sig i nacken.

”Det kan till och med vara ett liknande scenario”, fortsatte hon. ”Om det var Tobias som upptäckte att Victor och Felicia bråkade. Han kanske försökte stoppa sin kamrat och allting gick snett.”

Tobias Hökström hade verkat djupt skakad när Thomas berättade om dödsfallet. Men berodde det på att han inte känt till det eller på att han begrep vidden av det han gjort?

Båda alternativen var möjliga.

Thomas visste att all statistik talade för att mördare och offer kände varandra. Det var ytterst ovanligt med okända förövare.

”Vad har vi annars?” sa han.

”Ja du. Inte så mycket just nu.”

Margit gjorde en grimas. Hennes starka hårfärg förstärkte snarare än mildrade de skarpa vecken mellan näsa och mun. De djupt liggande ögonen var bekymrade.

”En sextonårig grabb är död. Vi har ingen aning om vad som har hänt. Jag vet faktiskt inte vad som är svårast att tro på, en okänd gärningsman eller att någon i kompisgänget har gjort det.”

Luften i rummet kändes plötsligt tung, trots det öppna fönstret.

Kapitel 41

Nora satt på verandan. Hon borde gå upp och prata med Jonas nu när huset äntligen var tömt på främmande, han var fortfarande i sovrummet.

Hon måste bara hitta kraften att resa sig.

Om jag får sitta här fem minuter, tänkte hon, så går jag upp till honom sedan. Fem minuter.

Hon lutade huvudet mot väggen och tog några djupa andetag. De två värktabletterna som hon tagit några timmar tidigare hade inte hjälpt mycket, det dova malandet låg kvar bakom tinningarna.

Vi måste hitta Wilma, tänkte hon, ingenting annat är viktigare just nu.

Det pep till i telefonen och hon drog fram den ur bakfickan.

”Hoppas att allting gick bra med Grimstads. Mamma hälsar, från Ingarö där hon är kvar. /H”

Henrik.

Under dagen hade hon fullkomligt glömt bort Monica. Tydligen hade han lyckats avstyra hennes besök.

Välsignade Henrik.

Tänkte hon verkligen så? undrade Nora förundrat. Det måste ha varit den första vänligt sinnade tanke hon skänkt sin före detta man på månader.

Hon såg hans välbekanta ansikte framför sig, det mörka håret och den klassiska profilen som hon en gång varit så förälskad i.

Det var ovant att betrakta honom som en bundsförvant.

Medan de gick mot KSSS-hamnen föreställde sig Ebba hur Tobbe skulle reagera när hon kom dit. Först skulle han bli förvånad, sedan skulle hon få se tacksamheten sprida sig i hans ansikte.

Hon hade kommit tillbaka.

Han skulle bli så lättad när han förstod att hon var beredd att stryka ett streck över det som hänt. Victors död krävde det. Allting var hemskt, förfärligt, men nu skulle de trösta varandra.

Victor hade varit Tobbes bästa vän. Nu kunde han ge efter för gråten hos

Ebba. De skulle sörja ihop. Hon fanns där för honom.

Vem annars? Inte hans pappa i alla fall, som valt bort både Tobbe och hans bror.

Ebba ville krypa upp i Tobbes famn. Hon var beredd att förlåta honom allt, till och med det som hände med Tessan.

Det var så mycket som var annorlunda nu.

”Där borta ligger båten, mamma.”

Ebba lyfte blicken och pekade på en Sunseeker som fortfarande var förtöjd vid en av KSSS-bryggorna.

Vid det här laget var hamnen knappt halvfull, stora luckor gapade utmed pontonerna och leden av båtar hade glesnat vid den långa träkajen.

Några hamnvakter i röda jackor gick omkring och tömde sopmajor.

Var Tobbe kvar ombord? undrade Ebba hastigt. Visste han ens om att Victor var död?

Hon hade inte tänkt på att fråga poliserna om det, det borde hon ha gjort. Men han hade säkert fått reda på sanningen vid det här laget.

”Vänta här, mamma”, sa Ebba. ”Jag kommer snart.”

Innan Lena Halvorsen hann säga något sprang Ebba före ut på pontonen, fram till den båt hon förtvivlad lämnat ett dygn tidigare.

En tröja låg slängd i aktersoffan men hon såg inte till vare sig Christoffer eller Tobbe. Plötsligt kändes det fel att smyga ombord, oannonserad.

”Hallå”, ropade hon försiktigt. ”Är det någon där?”

Tystnad.

”Hallå”, ropade hon igen.

Fortfarande inget svar.

Hon tittade sig omkring, sedan klev hon ombord och ner i sittbrunnen. Genom den halvöppna dörren till kajutan såg hon Christoffer. Han satt i soffan med en vit mugg framför sig utan att märka att hon var där.

Ebba stack in huvudet.

”Hej”, sa hon försiktigt. ”Har du hört vad som hänt?”

Hon kom av sig, visste inte hur hon skulle fortsätta, men Christoffer nickade.

”Det är för jävligt. Jag fattar inte…”

Han fullföljde inte meningen och hon kunde inte avgöra om det var en snyftning som han försökte hålla tillbaka eller inte.

Christoffer lät så vilsen. I går hade han varit på ett strålande humör, den coola storebrodern som ändå var schyst mot Tobbe och hans kompisar. Nu verkade han ha tappat greppet.

”Jag ska bara hämta mina grejer”, sa hon snabbt och rörde sig mot utrymmet där hennes väska låg.

”Du.”

Christoffers röst var ansträngd och Ebba hejdade sig.

”Ja?”

”Vet Felicia vad som har hänt? Jag har inte sett henne sedan hon stack i går.”

Han undvek att se på henne.

”Ni drog bägge två. Vet hon om att …”

Han svalde.

”… Victor är död?”

Ebba nickade. Hon visste inte om rösten skulle hålla om hon sa något. Istället tog hon både Felicias väska och sin egen.

”Felicias föräldrar har hämtat henne”, sa hon till sist. ”Jag lovade att ta med hennes saker också.”

Hon höll fram Felicias gula bag som för att bevisa att hon inte hittade på.

Ebba försökte se sig omkring efter Tobbe. Det var stängt till förpiken, var han därinne? Varför kom han inte ut i så fall?

”Hur länge stannar ni i Sandhamn?” sa hon för att vinna tid.

Christoffer lutade sig mot ryggstödet.

”Inte så länge, men polisen hade visst fler frågor som vi skulle svara på. De ringde nyss och bad mig komma dit. Vi sticker hem så fort vi får.”

Det fick bära eller brista. Ebba ställde ifrån sig båda väskorna på den ljusa mattan.

”Var är Tobbe?”

”Han gick iland ett tag.”

”Gjorde han?”

Christoffer drog en hand genom sitt rödbruna hår, så likt Tobbes men ändå inte.

”Förresten”, sa han. ”Han kanske är med den där tjejen, Tessan. Hon var här och frågade efter honom för en stund sedan. Ska jag hälsa honom något?”

Ebba böjde på huvudet så att han inte skulle se hur ansiktet drog ihop sig. Kvävt pressade hon fram:

”Det behövs inte, jag ville inget särskilt.”

Hon lyfte upp väskorna igen och flydde därifrån.

Kapitel 42

Simons ansikte trycktes mot den nedre rutan i verandadörren så att det blev platt och utslätat. De förvridna dragen påminde Nora om en bild i en skrattspegel på ett tivoli.

Han knackade ljudligt med ena handen.

”Simon”, ropade Nora. ”Sluta. Kom in istället.”

Först grinade han genom fönsterglaset men sedan gjorde han som hon sa. Nora höll fram armarna mot honom och när han kom fram till henne kramade hon honom hårt. Tänk om det hade varit Adam eller Simon som hade legat död i Skärkarlshamn. Ögonen blev blanka och hon kramade Simon ännu mer.

”Är du ledsen?” sa Simon. ”Har du grälat med pappa?”

Var det sönernas intryck av hennes relation till deras far? Om hon var tårögd hade de bråkat igen?

Ännu ett skäl till samvetskval. Hon hade så många.

Nora skakade på huvudet.

”Nej älskling. Det handlar inte alls om det. Pappa var faktiskt jättesnäll och hjälpte mig med en sak i morse.”

Simon log förtjust.

”Så nu är ni vänner?” sa han förhoppningsfullt.

Nora visste att det inte fanns någonting han önskade mer än att de skulle flytta ihop igen.

”Ja, min vän. Men inte på det sättet.”

Leendet försvann, men han stannade kvar i hennes knä och lutade sig mot hennes axel. Snart skulle han vara för stor för att sitta så. Hans nacke luktade sol och bad, Nora snusade mot huden och önskade att de kunde sitta kvar så här i timmar, så att hon slapp resa sig och ta itu med allting.

”Mamma?”

”Mmm.”

”Varför sitter Wilma i sjöboden?”

Rösten var så låg att Nora först inte hörde vad han sa. Sedan lyfte hon på huvudet och stirrade på sin son.

”Vad sa du?”

”Varför sitter Wilma i sjöboden?”

Ansiktsuttrycket var på en gång oskyldigt och förväntansfullt, som om han kände på sig att hon skulle reagera på informationen.

”Herregud, Simon”, utbrast Nora. ”Varför berättade du inte det med en gång? Vi har ju letat efter henne hela dagen. Jonas har varit så orolig.”

Nora lyfte ner Simon och betraktade honom allvarligt.

”Är hon verkligen där?”

”Ja!” Simon gav henne en ilsken blick. ”Du behöver inte bli så himla arg. Förlåt att jag sa något.”

Nora föll på knä framför honom.

”Sötnos, det var bra att du berättade det. Det är säkert, helt säkert.”

”Du är ju sur.”

”Nej, jag lovar.”

Hon gav honom en kram för att understryka sina ord.

”Jag blev bara överrumplad. När hittade du henne?”

”För en liten stund sedan. Fabian och jag skulle hämta våra fiskespön. Hon sitter på golvet och är jätteledsen.”

Thomas öppnade dörren till PKC för att släppa in Christoffer Hökström. Han var längre än genomsnittet, men kortare än Thomas.

”Det var bra att du kunde komma”, sa han. ”Stig in.”

Han pekade på Margit som satt vid kortändan och reste sig för att hälsa.

”Det här är min kollega, kriminalinspektör Margit Grankvist. Hon kommer att sitta med.”

Christoffer såg misstänksamt på Margit.

”Är det här ett förhör?”

”Rent formellt kallas det att du hörs upplysningsvis.”

”Borde jag ha en advokat med mig?”

”Du har naturligtvis rätt till en advokat om du vill, men du är inte misstänkt för någonting”, sa Margit enkelt. ”Vi vill bara fråga dig om några saker. Är det inte lättare att vi gör det nu, medan du är på Sandhamn, än att du måste komma till Nackapolisen senare i veckan?”

Christoffer Hökström tycktes se logiken, han satte sig ner.

”Vill du ha något att dricka innan vi börjar?” sa Margit.

Han skakade på huvudet.

Thomas studerade tjugoåringen som slagit sig ner vid bordet. I morse hade han varit bakfull, kanske till och med onykter och uppenbart chockad. Nu var han duschad och nyrakad och hade bytt till en annan tröja. Ett par ljusbruna chinos med ett flätat läderbälte fullbordade klädseln. Han var fortfarande tagen, men samlad.

Ögonen var eftertänksamma, det var tydligt att han inte hade lika nära till skratt som brodern.

Vem tog hand om dig när du var liten?

Tanken kom av sig själv. Thomas mindes Ebbas ord om den frånvarande fadern.

”Kan du beskriva hur ni tillbringade gårdagen?” sa Margit.

Christoffer lade armarna i kors över bröstet.

”Vad vill ni veta?”

”Så mycket som möjligt. Hur kom det sig att du var på Sandhamn med din bror och hans kompisar?”

”Jag har alltid tagit hand om Tobbe”, sa Christoffer spontant. ”Ända sedan vi var små.”

”Beror det på något särskilt?”

”Det kan man nog säga.”

Christoffer såg bort och blicken blev inåtvänd.

Christoffer

Polisbilen som parkerade utanför huset var ett av Christoffers första barndomsminnen, han måste ha varit nästan fyra år. De hade åkt till landet för att fira midsommar. Johanna var två och ett halvt. En grannflicka skulle passa dem medan mamma och pappa for iväg och handlade inför helgen.

Av någon anledning ville Christoffer inte stanna hemma, han krånglade tills han fick följa med. Barnvakten och hennes kompis tog med Johanna till stranden.

Sedan kom de inte tillbaka.

Han såg poliserna genom köksfönstret. Christoffer kom fortfarande ihåg upphetsningen när de ringde på. Han hade sprungit till ytterdörren för att få öppna först.

Christoffer mindes inte längre hur hans lillasyster hade sett ut. Det fanns inga fotografier framme.

Tobbe föddes ett drygt år senare. Han blev aldrig lämnad ur sikte men lät sig ändå inte hindras. Det var som om han försökte leva både sitt och Johannas liv. Han lärde sig gå vid nio månaders ålder, var sjövild från första början och fick ständigt plåstras om.

Som sjuåring bröt han armen när han klättrade upp i ett träd för att palla äpplen hos grannen. Trots att de hade hela trädgården full med egna äppelträd. En gång bröt han en tå och fick hoppa på kryckor. På ett seglarläger fick han bommen i pannan och måste flygas med helikopter till sjukhuset, året därpå spräckte han ett ögonbryn på samma läger.

Deras mamma var alltid rädd för att något skulle hända Tobias. Det var ständiga förmaningar och från första stund kände Christoffer att det var hans ansvar att ta hand om sin lillebror så att mamma kunde vara lugn.

När Christoffer var nio och Tobbe fem blev Arthur delägare på en stor advokatbyrå. Han tjänade bra, de flyttade till ett större hus. Bröderna fick egna rum och Arthur ett rymligt arbetsrum på undervåningen där ingen fick gå in.

Han satt ofta där på kvällarna.

Mamma slutade jobba som lärare. När de kom hem från skolan var hon alltid hemma och Christoffer mindes att hon bakade mycket när han var liten. Men hon låg allt oftare i sovrummet.

"Mamma behöver vila", kunde hon säga. "Kan du hämta Tobbe på dagis så är du snäll?"

I badrumsskåpet stod det vita burkar vars etiketter hade liten text och röd triangel. Ibland syntes det att hon hade gråtit.

Arthur började resa mer i jobbet. När han inte reste jobbade han över. En gång, då Christoffer var tretton, kom han på sin far utanför garaget. Arthur hade gått undan för att prata i telefon. Christoffer skulle gå ut med soppåsen, han menade inte att tjuvlyssna, men kunde inte undgå att höra rösten runt hörnet.

Det var bara några meningar, men det märktes att Arthur talade med någon som han tyckte om. Rösten var annorlunda än när han pratade med Christoffers mamma. Den lät mjukare, gladare.

Christoffer avskydde honom för det tonfallet.

Affärsresorna blev längre. Burkarna med piller i badrumsskåpet blev fler.

Tobbe hängde med sina kompisar. Han hade alltid haft lätt för att få vänner, redan på dagis var de ett gäng som höll ihop. Tobbe sov ofta över hos sin bästa vän, Victor. Ibland följde han med familjen Ekengreen på semesterresor eller till deras fritidshus i skärgården.

Det var bara bra, tyckte Christoffer. När Tobbe var hos Ekengreens lättade trycket och han slapp bekymra sig för brodern. Oron låg på något vis alltid på lur.

Tobbe verkade inte märka av den spända stämningen hemma. Det var som om han inte kunde vara allvarlig ens i en sekund.

Eller så vågade han inte.

Christoffer gick på gymnasiet och längtade efter att ta studenten och ge sig iväg hemifrån. Han undvek sina föräldrar, faderns tafatta försök att knyta an och moderns bedrövade uppsyn när han gick ut.

Det sista året pluggade han hela tiden. För att komma in på Handelshögskolan måste han ha toppbetyg. Det var en lättnad att koncentrera sig på studierna, han kunde fylla skallen med matte och fysik och hålla allt annat ifrån sig.

Så fort han hade gått ut skulle han flytta.

En vecka efter att Christoffer hade tagit studenten vaknade han av sin mammas vilda gråt. Hon satt i köket i bara nattlinnet med telefonen bredvid sig. Blicken var glasartad.

Arthur hade just ringt. Han ville skiljas, så snart som möjligt. Hon fick höra det på telefon.

Modern stannade i sängen. Hon slutade tvätta sig och håret blev fett och äckligt. Sovrummet började lukta illa.

Det bubblade av ilska i Christoffer när han försökte se till henne. Ta dig samman, ville han skrika. Jag är inte din morsa, jag är ditt barn. Jag klarar inte det här!

Han föraktade henne lika mycket som han skämdes för sin egen reaktion.

På något sätt ordnades det fram en lägenhet, den låg i ett av hyreshusen i närheten och flyttlasset gick i augusti. Christoffer packade så gott han kunde och bar kartongerna till skåpbilen.

Skilmässodiket kallades området dit de flyttade, där bodde alla de frånskilda fruarna som inte hade råd att bo kvar i sina fina villor. Nu bodde också de där.

När Christoffer frågade varför de måste flytta blev Arthur förbannad.

”Hur fan tror du att din mamma ska ha råd att bo kvar här?” röt han. ”Hon jobbar ju inte. Det är jag som försörjer henne. Jag måste åtminstone få bo kvar i mitt eget hus som jag betalar för.”

Christoffer hatade honom ännu mer efter det.

Nu kunde han inte lämna hemmet fastän han kommit in på Handels, det skulle mamma inte klara.

För att slippa åka hem till trerummaren höll han sig kvar på Handels efter lektionerna. Ibland jobbade han extra som bartender på en klubb på Stureplan, det hände att han lät Tobbe hänga med om han höll sig i bakgrunden. Brorsan tyckte att det var coolt och Christoffer ville gärna göra honom glad.

När Tobbe blev tillsammans med Ebba kändes allt lugnare. Hon var bra för honom, Christoffer gillade att det var en tjej med lite stadga. Ebba hade också skilda föräldrar, men hennes mamma och pappa kom överens.

Ibland stack deras far åt dem pengar eller sa att Christoffer kunde låna bilen. Christoffer misstänkte att han hade dåligt samvete. Hans nya kvinna, Eva, hade flyttat in i deras gamla hem med en växande mage. Han skulle få ett halvsyskon som var tjugo år yngre och han avskydde tanken.

Många gånger sket han i att svara när det var Arthur som ringde.

De träffades inte särskilt ofta, Christoffer och Tobbe var för gamla för systemet med varannan vecka hos en förälder i taget, dessutom vägrade Christoffer vara gäst i sitt gamla hem. Han tog till och med omvägar för att slippa se huset.

En enda gång hade bröderna ätit middag med Eva och Arthur. De hade varit på en fin restaurang, men kvällen hade varit ansträngd. Eva var bara tio år äldre än Christoffer, det kändes underligt att sitta där med henne tvärsöver bordet. Då och då vilade hon handen på den putande magen.

Tobbe hade som vanligt spelat pajas, men för en gångs skull var Christoffer tacksam för det, annars hade middagen varit en katastrof. Han vände bort blicken när Eva och Arthur rörde vid varandra, han ville inte att hon skulle klänga på hans farsa.

Midsommar var alltid svårt, mamma blev helt sänkt och Arthur ville helst resa bort och slippa gamla minnen. Han hade sagt att de kunde få låna stora båten om de ville dra ut i skärgården. Christoffer tyckte att det lät schyst. Han hade polare från Handels som sa att de skulle till Sandhamn.

Tobbe och hans kompisar fick gärna haka på, erbjöd Christoffer. Han hade inget emot det, tvärtom, då slapp han oroa sig för sin brorsa.

Under vintern hade Christoffer märkt att Tobbe festat rätt hårt och ibland undrade han om det inte gick till överdrift. Det luktade rök om Tobbes kläder, han var ofta bakis på helgerna. Sedan tog det slut med Ebba. Tobbe slöt sig när Christoffer försökte ta reda på vad som hade hänt.

Dessutom blev det gruff mellan honom och Victor, trots att de varit vänner så länge. En kväll rök de ihop ordentligt och började nästan slåss. Efteråt ville Tobbe inte säga varför.

Victor var sig inte heller lik, tyckte Christoffer, han uppträdde rastlöst och hade fått kort stubin. Christoffer kunde höra hur han ibland snäste av Felicia. Hon började gråta hemma hos dem en gång och gömde sig inne på toaletten.

En morgon efter att Tobbe kommit hem sent på natten frågade Christoffer rätt ut vad han höll på med. Tobbe slog bort det med ett flin. Precis som han gjorde med det mesta.

”Jag har bara rökt lite maja, vem har inte gjort det?”

Christoffer lät det bero. Vårterminen på Handels var fullspäckad och han hade ingen tid över. Men det kändes bra att han kunde hålla ett öga på Tobbe under midsommarhelgen.

Kapitel 43

Det var en bedrövlig bild som växte fram, tänkte Thomas. Av egen erfarenhet visste han hur lätt det var att låta sorgen över ett förlorat barn prägla relationen. Men makarna Hökström hade haft fler barn att ta hand om.

Thomas kunde inte låta bli att undra om Christoffer någonsin släppt fram sin vrede mot föräldrarna: fadern som mentalt lämnat barnen långt före skilsmässan och modern som kapitulerat ännu tidigare?

Du måste ha saknat din far när du växte upp, tänkte Thomas. Särskilt på kvällarna när din mamma inte orkade och din lillebror var ledsen. Det var inte din uppgift att ställa allting tillrätta.

”Vet era föräldrar om vad som har hänt?” sa Margit och sökte ögonkontakt med Christoffer.

”Nej.”

”Borde du inte ringa dem och berätta?”

En axelryckning. Mer behövdes inte. Den uppgivna gesten berörde Thomas illa.

”Det vore nog bra om du hörde av dig till din pappa i alla fall”, sa han. ”Det underlättar även för oss eftersom din bror är minderårig.”

”Okej.”

”Vad hände senare på kvällen?” sa Margit efter en stund. ”När Victor och Felicia hade stuckit sin väg?”

”Vi festade på den andra båten, där mina polare var.”

”Kan du vara lite mer konkret?” sa Margit och lutade sig tillbaka i stolen. ”Vem äger den, vem bjöd in dig och vilka var där?”

Christoffer Hökström drog med handen genom det vågiga håret, han påminde om en student som just skulle yttra sig i föreläsningssalen. Artig och korrekt.

”Det är en Fairline 46:a som tillhör Carl Bianchi.”

Thomas kände igen efternamnet från tidningarna. Carl Bianchi hade tjänat stora pengar i finansbranschen och drog sig inte för att visa upp sina tillgångar. Han hade varit föremål för en uppmärksammad tvist med skattemyndigheterna, det rörde ett upplägg där Bianchi hade fört ut miljoner ur landet för att slippa betala skatt. Myndigheterna hade förlorat i rätten, men det hade skrivits en hel del om saken och Bianchi hade spätt på med några kontroversiella yttranden om det svenska skatteklimatet.

Det var en märklig värld där en tjugoåring och hans vänner fick använda en båt som kostade långt mer än en genomsnittlig svensk villa, men Thomas blev ändå inte förvånad. Han hade sett en hel del på Sandhamn under årens lopp.

”Den är jävligt fin, med en rejäl flybridge och starka motorer”, sa Christoffer, tillfälligt upplivad, som om minnet av den stora yachten jagade ångesten på flykten.

”Flybridge?” upprepade Margit.

”Det är ett slags öppen styrhytt på taket”, förklarade Thomas. ”Man kan sitta utomhus och styra båten. Det ger bättre sikt om du ska lägga till.”

”Jaha.”

Margit verkade inte förstå poängen men släppte ämnet.

”Vad var klockan när ni gick dit?” sa hon.

”Jag vet inte riktigt. Kanske åtta, halv nio? Jag hämtade hamburgare vid halv åtta och när vi hade ätit dem drog vi dit.”

”Vilka var det?”

”Det var jag och Tobbe, Tessan och hennes kompisar. De andra var ju inte kvar längre. Vi visste inte vart de hade tagit vägen.”

”Letade ni efter dem?” sa Margit.

Christoffer skakade på huvudet.

”Nej, det var ingen idé.”

”Varför inte då?”

”Ärligt, det kändes som om Victor och Felicia behövde vara i fred ett tag. Det var lika bra att Victor fick lugna ner sig. Han var jävligt packad redan på midsommarafton, rätt stökig.”

”Och Ebba?” sa Margit.

Christoffer undvek att se på henne.

”Det var lite komplicerat. Hon och Tobbe har ju strulat en del …”

Han avbröt sig.

”Det kändes inte som om det var min sak att hålla koll på henne.”

”Hon är bara sexton och du är tjugo”, sa Margit. ”När Ebba stack var hon uppriven, det har du själv sagt. Du tycker inte att någon av er kunde ha tagit lite ansvar, kanske följt efter henne och kollat så att hon var okej?"

Christoffer rodnade svagt.

"Jo, det är klart. Jag tänkte bara inte på det, inte då i alla fall."

Du sparkar in öppna dörrar, tänkte Thomas och gav Margit en blick. Anjou hade redan varit inne på samma spår. Det verkade som om Margit uppfattade hans tysta tecken, för hon hejdade sig. Istället sa hon:

"Du nämnde att Tobbe och Victor hade kommit ihop sig under våren."

Christoffer skruvade sig i stolen.

"Det var bara en gång."

Svaret kom fort. Thomas försökte läsa hans ansiktsuttryck. Han fick en stark känsla av att Christoffer ångrade att han över huvud taget hade nämnt saken.

"Vad handlade det om?" sa Margit.

"Jag vet faktiskt inte. Jag kom hem från en fest och hittade dem utanför porten."

"Slogs de?"

Christoffer ryckte stelt på axlarna.

"Inte direkt. De gapade och knuffade på varandra. Det var sent på natten och båda var dragna."

"Vad hände?" sa Thomas.

"Jag sa åt dem att skärpa sig. Victor stack hem och Tobbe följde med mig in. Några dagar senare var de kompisar igen."

Christoffer Hökström lät plötsligt utmattad.

"Går det att få lite vatten?" sa han.

"Självklart", sa Margit.

Hon reste sig och hämtade en mugg åt honom. Thomas väntade tills han hade druckit några klunkar.

"Vad hände när ni kom till Bianchis båt?"

"Det var party. Musik, drinkar, bra stämning." Christoffer verkade lättad över att byta ämne. "Det satt folk överallt, både på fördäck och uppe på flybridgen."

"Du träffade det här gänget på Sandhamn, var det så?" sa Margit.

"Ja, det var polare från Handels. Men vi hade bestämt det i förväg."

"Vi kommer att behöva deras namn och kontaktuppgifter", sa Thomas och Christoffer nickade. "Så du kom dit vid åttatiden på lördagskvällen. Hur länge stannade du kvar?"

”Jag vet inte riktigt. Till två, kanske tre på natten.”

”Var det mörkt ute när du lämnade festen?”

”Ja.”

”Höll diskot fortfarande på? Spelade de musik när du gick?”

”Jag tror inte det.”

”Efter klockan två i så fall”, sa Thomas.

”Finns det någon som kan intyga att du befann dig där hela tiden?” sa Margit.

”Ja. Jag var tillsammans med en tjejkompis nästan hela kvällen. Hon följde med till vår båt efteråt och blev kvar.”

Christoffer log svagt, nästan fåraktigt. Flickan betydde nog mer än bara nattligt sällskap, tänkte Thomas.

”Vad heter hon”, sa han.

”Sara, Sara Lövstedt. Hon går på Handels precis som jag. Vi är i samma studiegrupp.”

Thomas läste i sina anteckningar igen.

”Det var hon som var med dig i morse när vår kollega sökte upp er?”

”Ja, precis.”

”Och hon kan intyga att ni var tillsammans under den tiden?”

”Absolut.”

Han lät ivrig, en aning stolt till och med.

Det blev allt varmare i rummet. Thomas kände hur han svettades. Han reste sig och öppnade ännu ett fönster för att få korsdrag.

”Kan du berätta vad din bror gjorde under kvällen?” sa Margit.

”Tobbe?”

”Ja.”

”Han var med mig.”

”Hela tiden?”

”Vi gick dit tillsammans. Han hängde med Tessan, hon som Ebba blev förbannad på.”

”Tessan?” upprepade Margit.

”Ja, jag vet inte vad hon heter i efternamn. Jag tror att hon gick i hans gamla skola.”

”Jag förstår inte”, sa Margit dröjande. ”Du var där i omkring sex timmar, du säger att du var tillsammans med en söt tjej. Menar du att du inte släppte Tobbe ur sikte en enda gång?”

Christoffer Hökström blev med ens mer vaksam.

"Jag menar ..."

Han hejdade sig och började om.

"Jag såg honom inte varje sekund förstås, men jag vet att han var där."

"Var satt du någonstans?" sa Margit.

"I aktern, i början i alla fall. Sedan låg vi på fördäck och softade."

"Du och Sara?"

"Ja."

"Hur vet du då var Tobbe befann sig?" sa Margit. "Om båten är så stor som du säger gick det knappast att ha överblick över alla ombord. Det måste ha varit ganska rörigt."

"Han var där hela kvällen, med mig", upprepade Christoffer. "Det är jag säker på. Jag skulle ha märkt om han inte var kvar."

"Kan du svära på det?" sa Thomas. "Skulle du kunna gå ed på det i en domstol?"

"Nej", sa han sakta.

"Så i själva verket vet du inte var din bror höll hus mellan halv nio och två på natten?"

Den unge mannen andades tyngre.

"Nej, det vet jag inte", erkände Christoffer Hökström.

Kapitel 44

Den röda sjöboden låg på klipphällen, bara några meter ifrån bryggan som tillhörde Brandska villan. Två små vitmålade fönster släppte in dagsljus, byggnaden var inte mer än några kvadratmeter stor.

Jonas småsprang nerför stigen med Nora några meter bakom sig. Hans lättnad var blandad med olust. Wilma var tillbaka, men varför hade hon gömt sig i boden istället för att komma hem?

Någonting måste ha hänt.

Nora stannade till utanför byggnaden.

”Jag väntar här”, sa hon. ”Det är bättre att du får vara ensam med henne först.”

”Okej.”

Jonas märkte att Nora reagerade på hans korthuggna svar. Men han hade inte tid att be om ursäkt, nu måste han se till sin dotter.

Det verkade som om Nora ville ge honom en kram men innan hon hann göra något tryckte han ner handtaget och sköt upp dörren. Han sökte med blicken i halvdunklet.

Där satt hon, med ryggen mot långsidan, nedanför några gamla abborrnät som hängde på krokar. Benen var uppdragna till hakan och hon höll om dem hårt. Trots det svaga ljuset kunde Jonas se att dotterns ansikte var svullet av gråt.

”Lilla gumman”, utbrast han. ”Vad gör du här?”

”Pappa.”

Jonas tog några snabba steg över golvet och satte sig på huk framför henne.

”Pappa”, grät Wilma. ”Förlåt, det var inte meningen, förlåt.”

Hon slängde sig i hans armar med kroppen skakande av snyftningar.

Jonas höll om henne.

”Såja, såja, lilla vännen, ta det bara lugnt. Det är bra nu.”

Wilma borrade in ansiktet i hans tröja. Det rufsiga håret var sandigt och hon var barfota och smutsig om fötterna. Det luktade illa om kläderna, som gammal spya.

”Kom får jag titta på dig”, sa Jonas försiktigt.

Han lyfte upp hakan så att han kunde se henne ordentligt men Wilma vred bort ansiktet. Hon såg så tilltufsad och omskakad ut, ansiktet var blekt mot väggens omålade plankor.

Jonas satte sig ner på det dammiga golvet och strök försiktigt över Wilmas kind. Ett skrapsår lyste på hennes ena armbåge, lite grus hade fastnat i sårytan.

”Vad är det som har hänt?”

En skamlig farhåga som han knappt ville erkänna, än mindre få bekräftad, låg över honom. Han måste ställa frågan.

Jonas kramade Wilmas händer i sina.

”Älskling, är det någon som har gjort dig illa? Du vet väl att du kan berätta allt för mig. Vad som än har hänt. Har du blivit överfallen på något sätt... fysiskt, alltså?”

Hur får jag henne att förstå att ingenting är hennes fel? tänkte han häftigt och tvingade rösten att låta lugn.

Wilma hulkade till. Jonas försökte stålsätta sig.

”Nej”, viskade hon. ”Jag lovar, pappa, det är inte som du tror.”

”Är det riktigt säkert”, prövade Jonas, utan att våga andas ut. ”Du behöver inte vara rädd för att berätta något sådant.”

”Jag lovar”, viskade hon igen utan att se på honom.

Med fuktiga ögon drog han Wilma tätt intill sig och kramade henne hårt. Du är fortfarande så liten, tänkte han, du har ingenting att sätta emot om någon därute vill göra dig illa.

Minuterna gick.

Jonas vaggade Wilma. Benen blev stumma men han flyttade inte på sig.

”Var har du varit?” sa han till sist.

”I skogen...”

”I skogen?” upprepade Jonas men Wilma svarade inte. ”Varför svarade du inte i telefon? Eller ringde tillbaka? Jag har försökt nå dig massor med gånger, märkte du inte det?”

”Det var ingen idé”, kom det till sist.

”Varför inte då?”

”Du var ju hos Nora...”

”Vad spelar det för roll?”

Jonas förde undan en ljus hårslinga från Wilmas panna. Huden var kall, hon borde komma i säng och få ett varmt täckte över sig, tänkte han. Och en dusch.

En tunn åder bultade på utsidan av den smala halsen.

”Du bryr dig bara om henne nuförtiden”, viskade Wilma.

”Det är inte sant, älskade unge.”

Jonas tryckte henne hårdare mot sig.

”Jag hatar att vara här”, mumlade Wilma lågt mot hans bröst.

”Hyssj nu.”

Musklerna i hennes rygg var så spända, försiktigt masserade han dem med högerhanden.

Tyckte hon så illa om Nora? Varför hade han inte märkt det förut?

”Nu gör vi så här”, sa han till slut. ”Vi går hem och ser till att du får tvätta av dig. Så pratar vi mer om det här när du har vilat och fått i dig något. Du måste vara hungrig?”

Wilma nickade matt.

”Kom då, vännen.”

Jonas reste sig och drog upp Wilma på fötter men hon stannade till innan han kunde öppna dörren.

”Har du sagt något till mamma?”

Rösten var ynklig.

”Ja, det är klart jag har.”

”Är hon arg?”

När Jonas så småningom fått tag på Margot några timmar tidigare hade hon blivit upprörd och anklagat honom för att inte se efter deras dotter ordentligt. Hon hade inte skrätt orden. Enbart det faktum att hon befann sig i Dalarna hade stoppat henne från att själv komma till ön och leta.

”Hon har varit väldigt orolig för dig”, sa han. ”Jag ska ringa henne med en gång och tala om att du är okej.”

Wilma torkade sig om näsan med baksidan av handen.

”Jag vill inte gå hem till Nora”, sa hon lågt. ”Kan vi inte vara hos oss istället?”

”Jag vet inte om vi har fått tillbaka strömmen än”, sa Jonas.

”Det gör inget, bara vi slipper henne.”

Orden sved. Men det var inte rätt tillfälle att ta en diskussion.

”Då gör vi det.”

Wilma gick ut med sänkt huvud utan att se på Nora som väntade utanför i solskenet.

”Hon måste duscha och gå och lägga sig en stund”, sa Jonas.

Det räckte med en blick på Wilmas rufsiga uppenbarelse för att Nora skulle förstå hur det låg till.

”Okej”, sa hon. ”Jag ska bara hämta en sak så kommer jag sedan.”

”Vi går hem till oss”, sa Jonas. ”Det blir bäst så. Vi behöver nog vara ensamma en stund.”

Utan att säga mer gick han därifrån.

Kapitel 45

Nora följde Jonas med blicken. Så reserverad han verkade. Det kändes som om någonting hade gått förlorat utan att hon visste vad det var.

Det var en konstig känsla att se honom gå iväg till hennes gamla hem utan att hon var välkommen att följa med.

Tjugofyra timmar tidigare hade hon varit lycklig, de hade suttit tillsammans vid bryggan och allting hade varit enkelt och självklart.

Varför kändes det annorlunda nu?

Nora slog sig ner på den gamla ljugarbänken av drivved som vilade på två stora stenar framför sjöboden. Där hade hon suttit många gånger och njutit av solnedgången.

De smala bryggorna framför henne var blekta till en milt ljusgrå färg som smälte samman med berget, i vattenbrynet låg gamla tångruskor intrasslade i ljusgrönt sjögräs. Det var så grunt vid de inre bryggorna att knappt en eka fick rum utan bottenkänning. Landhöjningen hade gjort att järnöglorna i berget nu låg högt uppe på land till ingen nytta för båtarna.

Det var en rofylld plats, men i dag ville friden inte infinna sig.

Thomas båt låg fortfarande förtöjd vid deras egen brygga, då måste han vara kvar på ön.

Var nyheten redan ute? Skulle tv-skärmen nu fyllas med nyfikna bilder från Skärkarlshamn och avspärrningar kring platsen där den döde pojken hade hittats?

Hon hade magknip och kände sig skakig på det där sättet som tydde på att sockernivån var påverkad och att hon behövde få i sig något sött. Hon fick inte slarva, som diabetiker måste hon sköta sig.

Nora reste sig upp och försökte pressa tillbaka obehaget medan hon började gå mot huset.

Snart skulle hon äntligen få gå och lägga sig men Adam och Simon måste få i sig middag. I fickan låg två skrynkliga hundralappar hopknycklade. Kanske kunde grabbarna gå till Grillen och köpa hamburgare, så hon slapp ställa sig i köket och laga till något.

Det vibrerade i bakfickan på shortsen och hon tog fram telefonen. ”Monica”, stod det på displayen. Nora tryckte bort samtalet.

Thomas gäspade och kastade en blick på klockan, fem över sex. PKC låg i skugga, solen skymdes av grannhusen.

Margit och han var fortfarande ensamma i lokalen. Nästa dag skulle de civilanställda komma in och ta emot brottsanmälningar från hela landet. Vid arbetsplatserna stod de dubbla dataskärmarna uppställda, men än så länge var det lugnt och tyst.

”Vad får du för uppfattning om Christoffer Hökströms lillebror?” sa Margit. ”Det var intressant att han och Victor tycks ha varit i bråk tidigare.”

Hon pekade med pennan på en anteckning i sitt block.

”Dessutom saknar han alibi, i varje fall kan hans bror inte ge honom det.”

”Vi måste kolla med den där tjejen, Tessan, innan vi kan säga något säkert”, påpekade Thomas.

Margit funderade.

”Han kanske blev så förbannad på sin kompis att han förlorade besinningen”, sa hon.

”Det är möjligt, men är det troligt?”

Thomas sträckte sig efter chokladkakan som de köpt tidigare i kiosken vid ångbåtsbryggan och bröt en stor bit. Han behövde ny energi.

”Vi har tre ungdomar som saknar alibi”, sa han. ”Varken Ebba, Felicia eller Tobbe har någon som kan bekräfta deras uppgifter. Alla tre kan ha varit inblandade.”

Han lutade nacken åt sidan så att det knakade.

”Den tekniska analysen blir hur som helst intressant”, sa Margit. ”Vi får höra mer i morgon. Jag hoppas att de hittar någonting som vi kan gå på. När skulle nästa båt gå, sa du?”

”Vid sjutiden.”

”Ska vi försöka komma med den och ta oss in till fastlandet?”

”Inte jag.” Thomas ruskade på huvudet. ”Jag åker tillbaka till Harö. Jag tar första turen in i morgon bitti.”

Thomas längtade efter Pernilla och Elin. Det hade varit plågsamt att se Johan Ekengreen när han omfamnade sin döde son. Thomas ville få hålla sin lilla dotter i famnen.

”Ska vi inte ta ett varv till med Tobias innan vi ger oss?” sa Margit. ”Se vad han har att säga om bråket med Victor Ekengreen. Vi behöver få fram Tessans efternamn också.”

Thomas tvekade. De hade redan hört honom en gång utan målsman. Det gällde att inte passera gränsen, särskilt som pappan var advokat.

Men det var bra att passa på medan killen var kvar på ön.

Han nickade och Margit tog fram telefonen.

”Konstigt”, sa hon efter ett tag. ”Han svarar inte.”

”Pröva med brorsan då.”

Hon bläddrade fram en sida i sin anteckningsbok och hittade numret.

”Han svarar inte heller”, sa hon förvånat.

”Vi får väl gå ner till båten och hämta honom då”, sa Thomas och reste sig.

Det tog bara några minuter att gå från PKC till KSSS-hamnen. Nu var det ännu färre båtar kvar.

Luckan efter bröderna Hökströms båt syntes tydligt.

Kapitel 46

Johan Ekengreen satt vid matbordet i villan på Lidingö. Det såg ut som vanligt i det stora köket. På fönsterbrädorna stod gröna växter, i burspråket var kryddörter i krukor uppradade. Fruktfatet var fyllt med nektariner och persikor och Madeleine hade arrangerat vackra snittblommor i en vas.

Allting var exakt som det brukade.

Förutom att Victor var död.

Johan slog armarna om sig själv och gungade på stolen medan en låg jämmer trängde fram.

Det gick inte att bli kvitt bilden av den utsträckta kroppen på britsen. Sonens livlösa ansikte, det levrade blodet som klibbade i håret.

Kylskåpet surrade lågt i bakgrunden. Det var det enda ljud han kunde uppfatta.

Madeleine sov på övervåningen. En god vän som var läkare hade skrivit ut starka sömntabletter.

Johan var tacksam för det.

Madeleine hade varit så ifrån sig när de körde från Sandhamn att han fruktade att hon skulle slänga sig överbord. När de äntligen kom hem till villan var Johan nära bristningsgränsen. Tack och lov väntade deras bekant på tröskeln. Det var en lättnad då Madeleine domnade bort i dubbelsängen och han slapp vakta på henne.

Han hade suttit kvar bredvid sängen tills han var säker på att hon sov djupt. Trots tabletterna skakade kroppen av snyftningar långt efter att hon fallit i sömn.

Johan hade svårt att hantera den bottenlösa sorg som Madeleine visade upp. Den förvred hennes anletsdrag och förvandlade hans vackra hustru till en otröstlig medelålders kvinna. En främling med skälvande mun och bruten stämma.

Johan avskydde hustruns sätt att förlora kontrollen. Det var ovärdigt. Hans egen sorg blev inte mindre för att han höll den i schack. Men han kunde inte släppa fram vrålet som hotade att riva sönder honom.

Det vågade han inte.

Utmattad reste sig Johan och hällde upp ett glas isvatten från kranen i kylskåpsdörren. Han drack några klunkar innan han återvände till stolen och lutade huvudet i händerna.

Köket låg i dunkel och långa skuggor strök utmed väggarna men han orkade inte tända lamporna. Han måste få tag i Ellinor innan det blev för sent. Hon hade tillbringat midsommarhelgen hos goda vänner i Skåne och skulle komma hem först i morgon.

På något sätt hade det varit lättare att ringa Nicole. Det skilde femton år mellan hans äldsta dotter och hennes döde halvbror. Han kunde tala till henne som en vuxen.

Nicole hade erbjudit sig att flyga hem med detsamma. Johan hade sagt att det inte behövdes, det räckte om hon kom till begravningen.

När nu den kunde äga rum. De visste inte ens när de skulle få tillbaka kroppen. Madeleine skulle bli ännu mer ifrån sig när hon hörde det. Hon var katolik, familjetraditionen bjöd att begravningen måste ske inom fem sex dagar efter dödsfallet.

Han orkade inte fundera på den saken nu. Det var samtalet till Ellinor som han gruvade sig för.

Tanken på att berätta för sin artonåriga dotter vad som inträffat gjorde honom illamående.

Hans vackra Ellinor hade alltid tagit hand om sin lillebror. Det hade funnits ett speciellt förhållande mellan dem. Även om de haft en lång rad barnflickor genom årens lopp hade det alltid varit Ellinor som läst godnattsagan för Victor när han och Madeleine var borta.

Som de så ofta varit.

Sedan Ellinor börjat på Lundsbergs internat hade Victor fått tillbringa kvällarna på egen hand.

Johan såg sig omkring i det stora köket. Det vitmålade rummet gjorde ett opersonligt intryck, det var vackert, elegant, men knappast ombonat eller hemtrevligt.

Hur många gånger hade Victor suttit här alldeles ensam, med mat som han värmt i mikron, medan Johan och Madeleine rest iväg någonstans?

Skuldkänslorna överväldigade Johan och ansiktet drog ihop sig. Med knuten hand dunkade han så häftigt i det hårda ekbordet att handen stumnade.

Men den fysiska smärtan var bättre än värken i bröstet.

Det fanns så många saker de hade kunnat göra annorlunda, så många val som han ångrade nu.

Johan kände salta tårar på överläppen men brydde sig inte om att torka bort dem. Det spelade ingen roll.

Ingenting kunde göra något bra igen.

Efter en lång stund tog han fram mobiltelefonen ur fickan. Samtalet gick inte att skjuta upp längre.

Fingrarna darrade när han knappade fram Ellinors telefonnummer. Innerst inne hoppades han att hon inte skulle svara, att han skulle få respit en stund till.

Men efter bara två signaler hörde han sin dotters röst.

”Hej pappa.”

Hon lät så glad. För ett ögonblick var det som om han inte fick någon luft.

”Jag kan inte”, viskade han tyst och axlarna skakade av återhållen gråt.

Så släppte krampen i bröstet.

”Ellinor”, sa han tungt. ”Jag har något hemskt att berätta för dig.”

Ebba låg i sin säng. Det fanns ingenting hon hellre ville än att få sova, bara domna bort och slippa tänka på allting som hade hänt det senaste dygnet. Men händerna knöt sig under täcket och nackmusklerna var så spända att de värkte.

Det gick inte att komma till ro.

Ebba vred sig av och an på lakanet men hittade ingen bekväm ställning. Kudden kändes knölig och täcket var för tunt, hon frös trots det varma flanellnattlinnet och den milda junikvällen. Efter en stund hämtade hon överkastet och bredde det över sig, men hon blev inte varmare för det.

Den ena bilden efter den andra dök upp på näthinnan.

Tobbe som hånglade med Tessan, Victor som ursinnigt dängde glaset i bordet, Felicias gråt.

Ebba mindes solskenet på stranden, känslan av att vara ensammast i världen.

Hur kunde det bli så fel?

Hon längtade så efter Tobbe, men visste att det var meningslöst. Var han hemma eller kvar på Sandhamn? Det spelade ingen roll, han brydde sig inte om henne ändå.

Mobiltelefonen låg på nattduksbordet, skulle hon våga skicka ett sms till honom?

Hon sträckte ut handen men drog sedan tillbaka den. Han ville ändå inte veta av henne.

Ebba blundade, men såg bara Victor framför sig. Han låg i sanden, med blod i ansiktet och tomma stirrande ögon.

Victor var död, ingenting kunde ändra på det. Han var död och allting var för sent.

Kapitel 47

Christoffer kände igen gestalten på långt håll när båten svängde ur gattet och pontonerna kom i sikte. Deras far väntade på bryggan.

Med högerhanden drog Christoffer ner farten. Det återstod bara något hundratal meter till hemmahamnen där Sunseekern brukade ligga mellan två fasta Y-bommar, fem minuters promenad hemifrån.

Det hade tagit dem nästan en och en halv timme att köra in från Sandhamn. Tobbe hade inte sagt många ord under resan, han hade mest suttit och stirrat ut över vattnet.

De hade hamnat i ett lämmeltåg av fritidsbåtar på väg tillbaka från midsommarfirandet. Det hade krävt Christoffers fulla uppmärksamhet att samtidigt navigera och hålla rätt avstånd till de andra förarna. Den starka kvällssolen som sken i ögonen hade inte gjort saken bättre.

Efter polisförhöret hade han tagit fram telefonen och utan entusiasm slagit numret till fadern, precis som poliserna hade uppmanat honom.

När han hade berättat vad som hänt under dagen hade Arthur Hökström sagt att de omedelbart måste lämna ön.

Christoffer hade försökt protestera.

”Polisen sa att vi skulle stanna. Det verkar som om de vill tala med Tobbe igen.”

”Hör du inte vad jag säger”, klippte Arthur Hökström av. ”Ni lämnar Sandhamn med en gång. Det är ingen diskussion.”

Christoffer svalde. Vad hade han väntat sig? Fadern hade låtit lika stel och kylig som i domstolen. Det var bara att lyda order.

Nu stod Arthur där för att ta emot dem.

Det gick inte att se vad fadern tänkte på. Mörka glas skymde hans blick. Minen var kärv.

Det var bara femtio meter kvar till bryggplatsen och Christoffer ropade över motorbullret till Tobbe:

”Kan du gå till fören och ta emot när vi lägger till?”

Brodern reagerade inte och Christoffer sträckte ut vänsterarmen och knuffade till honom. Som en sömngångare lämnade Tobbe sätet och klättrade över vindrutan och upp på fördäck. Ögonen var rödkantade.

Christoffer sänkte farten ytterligare. Snart gick motorerna på tomgång. Avståndet minskade allt mer. Långsamt gled skrovet in mellan bommarna och när de nästan var framme lade Christoffer i backen så att båten stannade en knapp halvmeter från bryggkanten.

Tobbe satt på huk vid relingen och sträckte sig efter bryggtamparna som Arthur höll fram. När han fäst dem tog han ett språng och landade framför pappan.

”Vad har du sagt till polisen?” sa Arthur nästan direkt.

Rösten var upprörd och tillräckligt hög för att Christoffer skulle höra ända bort till aktern där han just gjorde fast den sista förtöjningen.

Han mindes den gången då Tobbe slog sönder ett fönster i grannhuset. Fadern hade gett nioåringen en så hård örfil att han föll omkull. Tobbe hade blivit förtvivlad och gömt sig i garaget resten av dagen. Christoffer hade varit tretton, snart fjorton, och börjat växa till sig men hade inte vågat göra något för att ingripa.

”Pappa”, svarade Tobbe.

Christoffer hörde att hans lillebror hade gråten i halsen.

”Svara mig, vad sa du till polisen när de förhörde dig?”

Arthur högg honom i axeln och ruskade honom. Det såg ut som om han var på vippen att smälla till Tobbe.

Christoffer släppte tampen och rörde sig mot fören. Pappans ansikte var millimeter ifrån broderns.

”Hur fan kunde du vara så dum att du pratade med polisen utan mig?” röt han.

Kapitel 48

Jonas hade suttit bredvid Wilma, vid fotändan av sängen, tills hon somnade. Innan han visste ordet av hade han också slumrat till med huvudet lutat mot tapeten.

När han vaknade var klockan nästan tio på kvällen och det hade börjat skymma utanför, om en halvtimme skulle solen gå ner.

Dåsigt ruskade han på sig. Wilma sov djupt, med täcket uppdraget till halsen. Han klappade henne över kinden utan att hon reagerade och flyttade sig sedan försiktigt från sängen.

När han stängt dörren till Wilmas rum gick han ner i köket och öppnade kylskåpet. Det var nästan tomt men det stod några öl på en hylla. Det fick räcka, han var inte särskilt hungrig.

Med flaskan i handen gick han in i vardagsrummet och slog sig ner i hörnsoffan. Elektriciteten var tillbaka men han lät bli att tända och satt i halvmörkret.

Var det för att han inte ville att Nora skulle se att han var uppe? Jonas visste själv inte hur det låg till. Men han såg att det lyste i hennes köksfönster, någon var fortfarande vaken i Brandska villan.

Han tog en klunk öl och vägde flaskan i handen.

Samma fråga som tidigare malde i honom. Varför hade han inte förstått hur Wilma kände inför Nora?

Jonas försökte minnas hur det hade varit under våren. Hade Nora uppträtt illa mot Wilma? Han skakade på huvudet, hon hade försökt komma överens med hans dotter precis som han ansträngt sig för att lära känna Adam och Simon.

Ända sedan de presenterat varandra för barnen hade båda gjort sitt bästa för att allting skulle fungera. Det hade varit lite trevande i början, men det hade gått bra överlag. De hade varit överens om att ta det lugnt.

Under påskhelgen hade han varit tillsammans med Nora och barnen på Sandhamn. De hade inte bott i samma hus då, men måltiderna hade de ätit ihop. Wilma hade varit grinig, men inte värre än vilken tonåring som helst.

Nu undrade han om inte alla tecknen redan funnits där.

Tanken på att hon varit kvar i skogen därför att han var med Nora var djupt olustig. Han borde ha begripit hur det låg till. Han var vuxen, hon var fortfarande ett barn.

Margots utfall ringde i öronen.

”Hur kunde du släppa iväg henne på det där viset? Hon är bara fjorton år. Det här trodde jag inte om dig, Jonas, jag är verkligen besviken. Du måste ta ansvar för din dotter!”

Han såg Wilma framför sig i sommarnatten, vilsen och kall, så förtvivlad att hon inte hörde av sig.

Det gav honom ångest.

Noras ansikte dök upp igen. Hade han levt i en såpbubbla de senaste månaderna?

För första gången på många år hade han blivit riktigt förälskad. Det var kanske därför han hade låtit sig ryckas med. Wilma började bli större och det var så tydligt att hon bara var till låns några få år till. Snart skulle hon flytta hemifrån och skaffa sig ett eget liv.

Vad skulle hända sedan? När han var en man som närmade sig fyrtio vars enda barn hade flyttat hemifrån?

När hon föddes hade han inte ens fyllt tjugo, han blev pappa långt tidigare än alla andra. Han var i otakt då och han var i otakt nu. Först på senare år hade hans vänner börjat bilda familj och få småbarn. Nu klagade de över sömnlösa nätter och nattlig kolik medan han brottades med tonårsproblem och puberteten.

I drygt fjorton år hade han byggt sin tillvaro runt Wilma. Men en längtan efter något mer permanent hade grott i honom. Något annat än de senaste tio årens korta möten med olika kvinnor.

Han hade öppnat sig för Nora på ett sätt som han inte hade gjort på mycket länge. Det hade varit fantastiskt att släppa efter och bli riktigt förälskad.

Nora.

Det räckte med att han tänkte på henne för att han skulle känna längtan. Men han kunde inte låta sin nya kärlek gå före sin dotter.

Thomas satte sig upp i sängen. Han var kallsvettig och det tunna sommartäcket var fuktigt där det legat mot huden.

Levde Elin?

Han vred på huvudet och möttes av snusande andetag.

Drömmarna hade gått in i varandra. Ena minuten hade han drömt om Elin som log mot honom, rosig och välmående. Sedan förvandlades hon till Emily som höll på att kvävas. Hon kämpade och var blå i ansiktet. När Thomas försökte hjälpa henne hände ingenting, hon kippade efter andan trots hans försök att blåsa in luft i den lilla munnen. Han var redan utom sig när dottern i drömmen gled ur hans famn och försvann.

Bilden av barnet som kvävdes i hans armar var fortfarande verklig.

Thomas tvingade sig själv att andas lugnare, det hade bara varit en dröm, inte på riktigt. Det var ännu mörkt men han kunde urskilja sin familj i dunklet. Elin låg i spjälsängen och Pernilla sov djupt på sidan. Allting var som vanligt.

Väckarklockans siffror lyste mot honom, det återstod bara tre timmar tills han måste gå upp för att ta första båten in till Stavsnäs.

Han behövde verkligen sova mer men ångesten ville inte släppa. Hjärtat bultade hårt. I mörkret rättade han till kudden och vände på den så att den fuktiga sidan låg underst.

Han försökte tvinga sig att slappna av och lade sig på rygg med ena handen bakom huvudet. Det enda som hördes var ljuden av jämna andetag intill. En insekt som kommit in genom fönstret flög ovanför honom och gav ifrån sig ett svagt surrande.

Pernilla makade sig närmare i sömnen och Thomas snuddade med läpparna vid hennes nakna skuldra där nattlinnet hasat ner en liten bit. En doft av nytvättat hår, äppelblom, mötte honom.

Han fylldes av tacksamhet över att inte vara ensam längre.

”Jag älskar dig”, viskade han.

Måndag

Kapitel 49

Ljudet av hammarslag från granntomten väckte Nora. Efter midsommar skulle alla byggen i byn göra uppehåll, men en och annan syndare som inte blivit klar i tid struntade i det.

Hon låg med huvudet direkt på lakanet, i sömnen hade hon knuffat ner kudden på golvet. Det var stilla i huset, pojkarna sov säkert.

Fyrtioåtta timmar tidigare hade Jonas legat bredvid henne, nu var det tomt på hans sida.

Nora vek undan täcket och gick fram till det höga fönstret. Det var en vacker morgon. En liten eka puttrade förbi med trassliga nät i fören men det gick inte att se om fiskelyckan hade varit god.

Vemodet smög sig på och Nora lutade pannan mot fönsterrutan. Den var sval mot huden och en aning bucklig som gammalt glas brukade vara.

Jonas hade inte hört av sig under gårdagskvällen. Hon hade försökt se genom köksfönstret om det lyste inne hos honom men inte upptäckt några livstecken. Han hade inte kommit över och hon hade inte velat störa.

Nu var hon klarvaken och kunde inte förstå hur det skulle gå att somna om trots att klockan bara var sju på morgonen.

Det senaste halvåret hade hon varit lyckligare än på många år. Jag förtjänar inte att ha det så här, hade hon tänkt ibland.

Jonas omtänksamhet och lättsamma natur var en lisa efter åren med Henrik. Det hade hjälpt henne att läka efter skilsmässan, hon kände sig inte längre trasig och ratad. I sin nya sinnesstämning slutade hon älta det misslyckade äktenskapet. Hon blev inte längre förtvivlad när hon hörde någon nämna Henrik och Marie i samma mening.

Med Jonas började hon tro att det fanns ett annat sätt att leva. En tillvaro där både hon och Henrik kunde vara lyckliga, fast på varsitt håll.

Jonas hade gett henne kraft att börja om, och så småningom började hon betrakta sig och pojkarna som en alldeles egen familj.

Med eller utan Jonas stod hon äntligen på egna ben. Han hade hjälpt henne hit.

Men hon ville inte förlora honom nu.

Carl-Henrik Sachsen drog på sig de vita plasthandskarna utan någon brådska. Han hade ätit en rejäl frukost, det fanns inget skäl att slarva med dagens viktigaste mål bara för att jobbet kallade.

Två smörgåsar med ost och skinka, en fruktyoghurt och starkt kaffe. Den var den första av dagens många kaffekoppar, färre än åtta stycken blev det sällan, ofta fler.

Det spikraka, lite för långa håret nådde kragen på den vita rocken. En kal fläck vittnade om åldern, han skulle fylla femtionio. Sex år kvar till pensionen, han visste inte om han fruktade eller såg fram emot den.

”Är du klar?” ropade han till sin assistent, Axel Ohlin, som snart hade jobbat i ett halvår på rättsmedicin.

Det var en spenslig kille som inte gjorde så mycket väsen av sig.

”Hämtar du grabben?” ropade Sachsen igen.

Klockan var kvart över sju på morgonen, Sachsen var morgontidig av sig.

Inom några minuter blev Ohlin synlig bakom en rullbår som han körde fram till mitten av det ljust gråmålade rum där Sachsen väntade.

På bänken utmed långväggen stod en dator påslagen.

”Då så”, sa Sachsen. ”Då tar vi oss en titt.”

Han drog bort överdraget som täckte den nakna kroppen.

”Är alla fotografier tagna? Kan vi sätta igång?”

Axel Ohlin svarade med en nick.

Rättsläkaren gick ett varv runt den orörliga kroppen med diktafonen i hand. Han var alltid noga med att pränta in det första intrycket, det som aldrig riktigt kunde återskapas när skalpellen väl hade skurit genom leder och muskler.

”Nu ska vi se på dig”, sa han och nöp lite i huden.

Mycket snart skulle vävnad avlägsnas, kroppsvätskor undersökas och prover tas för att skickas till det kriminaltekniska laboratoriet i Linköping. Organ på organ skulle lyftas ut och vägas och mätas.

”Men jag kommer att lappa ihop dig igen”, mumlade han för sig själv. ”Du kommer att bli fin igen. Precis som ny.”

När Sachsen var klar skulle huden omsorgsfullt vikas tillbaka och sys ihop.

Då skulle den döde, för den ovane betraktaren, nästan se ut som vanligt igen.

Men än så länge var Victor Ekengreen orörd.

Från ena sidan, där det blodiga såret inte syntes och ögonen var skymda, kunde man nästan tro att han låg och sov. Han är bara en ung pojke, tänkte Sachsen och tillät sig att för en stund lägga de kliniska glasögonen åt sidan. Arma föräldrar.

Sedan släppte han tanken, nästan som om han låtit verkligheten komma för nära, och sa bryskt till sin assistent: ”Bra, då kör vi igång. Beskriv för mig vad vi har framför oss.”

Den unge medhjälparen gick en aning närmare så att han stod intill Victor Ekengreen.

Det blonda håret hade delvis fallit tillbaka, under den bleka huden löpte blåaktiga ådror i fina mönster. Pojken var vänd på sidan så att halsen var blottad och hjässan synlig.

Sachsen gav Ohlin en uppfordrande blick.

”Vad ser du?”

”Han har en fraktur som går igenom större delen av sutura coronaria och ner mot sinus frontalis.”

”Det är helt riktigt, han har en stor skada i huvudet. Fortsätt.”

Assistenten gjorde sitt bästa för att beskriva skadorna.

När Ohlin lyfte på huvudet på den döde pojken för att komma åt bättre upptäckte Sachsen någonting som han inte noterat tidigare.

Han gick närmare och lutade sig fram över Victor.

”Vad har vi här då?” mumlade han.

Kapitel 50

”Hej Thomas”, sa Karin Ek när Thomas klev in i det avlånga konferensrummet på tredje våningen. ”Kommer du direkt från Harö?”

”Första båten”, blinkade han.

Han hade varit i Stavsnäs kvart i sju, sedan hade det bara tagit en dryg halvtimme att köra in till polisstationen i Nacka.

”Är det bra med Pernilla och Elin?”

För deras assistent Karin kom det naturligt att prata om familjen. Hon hade själv tre idrottstokiga tonårssöner som alltid behövde skjutsas till olika träningar. När Elin föddes hade hon kommit med en vackert inslagen sparkdräkt.

”Bara fint”, sa Thomas. ”Båda två sov när jag åkte.”

De avbröts av en svordom.

”Jäklar!”

Det var Margit. Svart kaffe rann ut på bordet från hennes omkullvälta mugg.

”Här”, sa Karin och räckte henne en pappersrulle.

Thomas gick runt bordet och satte sig bredvid kollegan.

”Går det bra för dig?”

Margit svarade inte utan fortsatte att torka upp kaffet innan det spred sig över alla papper.

Dörren öppnades och de två yngre kriminalinspektörerna Erik Blom och Kalle Lidwall kom in i rummet. Som vanligt hade Erik Blom strukit tillbaka sitt mörka hår med frisyrgelé, han hade redan hunnit skaffa sig en ordentlig solbränna.

”Tjänare”, sa han glatt och stoppade ner solglasögonen i bröstfickan.

Kalle Lidwall, församlingens yngste medlem, höjde handen till hälsning men sa ingenting. Det var sällan han berättade något personligt om sig själv. Thomas visste förvånansvärt lite om kollegan trots att de hade jobbat ihop i flera år. Men hans ordningssinne var påfallande, inte ett onödigt papper låg framme på skrivbordet, hade Thomas noterat flera gånger, med viss avundsjuka.

”Har du sett den nya killen, Anjou?” sa Thomas till Karin.

”Han är inne hos Gubben.”

Gubben var det enda namn som rotelchefen Göran Persson gick under.

Dörren öppnades igen och Gubben kom in. Bakom honom skymtade Anjou. Han såg fortfarande sliten ut.

Thomas gav honom ett uppmuntrande ögonkast.

”God morgon allesammans”, sa Gubben och drog ut en stol.

Han satte sig på långsidan, mittemot Thomas och Margit.

”Det här är Harry Anjou”, fortsatte han och gjorde en gest i Anjous riktning. ”Han kommer från Ordningsroteln och börjar hos oss i dag. Eftersom han deltog i insatsen på Sandhamn över midsommarhelgen passar det bra att han knyts till den här utredningen.”

Gubben sträckte sig efter fatet med bullar som Karin hade ställt fram. Det var förmodligen det sista han borde äta med tanke på den omfångsrika kroppshyddan, tänkte Thomas. Den höga ansiktsfärgen skvallrade om att han låg i riskzonen för att drabbas av en hjärtinfarkt när som helst. Hans kolesterolvärden måste vara skyhöga.

Men Thomas var tacksam för vetebrödet, han hade inte fått i sig någon frukost. När han väl somnat om hade han inte hört väckarklockan, det var på håret att han hade missat båten. Sedan halvsov han hela vägen in till Stavsnäs.

”Harry, du kan väl presentera dig närmare för resten av gänget”, sa Gubben.

Nykomlingen böjde på huvudet mot de nya kollegorna. Han strök sig över kinden där en svag skugga antydde kraftig skäggväxt trots den tidiga timmen. Thomas kom att tänka på vallonerna som invandrade till Sverige på sextonhundratalet. Både namnet och den satta kroppen antydde något åt det hållet.

”Jag heter alltså Harry Anjou”, sa han. ”Jag är trettiotvå år och har bott i Stockholm sedan i höstas.”

Den norrländska dialekten var omisskännlig. Anjou uttalade orden utan brådska, med tjocka l. Den vallonska anfadern måste ha sökt sig norrut.

”Jag har precis varit sex månader på Ordningen. Eftersom jag har en kombinationstjänst är det dags att rotera till er. Det ser jag fram emot.”

”Varifrån kommer du?” sa Margit.

”Ånge. Jag jobbade som polis i Ånge distrikt i några år efter Polishögskolan, men de flesta söker sig därifrån som bekant.”

Han ryckte på axlarna som om han väntade sig att alla i rummet kände till hur Norrland avfolkades.

”Jag ville pröva på storstan ett tag. Älgjakten får vänta.”

Han log ett snett leende.

”Har du någon familj?” sa Karin.

Harry Anjou skakade på huvudet. Käklinjen var skarp och de mörka ögonbrynen markerade mot den bleka huden.

”Nej. Inte än.”

”Du är välkommen hit”, sa Thomas. ”Harry och jag sågs i går på Sandhamn”, förklarade han för resten av gruppen.

Han vände sig mot Harry Anjou igen.

”Ni gjorde ett bra jobb därute. Det måste ha varit en hel del att ta hand om under helgen.”

”Ja, det var väl det”, sa han och gnuggade sig trött över näsan.

”Då så”, sa Gubben. ”Då var det avklarat. Ska vi försöka sammanfatta var vi står någonstans? Det är då fan att sådant här ska dyka upp precis när semestrarna ska börja.”

Thomas redogjorde översiktligt för de gångna tjugofyra timmarna. På väggen hade Karin satt upp foton från fyndplatsen. Thomas pekade på en närbild av Victor Ekengreen under trädgrenarna.

”Det mesta tyder på att Victor blev mördad”, sa han. ”Men det kommer inte att vara så enkelt att gå vidare. Det var ett myller av folk på ön under helgen, de flesta var tillfälliga besökare. Det blir ett pussel att hitta vittnen.”

Han vände sig mot Margit.

”Vill du lägga till något?”

”Vi har som sagt inte mycket att gå på när det gäller motiv och gärningsman”, sa hon. ”Det enda vi vet hittills är att den döde tidigare hade bråkat med sin bästa kompis, Tobias Hökström, som också var med där ute.”

”När sker obduktionen?” sa Kalle.

”Förhoppningsvis redan i dag.”

”Jag har faxat över alla papper till Rättsmedicin”, sa Karin.

”Och jag ringer Sachsen när vi är klara här”, sa Thomas.

”Vi har börjat undersöka kompisgänget som firade midsommar på Sandhamn”, sa Margit. ”Om vi ska gå på den gamla vanliga teorin om närstående så är Tobias Hökström, som jag nyss nämnde, och flickvännen, Felicia Grimstad, mest intressanta för tillfället.”

Thomas mindes de hastiga ögonkasten mellan bröderna. Tobias rädda blick, hur han sökte efter stöd hos brodern. De måste borra där.

Högt sa han:

”Någon behöver sticka till Sandhamn och snacka med folk på ön. Det borde finnas några därute som har sett eller hört något. Jag vet att en del kontakter togs i går men vi är inte färdiga än.”

”Jag kan ta hand om den biten”, sa Erik Blom.

Han vände sig till sin nya kollega.

”Vill du hänga på?”

Harry Anjou verkade inte särskilt entusiastisk. Thomas gissade att det hörde ihop med att Anjou, i likhet med honom själv, nyss hade kommit tillbaka till fastlandet efter några intensiva dygn i skärgården.

”Låt Kalle följa med istället”, sa Gubben. ”Harry kan få stanna här i dag. Victor måste kartläggas. Vi behöver vända ut och in på hans tillvaro. Sätt igång med det så fort som möjligt.”

”Visst”, sa Harry Anjou.

Thomas kunde ha svurit på att han såg tacksam ut.

”Vi har fått Charlotte Ståhlgren som åklagare”, sa Gubben. ”Margit och Thomas, ser ni till att hon blir uppsjungen?”

Margit nickade.

”Då så”, sa Gubben och reste sig. ”Då kör vi.”

Kapitel 51

Erik Blom blinkade mot en söt tjej som höll sin femåring i handen medan hon väntade på att båten skulle lägga till.

Fören på Waxholmsbåten var packad med folk som skulle gå av på Sandhamn. Kön till landgången var lång. Mannen framför dem släpade på matkassar, han hade två i varje hand.

”Hur många barnvagnar finns det på den här färjan egentligen?” muttrade Kalle när han fick pressa sig mot väggen för att släppa fram en liggvagn med ett spädbarn.

Han hade varit vresig hela resan men Erik hade inte brytt sig om att fråga varför, chansen att hans tystlåtne kollega skulle avslöja orsaken var liten.

”Vi är snart framme”, sa Erik avledande.

Han fortsatte att kolla in mamman med barnet. Hon hade en tajt mönstrad topp och vita shorts på sig. Snygga bröst.

Kalle hade köpt biljetter och räckte honom den ena. Till slut blev det deras tur. Erik visade upp färdbeviset och gick iland på den grå betongkajen. Till vänster såg han kiosken och rakt fram låg en klädaffär med färgglada plagg och blomkrukor utanför. ”Sommarboden”, stod det med snirkliga bokstäver på en skylt ovanför ingången. Några barn med glasspinnar i händerna hängde utanför kiosken.

”Var tycker du att vi ska börja?” sa Erik till Kalle medan han drog ner blixtlåset på sin tunna blå vindjacka.

Kalle hade just satt på sig ett par svarta solglasögon. Med sitt stubbade hår liknade han en hårdkokt polis från en amerikansk kriminalserie.

”Vad sägs om brottsplatsen?”

Han var verkligen lika fåordig som karaktärerna på tv, tänkte Erik och tog på sig sina egna solbrillor.

”Då så”, sa han högt.

Det var inte första gången de hade i uppdrag att knacka dörr på Sandhamn och Erik visste av erfarenhet att arbetet inte underlättades av bristen på gatuadresser.

Varken gatuskyltar eller vägnamn förekom på ön, endast lokala beteckningar som inte var utsatta på någon karta. Folk bodde på "Västern" eller "på norr" eller vid "Oxudden". Omöjligt att hålla reda på för en tillfällig besökare, begripligt bara för den som varit där sedan barnsben. Det höll på att driva honom till vansinne första gången han deltog i en utredning på Sandhamn. Dessutom var de enda tillåtna transportmedlen cykel eller apostlahästarna. All onödig motordriven trafik var förbjuden, bara enstaka fyrhjulingar och en och annan traktor eller jeep förekom i byn.

"Ska vi gå?" sa han. "Det är väl ingen idé att vänta på bussen."

De gick i rask takt mot Skärkarlshamn och efter knappt tio minuter kom de fram till det avspärrade området. Det fanns ingen bevakning kvar men en känsla av isolering hängde i luften.

I den andra änden av stranden höll några vindsurfare till, det märktes på långt håll att de undvek att komma för nära.

De båda kollegorna duckade under de blåvita polisbanden och gick fram till fyndplatsen. De stannade framför alträdet och Erik såg sig omkring. Han hade studerat bilderna som visats på morgonmötet några timmar tidigare, men det var inte samma sak som att se platsen i verkligheten.

Eftersom teknikerna redan hade gått igenom allting behövde de inte oroa sig för att kontaminera något, men Erik var ändå försiktig med hur han rörde sig. Man visste aldrig om någonting behövde kontrolleras i efterhand.

Långsamt tog han in den soldränkta omgivningen.

Thomas hade sagt att det var en undanskymd plats men det var först nu som Erik insåg hur avskilt den låg.

Skärkarlshamn böjde sig i en halvcirkel, men just här gick bukten in i en krok som inte var synlig från resten av stranden när man stod bakom trädet, vars grenar var så låga att de nuddade växterna på marken.

Erik fick böja undan dem för att se platsen där Victor hade legat.

Grönskan var fortfarande tillplattad, Erik föll på knä framför platsen och studerade ytan. Han kunde utan vidare föreställa sig kroppens konturer.

När han reste sig igen skymtade han något mellan trädstammarna, åt andra hållet.

Thomas hade sagt att husen på den närmaste tomten hade varit tomma då han var där. Ingen hade synts till. Men nu rörde sig någon inne på tomten, de vita fönsterluckorna stod på vid gavel. Visst hade Thomas sagt att de varit stängda dagen innan?

”Kalle”, sa Erik halvhögt.

Kollegan hade gått runt till andra sidan om det yviga alträdet, han stod framåtlutad och studerade en spetsig klippa som stack upp bara några decimeter från strandvegetationen. Den snabba promenaden måste ha gjort honom svettig, han hade tagit av sig jackan och den randiga tennisströjan hade fått fuktiga fläckar över ryggen.

Erik gjorde en menande rörelse i riktning mot husen.

”Jag tror att husägarna är tillbaka. Kom så går vi och pratar med dem.”

Kapitel 52

Erik och Kalle gick bort till staketet och sökte utan framgång efter en grind. Till slut gick de runt på sjösidan där staketet slutade bara någon meter från strandkanten, högar med uppspolad brun tång låg i sanden runt den sista staketstolpen.

När de kom närmare såg Erik att det låg flera gästhus inne på tomten. Huvudbyggnaden hade ett stort panoramafönster som vette mot vattnet, på trädäcket framför stod en lång och kraftig kvinna i sextioårsåldern. Hon höll på att plantera om en pelargonia i en ny kruka. De vida shortsen hade fått fläckar och hon bar stora trädgårdshandskar på händerna.

”Hallå där”, ropade Erik och tog av sig solbrillorna.

Hon hoppade till, och släppte överraskat blomman.

”Det är ingen fara”, skyndade sig Erik att tillägga. ”Vi är poliser. Vi vill bara tala med dig en liten stund om det går bra.”

Kvinnan ställde ifrån sig krukan på ett trädgårdsbord och gick nerför den breda trappan som förband altanen med marknivån. Hon torkade bort svett i pannan och råkade få jord i håret.

Erik och Kalle presenterade sig och Erik visade sin polislegitimation.

”Ann-Sofie Carlén”, svarade hon och tog av sig den ena handsken innan hon räckte fram handen. ”Men jag förstår inte varför ni är här. Jag har inte gjort någon anmälan i år.”

Hon lade armarna i kors framför sig och fortsatte.

”Men det borde man, givetvis. Buslivet blir bara värre, och det är ingen som tar det på allvar om man inte ligger på. Det är faktiskt sorgligt hur lite resurser polisen ägnar saken.”

De hade inte ens framfört sitt ärende, konstaterade Erik, men hon hade redan börjat beklaga sig.

Kalle mulnade men Erik bestämde sig för att koppla på charmen.

”Är det du som äger det här stället?” sa han med ett brett leende. ”Det är verkligen fint. Fantastisk utsikt.”

Ann-Sofie Carlén sprack upp i ett leende.

”Visst är det vackert”, sa hon. ”Vi har haft det här stället i några år nu. Ja, jag och min man alltså. Men det har krävt en hel del renovering.”

”Är din man också här?” sa Erik vänligt och log ännu bredare.

”Nej, han är i byn och handlar. Vi ska få besök av barnbarnen.”

Det var ingen tvekan om att Ann-Sofie Carlén var stolt över sin avkomma.

”Vi har två döttrar”, fortsatte hon ivrigt. ”Båda flickorna har barn och nu kommer vår äldsta ut i eftermiddag med sina små flickor.”

Hon pekade på strandlinjen framför dem där en smal sandremsa bredde ut sig intill bryggan. Tången var borträfsad från den ljusa sanden.

”De älskar att vara här och leka.”

Kalle harklade sig så kraftigt att adamsäpplet rörde sig innanför tröjkragen.

”Vi har några frågor som rör händelser som utspelades under midsommarhelgen”, sa han.

”Inte undra på”, utbrast Ann-Sofie Carlén. ”Titta så här ser ut. Det är förfärligt nerskräpat och kommunen gör ingenting, det är bedrövligt.”

Hon hejdade sig för att hämta andan.

”Och avspärrningar dessutom. Vad är det som pågår här ute?”

Uppsynen skiftade från indignation till misstänksamhet.

”Det kanske ni två kan svara på förresten?”

Ann-Sofie Carlén hade tydligen ännu inte hört talas om dödsfallet i Skärkarlshamn. Erik hade sett nyheten om Victor Ekengreens död i morgontidningarna, men den hade inte slagits upp så stort som befarat. En seriekrock i Dalarna, med flera döda och många skadade, hade dominerat löpsedlarna. Tidningarna hade fyllts med artiklar om den livsfarliga midsommartrafiken och närbilder på ”dödens väg”, som sträckan döpts till av journalisterna.

”Det har varit ett dödsfall på ön”, sa han.

”Vad sa du?”

Ann-Sofie Carlén kom av sig.

”En ung man omkom på stranden i midsommarhelgen”, förklarade Kalle. ”Närmare bestämt på midsommardagen. Det är därför området är avspärrat. Vi försöker ta reda på om någon i grannskapet har sett eller hört något.”

”Så hemskt”, sa Ann-Sofie Carlén med lika delar förfäran och nyfikenhet i rösten. ”Var det någon från Sandhamn?”

Kalle gjorde en avvärjande gest.

”Nej, det var ingen som var bosatt här. Den omkomne hade åkt hit med båt.”

Ann-Sofie Carlén lyfte hakan en aning.

”Jag kan inte säga att jag är förvånad. Så vilt som det går till över midsommar. Det har bara varit en tidsfråga innan något otäckt skulle hända. Han var förstås full?”

Erik bestämde sig för att låta frågan passera.

”Vi undrar om någon var hemma på midsommardagen och kan ha lagt märke till någonting?” sa han.

”Tyvärr.” Ann-Sofie Carlén skakade bestämt på huvudet. ”Vi har varit bortresta hela helgen. Vi kom tillbaka först i dag, nu på morgonen.”

”Vi söker efter personer som kan ha sett något från klockan sju på lördagskvällen, alltså på midsommardagen”, sa Kalle tålmodigt. ”Ni hade inga gäster som bodde här då?”

Han böjde på huvudet mot de andra husen som verkade tillräckligt stora för att hysa både en och två familjer till.

”Jag beklagar”, sa Ann-Sofie Carlén. ”Vi har som sagt inte varit här. Vi reser alltid bort över midsommar, det är för mycket stök och bråk. Man vågar knappt gå utanför tomten med alla dessa ligister som tältar och gör upp eld i skogen.”

De enda husen med fri sikt mot brottsplatsen var Carléns. Erik ville vara säker på sin sak.

”Det var alltså helt tomt här under helgen?” sa han.

Ann-Sofie Carlén hade skjutit upp solglasögonen i pannan. Hon tog nu god tid på sig att sätta tillbaka dem på näsryggen innan hon svarade bakom mörka glas.

”Det var ju det jag sa.”

Hon drog på sig trädgårdshandsken igen som om hon fått bråttom.

”Nu får ni ursäkta, men jag har mycket att göra innan barnbarnen kommer på besök.”

Erik gav Kalle en blick. Dolde hon något?

Kalle ställde sig bara en halvmeter ifrån Ann-Sofie Carlén, han var minst tjugofem centimeter längre än den äldre kvinnan.

”Det här är en polisfråga”, sa han kyligt. ”En ung man har avlidit. Om någon har uppehållit sig här under midsommarhelgen måste vi få veta det.”

Ann-Sofie Carlén verkade brydd. Hon öppnade munnen som för att säga något, men slöt den igen.

Erik fick en stark känsla av att hon hade något på tungan.

”Jag kan tyvärr inte hjälpa er”, sa hon, vände sig om och började gå tillbaka till huset.

Erik tog några snabba steg efter.

”Om du har information som kan vara av betydelse för utredningen borde du tala om det för oss.”

Ann-Sofie Carlén stannade till. Långsamt vände hon sig om.

”Jag vet inte om det är så viktigt”, sa hon, ”men det verkar som om någon har varit i ett av gästhusen.”

”Varför tror du det?” sa Erik och ansträngde sig för att låta så vänlig som möjligt, Kalle hade varit tillräckligt brysk tidigare. ”Är det uppbrutet?”

”Nej, men det luktade konstigt när jag kom in dit.” Hon gjorde en min av avsmak. ”Äckligt faktiskt. Jag upptäckte det när jag skulle göra i ordning för min dotter. Sängkläderna var i oordning också, det såg inte ut som det brukar göra.”

Hon knep ihop läpparna, som om hon med ens ångrade att hon hade sagt något.

”Det är förmodligen ingenting”, sa hon. ”Jag vill förresten inte bli inblandad i något.”

”Kan vi få titta på gästhuset?” undrade Erik.

Kvinnan hade börjat röra sig mot trappan.

”Om ni vill”, sa hon. ”Men jag har redan skurat ur det. Det är snyggt och prydligt nu. Lukten är borta, tack och lov.”

Kapitel 53

Thomas slog numret till Carl-Henrik Sachsen. Medan det ringde gungade han bakåt på kontorsstolen så att ryggen snuddade vid bokhyllan. När eftermiddagssolen låg på blev det stekande varmt i rummet men än så länge hade han skugga.

”Hallå”, svarade någon efter femte signalen.

Var det Carl-Henrik Sachsen? Det lät som om han hade gröt i munnen.

”Vad gör du?” sa Thomas.

”Tuggar. Jag sitter i fikarummet. Vi tog en bit äppelkaka när vi var klara, finns det någon lag mot det?”

”Nej, nej”, sa Thomas hastigt. ”Hur går det, har ni hunnit titta på Victor Ekengreen än?”

”Ja”, sa Sachsen med munnen full. ”Oroa dig inte. Vi undersökte din kille redan i morse. Pappersarbetet tar vi senare.”

”Det uppskattas”, sa Thomas. ”Vad kan du berätta för mig?”

”Grabben dog av massivt trubbigt våld mot huvudet. Han har kontusionsblödningar lite överallt, brott i skalltaket, hjärnskador som en följd av traumat, samt blödningar i anslutning till hjärnhinnorna. Döden måste ha följt tämligen omedelbart. Enkelt uttryckt var det inte mycket kvar när gärningsmannen hade gjort sitt.”

”Kan du förklara lite mer om förloppet?”

”Någon har bankat den här unge mannen i huvudet med någonting runt och hårt.”

”Kan det vara en gråsten?” sa Thomas omedelbart och tänkte åter på strandkanten där stenarna låg utspridda i vattenbrynet.

”Det är inte omöjligt med tanke på avtrycket.”

Det var som han misstänkt. Då borde mördaren ha handlat spontant.

”Han hade flera olika sår i huvudet”, sa Thomas.

”Det är riktigt, men det är bara de senare som är dödande. Det i tinningen är varken särskilt djupt eller farligt. Det ser bara illa ut, det gör den sortens sår ofta.”

”Var den första skadan tillräcklig för att han skulle bli medvetslös?” sa han.

”Kanske, men i så fall bara för en kort stund. Möjligen blev han inte ens det, utan mest omtöcknad. Om ingenting mer inträffat hade han repat sig utan vidare.”

Thomas försökte foga samman pusselbitarna.

”Så Victor Ekengreen faller eller knuffas omkull och slår då i klippan. Det ger honom ett blödande sår i tinningen och han blir medvetslös eller åtminstone groggy.”

”Precis.”

Det lät som om Sachsen ställde ner en mugg i en diskmaskin, ljudet av porslin mot metall klirrade i bakgrunden.

”Jag har gått igenom fotografierna från brottsplatsen och det ytliga såret kan mycket väl ha åstadkommits av klippan där det fanns blodspår. Ytan och spetsen stämmer med den fysiska skadan.”

”Men sedan säger du att det inträffade något mer, andra skador, de som ledde till döden”, sa Thomas.

”Exakt.”

”Har det rört sig om ett slagsmål? Har han varit i bråk med någon?”

”Jag skulle tro det. Han har vissa rivskador i ansiktet. Inte djupa, visserligen, men de finns där. Det finns också blånader på överarmarna, som om någon har tagit tag i honom med viss kraft, samt ett blåmärke på bröstkorgen, mitt på.”

”Vad tror du hände?”

”Det är snarare din sak att fundera ut.”

Sachsen tystnade en sekund.

”Men säg så här: Den första skadan kan ha tillfogats genom en olycka, de efterföljande slagen har det inte. Det har inte räckt med ett enda slag för att åstadkomma det dödande traumat. Jag skulle tippa på åtminstone två, kanske till och med tre.”

Mord således. Var det överlagt?

”Kan du säga något om personen som slog?” sa Thomas.

”Det var troligen en person med viss styrka. Skallen är redigt intryckt.”

Thomas såg Ebba och Felicia framför sig. Ingen av flickorna var över en och sextiofem, båda var smala med veka handleder. Statistiken talade för en man, men i desperata situationer orkade kvinnor mer än man kunde tro.

”Går det att se från vilken vinkel slagen utdelades?”

”Det är knepigare”, sa Sachsen. ”Men jag tror att offret befann sig öga mot öga med gärningsmannen. Stenen, om det nu var en sten, har tagit snett bakom höger öra. Det förefaller som om den kom från sidan, offer och gärningsman kan ha befunnit sig i en liggande position.”

”Höger öra”, upprepade Thomas. ”Då borde gärningsmannen ha haft stenen i vänster hand om de var mittemot varandra?”

”Det stämmer.”

Vänsterhänt? skrev Thomas snabbt i sitt block.

Han försökte föreställa sig Victor efter den första smällen. Hade han blivit för groggy för att försvara sig? Hur lång tid tog det för gärningsmannen att hitta en tillräckligt stor sten att slå ihjäl honom med?

Ett stadigt grepp, en arm som lyftes. Ett dödande slag som följdes av fler. Mer behövdes inte.

”Var det allt?” sa Thomas och tittade på klockan.

Han skulle träffa Margit om fem minuter, men det var inte hela världen om han var lite sen.

”Inte riktigt.”

Sachsen harklade sig.

”Den kemiska analysen är inte klar än som du förstår. Det dröjer innan RättsKem kommer tillbaka. Men jag har funnit något annat som jag tror att du kommer att finna intressant.”

”Vad är det?”

”Det verkar som om ditt offer har använt droger under en längre tid. Kokain närmare bestämt. Jag hittade små spår av vitt pulver i näsan och det finns hudpartier inuti som är anfrätta. Det är inte mycket, det syns knappt med blotta ögat, men det går att se att nässkiljeväggen är påverkad. Dessutom är det kraftig blodstas och vatten i lungorna så det är möjligt att han hade tagit något annat också. Vad går dock inte att säga förrän vi har fått resultatet från SKL.”

”Kokain”, upprepade Thomas.

Han sög på informationen.

Victor Ekengreen hade använt droger. Det var det ingen som hade nämnt i förhören.

Kapitel 54

När Thomas kom in till Margits rum satt hon framåtlutad över bordet och skalade en lätt övermogen banan.

”Jag har talat med Sachsen”, sa han. ”Kroppen obducerades nu på förmiddagen.”

”Det var ju utmärkt”, sa Margit. ”Vad hade han att berätta då?”

Thomas slog sig ner mittemot och sammanfattade konversationen.

”Allting tyder alltså på att Victors död var avsiktlig”, avslutade han. ”Det går inte att tolka informationen på något annat sätt.”

”Som vi trodde med andra ord.”

”Det är en sak till”, sa Thomas. ”Enligt Sachsen hade Victor Ekengreen tagit kokain innan han dog.”

Margit lade ifrån sig bananen.

”Han var ju bara sexton. Det är tidigt att ta kokain, särskilt med den fina bakgrunden.”

”Det är väl *särskilt* vanligt i den sortens förorter.”

Thomas kunde inte låta bli, men log för att mildra ironin.

”Kokain, säger du”, sa Margit igen utan att bry sig om Thomas kommentar. ”Det är en partydrog.”

”Men den kan också göra människor aggressiva, speciellt om de använder den ofta och tillsammans med alkohol”, sa Thomas. ”Victor hade hällt i sig vodka hela helgen, det har de allesammans uppgett. Tobbe sa att Victor var rejält påverkad.”

”Han underlät bara att nämna att det var mer än alkohol i bilden”, sa Margit och trummade med fingrarna på bordet. ”Alkohol och droger, det var ju en lysande kombination.”

”Dessutom trodde Sachsen att han hade tagit något annat, det fanns indikationer på det.”

”Vad skulle det kunna röra sig om?”

”Det är för tidigt att säga. Men det behöver inte vara en illegal drog, det kan vara läkemedel också.”

Thomas funderade.

”Kokain är dyrt”, sa han. ”Om hans förråd tog slut kanske han valde en billigare lösning.”

”Det gör det inte precis bättre”, sa Margit.

”Nej, inte direkt.”

Thomas mindes ett fall många år tidigare där en person som blandat sprit med värktabletter slagit sönder både sin familj och sin bostad. Han var komplett galen när Thomas och hans kollegor kom till platsen, det krävdes tre man för att brotta ner honom. Nästa dag mindes han ingenting. Han kunde inte förstå att det var han själv som hade gått bärsärkagång.

”Förresten”, sa Margit. ”Jag har fått tag i den där tjejen som kallas Tessan, hon som var med Tobias Hökström. Hennes fullständiga namn är Therese Almblad, hon är fjorton år och har just gått ut åttan, precis som hans brorsa sa. Jag lade nyss på luren.”

Det märktes på Margits uppsyn att hon satt inne med intressant information.

”Jag lyssnar”, sa Thomas.

”Hon säger att hon skildes från Tobias kort efter att de hade gått till den andra båten.”

”Är hon säker på det?”

”Japp. Enligt Therese kom de dit tillsammans, vid åttatiden, och klämde in sig i aktern med alla andra. Det var tydligen många där. De hade med sig vodkaflaskor och började grogga, men efter ett tag ville Tobbe gå iland. Han sa att han skulle gå på muggen. Men enligt tjejen kom han aldrig tillbaka. Till sist tröttnade hon på att vänta och hittade annat sällskap.”

”Vad var klockan när hon såg honom för sista gången?”

”Runt åtta, halv nio på kvällen.”

”Killen har alltså försvunnit från radarn i många timmar”, konstaterade Thomas.

”Exakt. Han saknar alibi och dessutom har han ljugit om det för oss.”

”Det är intressant, inte minst med tanke på vad Sachsen sa. Victor var inblandad i ett slagsmål innan han dog.”

Margit rynkade pannan.

”Tobias Hökström hade ett rejält blåmärke på kinden.”

Hon böjde sig mot papperskorgen och släppte ner bananskalet med två fingrar.

”Det är en sak jag undrar över”, sa hon sedan.

”Vad då?”

”Om vi antar att Hökström befann sig på platsen för att stoppa ett bråk mellan Victor och Felicia, då räckte det väl med att han gick emellan. Varför skulle han ha dödat Victor som Sachsen beskriver? Dessutom med flera slag, det går inte ihop.”

Thomas försökte föreställa sig scenen på stranden.

Felicia som förtvivlat ropade på hjälp, Tobbe som dök upp på stranden. Kanske hade hon lyckats skicka ett sms om att Victor flippat ur. Tobbe kommer fram, hör hennes skrik och springer dit. Desperat sliter han i vännens arm, i tumultet faller Victor och slår i huvudet.

”Jag undrar om slaget mot huvudet gjorde något med Victor”, sa Thomas långsamt. ”Tillsammans med spriten och knarket. Drogerna fick kanske Victor att bli aggressiv, han blev som en främling mot sin bäste vän. Tänk om Tobbe helt enkelt försökte freda sig, och fick tag på en sten …”

”Vi borde ta in Tobias så snart som möjligt”, sa Margit. ”Felicia också. De har nog mer att berätta för oss.”

Thomas såg på klockan. De skulle snart ha eftermiddagsmöte i gruppen.

”Det får bli direkt i morgon bitti”, sa han.

Kapitel 55

Det kändes som om luften stod stilla. Thomas försökte fläkta sig med sitt anteckningsblock där han satt vid ena långsidan av konferensbordet. Det var minst tjugofem grader i rummet. Gubben, som satt vid kortändan, hade mörka ringar i armhålorna. Pannan blänkte av svett.

Hela gruppen, minus Erik och Kalle som fortfarande var på Sandhamn, hade samlats för att gå igenom läget innan dagen tog slut.

”Vad har du fått fram om offret?” sa Gubben till Harry Anjou som satt med en bunt papper framför sig.

”Victor Ekengreen var sexton år och gick ut högstadiet i juni med hyggliga betyg”, sa Anjou och bläddrade bland dokumenten. ”Familjen bor i en stor villa på Lidingö. Pappan heter Johan Ekengreen och mamman Madeleine, hon är hemmafru. De har varit gifta i nitton år och det är faderns andra äktenskap. Det finns en storasyster på arton och två betydligt äldre halvsyskon som båda bor utomlands.”

”Det fattas nog inga pengar i den familjen”, sa Margit halvhögt.

Det är kanske det som är problemet, tänkte Thomas, om en sextonåring har råd att köpa kokain regelbundet.

”Ekengreen gillade vattensporter och utförsåkning”, fortsatte Harry Anjou. ”Jag har fått tag i flera av hans klasskamrater. Han beskrivs på olika sätt, en del uppfattade honom som en sportig kille, möjligen lite blyg. Men några säger att han var stöddig, inte alltid en god kamrat.”

”Vad menar du med det?” sa Margit.

Harry Anjou tittade i sina papper.

”Det var särskilt en kille som sa att Ekengreen var en kaxig typ. Han slängde sig med faderns namn, för att ge ett exempel.”

Han såg sig omkring.

”Jag behöver väl knappast gå in på vem Johan Ekengreen är?”

Gubben skakade på huvudet och Anjou läste vidare i anteckningarna.

”Enligt samma uppgiftslämnare hände det att han rackade ner på klasskamrater som han inte gillade.”

”Menar du att han skaffade sig fiender?” sa Thomas. ”Det kanske finns ovänner att följa upp?”

Harry Anjou ryckte på axlarna.

”Det var inget som var så uttalat. Men det var nog en och annan som inte uppskattade honom. Lynnig och grälsjuk var andra ord som användes.”

”Han låter inte så kul”, sa Karin Ek från sin plats nära bordsändan.

”Hur är det med flickvännen?” sa Gubben och vände sig till Margit. ”Du skulle tala med henne?”

”Hon heter Felicia Grimstad”, sa Margit. ”De gick i samma klass på högstadiet och bor inte långt från varandra. Hon har två syskon och beskrivs som skötsam, möjligen lite osjälvständig. Hon blev tillsammans med Victor under hösten och de har hängt ihop sedan dess. Pappan arbetar i rekryteringsbranschen och mamman är bibliotekarie på en av skolorna i kommunen.”

”Hon kommer hit i morgon bitti”, sköt Thomas in. ”Precis som Tobbe Hökström.”

Gubben torkade sig i pannan med en näsduk. Ringarna under armhålorna hade vuxit, ansiktsfärgen var hög.

”Hur går det med telefonlistorna?” sa han. ”Vad vet vi om hans kontakter?”

”Jag har begärt ut dem”, sa Thomas. ”De kommer i veckan. Vi håller på att gå igenom hans sms också men vi har inte hittat någonting hittills.”

”Har något hörts från rättsmedicin?” sa Gubben och stoppade ner näsduken i fickan. ”Hur har det gått för Sachsen?”

”Obduktionen genomfördes tidigare i dag”, sa Thomas.

Han återgav samtalet med Sachsen och sammanfattade rättsläkarens iakttagelser. Han var nästan klar när han avbröts av en gäll siren genom det öppna fönstret. Det skarpa ljudet försvann i fjärran innan han fortsatte.

”Vi får se vad den rättskemiska analysen ger”, sa Thomas avslutningsvis.

Gubben funderade.

”Victor har alltså använt droger, det vore intressant att få reda på mer om det.”

”Ja”, instämde Thomas. ”Vi tar upp det i förhören i morgon.”

”Ekengreen måste ha haft en langare”, fortsatte Gubben. ”Vi får undersöka vem han handlade av. Det kan vara ett uppslag att se närmare på.”

Harry Anjou lutade sig fram som om han ville säga något.

”Ja?” sa Gubben med en blick på Anjou.

”Det var betydligt mer knark på Sandhamn i år än tidigare”, sa han. ”Vi borde snacka med Span, de hade sex civilklädda igång under hela helgen. Jag tror att det var första gången som de gjorde en så stor insats där ute. Faktum är att flera som rör sig i narkotikakretsar påträffades i hamnen."

Anjou harklade sig.

"Har ni hört talas om Goran Minosevitch?" frågade han sedan. "Han var där i lördags."

Minosevitch var i femtioårsåldern, en gänganknuten knarklangare som dömts och suttit inne för omfattande narkotikabrott, enligt vad Thomas hade hört.

"Det är en otäck kille", fortsatte Harry Anjou. "Lång och kraftig, många tatueringar. Han var på ön med ett stort entourage som höll till på en båt mitt i hamnen. Hela sällskapet såg ut som han."

Gubben vände sig till Thomas och Margit.

"Ta kontakt med Span och lyssna med dem. Det kan vara något. Men tappa inte bort spåret med kompisarna för det."

Thomas gjorde en anteckning i sitt block. Det finns fortfarande många teorier, tänkte han. Vi måste hålla alla dörrar öppna. Det här kan handla om något så banalt som ett gräl om droger.

Han sköt de tidigare bilderna från stranden åt sidan. Allting måste prövas förutsättningslöst.

Nora stod i köksfönstret på Brandska villan. Hon kunde inte låta bli att snegla bort mot sitt gamla hus där Jonas och Wilma befann sig. Ytterdörren låg i skugga. Den brukade stå uppslagen, nu var den stängd.

Jonas hade inte hört av sig på hela dagen och den sorgsna klumpen växte i halsen. Nora önskade att han skulle dyka upp på trappan så att hon kunde få en anledning att gå dit och prata.

Bara några minuters samtal, det var allt som behövdes, kanske en klapp på kinden eller en hastig kram.

Hon ville röra vid honom, känna att den fysiska kontakten var naturlig och självklar, att ingenting var förändrat. Det skulle jaga de onda aningarna på flykten.

Men ingen verkade röra sig där borta och hon tvekade inför att gå dit utan någon särskild anledning.

Ett par döda flugor låg i fönstersmygen. Nora tog en bit hushållspapper och samlade ihop de svarta krypen. När hon skulle slänga dem upptäckte hon att soppåsen var full intill bristningsgränsen. Som vanligt hade pojkarna staplat skräpet på höjden tills det svämmade över. Några använda tepåsar hade fallit ner tillsammans med ett äppelskrutt. De sista dropparna i ett omkullvällt mjölkpaket hade runnit ut i en gulvit pöl på skåpbotten.

Med en suck böjde hon sig ner för att knyta ihop påsen och sätta i en ny. Efter middagen fick det bli en promenad till sopstationen i hamnen.

Kanske skulle hon stöta ihop med Jonas då? Tanken fick henne att känna sig bättre till mods.

Hon ställde ut påsen i hallen för att inte glömma bort den och fingrade på mobilen i fickan. Tänk om hon skulle hon skicka ett kort sms för att höra efter hur Wilma mådde?

Det var inget konstigt med att hon ville försäkra sig om att hans dotter mådde bra. Det kunde han knappast tycka. Hon brydde sig också om Wilma.

Innan hon kunde ångra sig knappade hon fram Jonas nummer och skrev ett kort meddelande.

"Hur är det med Wilma? Mår hon bra nu? Kram Nora."

Det plingade till när hon tryckte på sändknappen.

Kapitel 56

Efter mötet följde Margit med in på Thomas arbetsrum och slog sig ner i besöksstolen medan han drog fram telefonen och satte på högtalarfunktionen.

Thomas letade fram numret till Torbjörn Landin, gruppchef på Span, som varit ansvarig för narkotikabevakningen på Sandhamn. Förhoppningsvis var han kvar i huset trots att det var efter kontorstid.

En mörk korthuggen röst svarade i telefonen.

”Landin.”

Enbart efternamnet, mer behövdes inte.

”Det rör den döde tonåringen på Sandhamn”, sa Thomas och förklarade sitt ärende.

”Vi hörde att Goran Minosevitch har varit på ön under midsommarhelgen”, lade Margit till.

”Han är inte att leka med”, sa Landin med en gång.

”Vad har du på honom?”

”Vad vill du veta?”

Även om Thomas visste att Landin varit i tjänst dygnet runt de senaste dagarna misstänkte han att det låg mer än sömnbrist bakom det trötta tonfallet. Det fanns en utbredd frustration inom Spaningsroteln, det var ingen hemlighet. Narkotikapolisen drog ett tungt lass och resurserna räckte inte till.

”Det finns hur mycket som helst på Minosevitch”, fortsatte Landin. ”Han är nolltaxerare som de flesta i de där kretsarna. Jag tror att han har varit långtidssjukskriven vid åtminstone ett tillfälle. Han har suttit inne ett flertal gånger, mest för narkotikabrott. Men en del vapenhandel har förekommit liksom skulder hos kronofogden.”

”Är han våldsam?”

”Han är dömd för misshandel och hot mot tjänsteman. Det är de nästan alla.”

”Varifrån kommer han?” sa Margit.

”Forna Jugoslavien.”

Landin behövde inte förklara närmare. De senaste tre decennierna hade kriminella från Balkan etablerat sig inom de flesta kriminella områden. De hade överlevt både polisiära punktmarkeringar och rivaliserande kriminella grupper.

”Den här Goran Minosevitch, vet du om han säljer droger till ungdomar?” sa Thomas.

”Det beror på hur du definierar försäljningen. Frågar du om han gör det personligen, så är svaret nej. Men hans hantlangare … Absolut.”

”Vad talar vi om?” sa Margit.

”Det mesta. Marijuana, cannabis, benzo, kokain förstås, särskilt i Stockholm, och amfetamin. Ecstasy är också utbrett. Allting finns i överflöd, för varje ny drog som narkotikaklassas kommer det nya utan att vi kan göra så mycket.”

Thomas kände igen sig i hopplösheten, men inte i cynismen.

”Cannabis är väl det som ungdomar använder mest?” sa Thomas.

”Ja. Sedan kommer amfetamin och kokain.”

”Hur är det med blandmissbruk, piller och alkohol?” sa Margit.

Landin gav ifrån sig ett obestämbart ljud.

”Det är vanligt, men riktigt farligt. Folk blir antingen mycket slöa eller onaturligt pigga, förgiftningar förekommer, precis som djup medvetslöshet. Ibland blir folk okontrollerat aggressiva och våldsbenägna. Det är en jävla cocktail.”

”Men det mesta är väl receptbelagt?” sa Margit.

”Det är inget hinder. Smärtstillande som Tradolan och Citodon eller lugnande, som Sobril, får du lätt ut. Annars skaffar de sig Rohypnol eller Efedrin på nätet. Läkemedel ökar tyvärr rejält, särskilt bland tonåringar.”

Thomas insåg varför, straff utdömdes inte för missbruk eller innehav om personen var under arton, det var nästan omöjligt att komma åt.

”Det låter alarmerande”, sa Margit.

”Det kan man lugnt säga.”

”Hur är det med langning till högstadieelever”, sa Thomas.

”Gatulangning?”

”Ja.”

Landin fnös.

”Vi skulle kunna sysselsätta en armé av poliser bara i Stockholms län. Det dyker upp nya langare hela tiden med olika telefonnummer som sprids bland ungdomarna, några går till sådana som langar alkohol, andra har tyngre grejer. De sista åren har det ökat markant, särskilt i Stockholms kranskommuner."

"Ni hade väl Minosevitch och hans gäng under uppsikt på midsommardagen, stämmer det?" frågade Margit.

"Ja", sa Landin.

"Vi misstänker att offret kan ha kommit i bråk med sin langare och att det har urartat", sa Thomas. "Vi behöver hjälp att kartlägga hur Minosevitch och hans hejdukar rörde sig mellan vissa klockslag."

"Då föreslår jag att vi ses hos oss i morgon bitti. Kom förbi vid åtta så samlar jag ihop gänget som var på Sandhamn."

Margit hade antecknat medan de pratade. Thomas lade märke till att hon strök under ordet "blandmissbruk" och "aggressiv" med tjocka streck.

Victors kamrater hade vittnat om hans häftiga humör. Bilden av två ungdomar som slogs dök upp igen på Thomas näthinna.

Kapitel 57

Tobbe låg i soffan i vardagsrummet. Tv:n stod på men han hade ingen aning om vilken kanal eller vilket tv-program han tittade på.

Nästa morgon skulle han infinna sig hos Nackapolisen.

Kvinnan i telefonen hade liksom klippt av orden. Hon hade låtit som hans gamla tysklärare.

Varför skulle han tillbaka så snabbt?

De kanske var sura för att han och Christoffer hade stuckit från Sandhamn. Det var inte hans fel, det var farsan som hade bestämt det. Men när polisen ringde var Arthur förstås inte i närheten och Tobbe hade inte vågat säga emot. Han lovade att komma dit klockan tio.

Det var ingen annan i lägenheten. Christoffer hade dragit till några polare och morsan hade åkt och handlat. I går hade hon väntat på dem med ett skrämt uttryck i ögonen men Tobbe hade gått förbi henne och in på sitt rum utan att säga något.

Hon fattade ändå ingenting.

Arthur hade varit sammanbiten när han skjutsade dem till lägenheten.

”Nu säger ni inte ett ord till polisen utan att tala med mig först.”

Det var det sista han sa till dem innan han körde sin väg. Ingenting om att Victor var död. Han frågade inte ens hur Tobbe mådde.

”Jävla gubbe”, mumlade Tobbe. ”Det enda du bryr dig om är vad andra tycker. Du skiter i både mig och Christoffer, det har du alltid gjort. Det enda du kan är att betala.”

Pengar hade aldrig varit något problem för hans farsa. Efter skilsmässan hade Tobbe fått pengar om han lyckades i skolan. Femhundra för ett VG och tusen spänn för ett MVG. Sådant brydde sig Arthur om.

Det var mycket pengar, betydligt mer än de flesta i klassen hade att röra sig med. Victor hade blivit imponerad när han fick reda på vad Tobbe fick. De hade suttit på en bänk på skolgården och just fått reda på hur det hade gått på höstterminens första matteprov. Tobbe hade fått VG på sitt.

”Femhundra spänn rätt ner i fickan”, hade han sagt belåtet.

”Din farsa måste ha jävligt dåligt samvete”, sa Victor och tände en cigarett. ”Snacka om guilt trip.”

Han höll fram paketet till Tobbe som fiskade upp en Marlboro och strök eld på en tändsticka.

”Snarare avbetalning”, flinade han.

Det var åtta månader tidigare. Det kunde lika gärna ha varit hundra år sedan.

Håglöst sträckte Tobbe ut handen efter en stor Coca-Cola som stod på soffbordet och halsade direkt ur flaskan. Drycken var ljummen, men han brydde sig inte. Han hade inte ätit något på hela dagen, men var ändå inte hungrig.

Victor var död, det gick inte att fatta.

Tobbe svalde och smaken av cola blandades med gråt.

Kapitel 58

Det närmade sig middagsdags men Jonas var inte särskilt hungrig. Han hade knappt bytt ett ord med Wilma på hela dagen trots att han hållit sig kvar i huset för hennes skull. Hon hade sovit länge och sedan gått upp, tagit smörgåsarna som han hade gjort i ordning och återvänt till sitt rum.

När han knackade på låtsades hon sova, han antog att hon ville skjuta upp tidpunkten då de måste prata.

Lika så gott, han kände sig sliten han med, tagen av de senaste dygnens oro. Det var skönt att få vara i fred, han behövde också återhämta sig.

Att döma av de plingande telefonljuden som trängde igenom Wilmas dörr höll hon på att messa med sina tjejkompisar. Så helt utmattad kunde hon inte vara.

Jonas tog kvällstidningen och gick ut i trädgården med en kopp kaffe. Han slog sig ner i den vita trädgårdsmöbeln som fortfarande hade sol men snart skulle ligga i skugga när solen försvann bakom knuten.

När han bläddrade i tidningen fann han en helsida med rubriken ”Mord i Sandhamn”. En stor bild över Skärkarlshamn och det avspärrade området mötte honom.

”Polisen söker vittnen”, stod det i ingressen.

Mobiltelefonen ringde och Jonas drog fram telefonen och slängde en blick på displayen. Det var Margot.

Var det dags för ännu en utskällning?

Jonas ställde ifrån sig muggen och svarade utan större entusiasm.

”Hej Margot.”

”Hur går det?” sa hon.

”Så där. Jag sitter i trädgården och Wilma är på sitt rum. Ärligt talat tror jag att hon undviker mig.”

”Jag har precis pratat med henne.”

Den mörka rösten lät allvarlig, lägre än den brukade.

Jonas hörde något som frasade och såg framför sig hur hon samlade sitt blanka bruna hår i en hästsvans, en gest han mindes ända sedan skolan. De hade blivit tillsammans under det sista året på gymnasiet och Margot blev med barn ungefär samtidigt som de tog studenten. När de flyttade ihop i en liten lägenhet hade de ingen aning om vad som väntade. Kort efter Wilmas tvåårsdag kom Jonas in på pilotutbildningen i Ljungbyhed och någon tid senare sprack förhållandet.

Men det hade inte varit något dramatiskt uppbrott och med undantag av hans år i Skåne hade de haft delad vårdnad om Wilma.

Det var länge sedan hon hade gett honom en sådan utskällning som i går. Jonas kunde inte komma ihåg när det hade hänt sist. Med åren hade de utvecklat en varm vänskap och det hände att han firade jul med Margot och hennes nya familj.

”Var har hon hållit hus då?” sa han. ”Vad är det som har hänt?”

Margot drog på svaret.

”Jag fick lova henne att inte berätta något för dig. Jag är ledsen, men om du pratar med henne kommer du att förstå.”

Det uppstod en liten paus. Margots ord kändes inte bra, men Jonas hörde på tonfallet att det inte var någon idé att pressa henne.

Hon började säga något, men hejdade sig. Så försökte hon igen.

”Du, jag är ledsen för att jag for ut mot dig i går på det där viset”, sa hon långsamt. ”Jag var bara så fruktansvärt orolig för att någonting hade hänt Wilma.”

Jonas kunde inte direkt förebrå henne de hårda orden när han egentligen höll med henne.

”Det är okej”, sa han. ”Vi glömmer det.”

Margot ville inte släppa ämnet.

”Du är en bra pappa, och du har också rätt att träffa någon ny. Jag är faktiskt glad över att du och Nora har hittat varandra. Hon verkar väldigt trevlig.”

Nora hade varit hos Jonas en kväll när Margot kommit över med ett par saker som Wilma behövde. De hade stått och småpratat några minuter i hallen utan att det hade känts onaturligt.

Margot skrattade en aning ansträngt.

”Tro mig”, sa hon. ”Jag vill att du också ska hitta någon ny. Kanske få fler barn, precis som jag. Du är inte direkt lastgammal.”

Orden värmde. Men just nu kändes en ny familj mycket avlägset.

En humla surrade förtjust kring den täta röda vinbärsbusken som växte precis innanför staketet. De små ljusgula karten som hängde under grenarna tydde på att det skulle bli en god skörd.

Var det Nora som hade planterat vinbärsbusken i rabatten? Det högg till i Jonas när han tänkte på det.

”Jag ville bara säga det i alla fall”, avslutade Margot. ”Så att du vet.”

”Okej. Tack.”

En kort paus.

”Om jag var du”, sa Margot, ”skulle jag låta Wilma vara i fred i kväll och sedan ta ett snack i morgon, i lugn och ro. Ni behöver nog få lite distans till det här. Det måste ha tagit på krafterna.”

Den surrande humlan tog ett sista varv runt vinbärsbusken innan den gav sig av till grannens trädgård.

”Det låter som en bra idé”, sa Jonas. ”Du har säkert rätt.”

Utan ett spår av ironi i rösten lade han till: ”Som vanligt.”

Margot skrattade sitt varma skratt.

”Sköt om dig”, sa hon och lade på.

Jonas stoppade tillbaka telefonen i byxfickan. Wilma och han fick pratas vid i morgon när de var utvilade båda två.

Kapitel 59

Pernilla svarade först efter fyra signaler, just som Thomas gjorde sig redo för att prata in ett meddelande. Han var kvar på stationen. De senaste timmarna hade han suttit i telefon för att få reda på så mycket som möjligt om Tobbe Hökström.

En bild började ta form.

”Hallå.”

Rösten lät andfådd, som om hon hade skyndat sig till telefonen. Det var en fin kväll, kanske hade hon dröjt sig kvar vid bryggan i kvällssolen.

Han såg den lugna viken framför sig, nocken där måsarna brukade slå sig ner på stolparna, badbryggan längst ut.

”Hej, det är jag.”

”God afton, min herre.”

Det gammeldags tilltalet fick honom att le. Det var så typiskt Pernilla.

”Hur går det för dig då”, fortsatte hon. ”Låt mig gissa, du sitter på jobbet och nu är det för sent att hinna med sista båten. Du kommer inte ut i kväll.”

Pernilla kände honom väl.

Thomas skulle just svara när ett plötsligt men mycket ilsket vrål hördes i luren. Även om Elin bara var några månader var det inget fel på hennes lungor.

”Din dotter är inte på så gott humör i dag”, sa Pernilla och försökte överrösta oljudet. ”Vi får prata senare. Jag kan ringa dig när hon har somnat.”

Thomas lade ifrån sig telefonen just som en knackning hördes. Harry Anjou stack in huvudet genom dörröppningen.

”Har du tid en stund eller är du på väg hem?”

”Kom in du”, sa Thomas med en nick åt besöksstolen. ”Slå dig ner.”

Han sköt undan en hög med skräp från hamburgermåltiden som hade utgjort kvällens middag. Harry Anjou satte sig och strök handen över hakan där den grova skäggstubben nu syntes tydligt.

”Jag har funderat på det där med drogerna”, sa han och lutade sig tillbaka i stolen. ”Om Victor Ekengreen ville festa ordentligt över midsommar hade han förmodligen med sig ett rejält förråd. Men någonting kanske hände. Han blev bestulen eller tappade det i sjön, vad vet jag? Det gjorde honom jävligt förbannad i varje fall. Dessutom var han berusad, det vet vi.”

”Det verkar på kamraterna som om han hade dåligt ölsinne”, sa Thomas.

”Precis”, sa Anjou. ”Jag föreställer mig att han letade efter en langare på ön för att köpa mer och det slutade med att han sprang på en av Minosevitchs killar.”

”Som vi talade om tidigare”, sa Thomas.

Han undrade vart kollegan ville komma.

”Just det”, sa Anjou. ”Kommer du ihåg att flickvännen sa att Ekengreen hade bråttom när hon sprang ikapp honom i backen bakom Seglarrestaurangen. Det kanske inte var en slump, tänk om han redan hade bestämt träff med en langare.”

”Felicia sa att Victor inte ville ha med henne”, medgav Thomas. ”Hon fick tjata sig till att få följa med.”

”Det är precis det jag kom att tänka på”, sa Anjou ivrigt. ”Flickvännen kanske trodde att de gick till Skärkarlshamn av en ren tillfällighet, men platsen där Ekengreen hittades är undanskymd. Den borde ha varit perfekt som mötesplats för att köpa droger utan att någon lade märke till det.”

Ett skevt leende.

”Tro mig”, fortsatte han sedan. ”Hela hamnen kryllade av poliser, men där borta var vi nästan inte alls. Det var bara någon enstaka patrull som då och då tog sig en runda för att kolla så ingen gjorde upp eld i skogen.”

”Så om vi kunde ta reda på vem det var Ekengreen stämt möte med ...”, sa Thomas dröjande.

”Kanske vi hittar ett vittne, eller till och med en möjlig gärningsman. Jag ger mig fan på att vi skulle komma en bra bit på väg om vi hittar langaren. Ekengreen kanske inte ville eller kunde betala det pris som begärdes så han försökte blåsa säljaren. Det här är ju tuffa grabbar.”

”Det sa Landin också.”

Anjou lutade sig ivrigt mot Thomas.

”Föreställ dig att Ekengreen börjar mucka när köpet ska göras upp. Det slutar med att de slåss och Ekengreen tuppar av. Då blir langaren orolig, han vågar inte ta risken att Ekengreen kvicknar till och gör en polisanmälan, så han slår ihjäl honom.”

”Du menar att han dödade honom för säkerhets skull?” sa Thomas. ”Det låter ganska långsökt.”

Anjou skakade på huvudet.

”Inte nödvändigtvis. Många av de där langarna saknar permanent uppehållstillstånd. Om de åker fast för narkotikabrott får de nästan alltid utvisning ovanpå fängelsestraffet. Det är ett högt pris, många gör vad som helst för att slippa lämna landet.”

Anjou slog ut med händerna.

”Det är i alla fall en hypotes.”

”Vi får se vad Landin säger i morgon”, sa Thomas och sträckte ut armarna framför sig medan han tog sig en funderare.

De hade undersökt de inblandade i knivslagsmålet utan att hitta några samband. Men det skulle bli intressant att höra om kollegorna på Spaningsroteln hade lagt märke till Victor eller något annat innan han dödades.

Det verkade i alla fall som om Anjou höll på att bli varm i kläderna.

”Hur går det annars?” sa Thomas. ”Du har verkligen fått en rivstart.”

”Det kan man säga. Men hellre det än att skyffla papper omkring sig. Jag trodde att jag skulle få börja med mindre förseelser och sådant.”

Thomas drog på munnen åt bilden av Anjou omgiven av högar av strafförelägganden.

”Hur trivs du i Stockholm då?” sa han.

”Det är okej. Högre tempo än i Norrland. Men jag gillar storstan, att inte varenda jävel ska lägga näsan i blöt hela tiden.”

Anjou gjorde en min.

”Du vet hur det är i småstäder, skvallret som går runt. Varenda jävel ska tycka till om allting. Den här miljön passar mig mycket bättre.”

Thomas såg på klockan, snart halv tio. Han gäspade.

”Ska vi ge oss för i dag”, sa han och reste sig.

Kapitel 60

Thomas satte sig i Volvon och spände fast säkerhetsbältet. Pernilla hade inte hört av sig men vid det här laget borde Elin ha somnat. Han tog fram mobiltelefonen.

”Hej, det är jag”, sa han när Pernilla svarade. ”Har hon slocknat?”

”Ja. Tack och lov”, sa Pernilla och skrattade lågt för att sedan bli allvarlig. ”Jag undrar om hon har fått en släng av barnkolik, som hon skriker. Vi kanske ska pröva med sådana där droppar som de har på apoteket. Jag tror inte att jag grejar det här särskilt länge till.”

Det dåliga samvetet gav sig åter tillkänna. Han borde vara på Harö och ta hand om sin dotter. Istället tillbringade han tolvtimmarsdagar på kontoret.

”Hur går det för er?” sa Pernilla.

”Så där”, medgav Thomas. ”Men vi är bara i början av utredningen. Det finns hur mycket som helst att ta tag i, så är det alltid.”

”Jag läste om det i tidningarna. Det går inte att undvika att bli berörd, trots att jag aldrig har träffat Johan Ekengreen och hans fru.”

En dörr stängdes i bakgrunden och Thomas hörde ljudet av en båt som puttrade på avstånd. Förmodligen hade Pernilla satt sig vid bryggan, med utsikt över vattnet.

”Är det tungt?”

Pernillas röst var enbart deltagande, det fanns inte ett spår av förebrående för att han var kvar i stan. Thomas älskade henne för det.

”Du vet hur det är”, sa han. ”Tusen saker som måste kollas och få personer som kan göra det. Vi har fått låna några från Ordningen som tar hand om telefontips och bakgrundscheckar och sådant. Men det tar sin tid.”

Thomas passerade Danvikstull och närmade sig Folkungagatan där han skulle svänga av för att komma till lägenheten på Söder. Han fick stanna för rött ljus. Vid båtterminalen på höger sida låg en stor upplyst Finlandsfärja inne.

”Obduktionen är klar”, sa han. ”I dag har vi haft olika genomgångar. Utåt sett ser allt bra ut, ungdomarna är väluppfostrade och har det gott ställt. Men när man skrapar på ytan..."

Trafikljuset växlade till grönt och Thomas svängde av åt vänster.

"Pengar är verkligen inte allt", sa han. "Det är faktiskt deprimerande."

"Vad har du själv inriktat dig på?" sa Pernilla.

"De senaste timmarna har jag kollat upp den dödes bästa kompis som följde med till Sandhamn. Vi försöker förstå vad som hände där ute."

Bilden av Tobbe hade gradvis vuxit fram medan Thomas talat med lärare och andra som kände honom. De flesta beskrev Tobbe som en glad spelevink, alltid redo med en kvick kommentar. En kille som sökte uppmärksamhet och bekräftelse. Många menade att han nog festade för mycket men att han ändå var omtyckt.

"Vart tog du vägen?" sa Pernilla.

Thomas insåg att han förlorat sig i sina funderingar.

"Jag tänkte på ungdomarna."

"Har du fått fram någonting?"

"Det är för tidigt att säga. Vi måste kartlägga alla som var med Victor det sista dygnet, det tar ett tag."

Han hörde Pernilla ge ifrån sig ett litet, sorgset ljud.

"Han var bara sexton, väl", sa hon dröjande. "Det är inte särskilt mycket."

"Nej."

Det blev tyst, Thomas visste att de båda tänkte på Elin.

"Jag ska försöka komma ut i morgon", sa Thomas och avslutade samtalet.

Tankarna återvände till Tobbe.

Han framstod som en vilsen kille, med svag inre kompass att döma av det Thomas hade fått höra. Betygen var hyfsade, men flera lärare sa att Tobbe var pratig, att han hade svårt att sitta stilla och fokusera. Föräldrarnas skilsmässa hade påverkat honom negativt, det var de flesta ense om. Under det sista året i högstadiet hade han blivit ännu mer rastlös.

Eftersom Victor använde droger låg det nära till hands att även Tobbe hade missbrukat.

Hade också han blivit aggressiv av knarket?

Var det två drogpåverkade ungdomar som rykt ihop häromkvällen på stranden?

Kapitel 61

Nora och pojkarna satt framför tv:n i Signes gamla syrum, som omvandlats till tv-rum. De hade krupit ihop i den granna sammetssoffan med färgglada dalabroderier som funnits där så länge Nora kunde minnas. Det var samma möbel som en gång höll på att kväva Signes yngre bror då bäddsoffan slog runt och han fastnade under madrassen.

Historien hade berättats vid många tillfällen och varje gång som Nora satte sig i den tänkte hon på Signe och brodern, det gick inte att låta bli. För säkerhets skull hade hon tagit en hammare och spikat igen mekanismen. Hennes söner skulle inte riskera att strypas under en madrass.

På väggen ovanför soffan hängde en av Signes favorittavlor, en vacker oljemålning av skärgårdsmålaren Axel Sjöberg. Han hade bott på Sandhamn under större delen av sitt liv och stod staty i hamnen framför skärgårdsmuseet.

Klockan närmade sig elva och försommarhimlen hade övergått till mörkblått. Det luktade popcorn i hela huset, Adam älskade popcorn och hade fyllt två hela skålar.

Med Simons huvud i sitt knä och Adam bredvid sig i soffan försökte Nora ta vara på stunden. De sista dygnen hade varit omtumlande, nu ville hon stänga ute omvärlden och enbart vara med sina pojkar.

Jag älskar er så mycket, tänkte hon och smekte Simons kind. Han märkte det knappt, båda killarna var fullkomligt koncentrerade på filmens handling. Adam åt popcorn utan att släppa tv:n med blicken. Några vita korn hade ramlat ner på mattan framför dem.

Nora lät handen vila mot Simons nacke. Han var lite svettig och hon började själv bli varm, men hon tyckte om närheten. Det fick henne att minnas de första småbarnsåren då pojkarna låg som hopkrupna grodor på bröstet när de skulle somna, när de inte ville vara någon annanstans än hos sin mamma.

Långsamt slappnade Noras spända muskler av.

Fotogenlampan på den gråmålade skänken brann med ett varmt gult ljus och några insekter som förirrat sig in i rummet svärmade kring lågan. Fönstret stod på glänt och de tunna spetsgardinerna fladdrade till i den ljumma kvällsbrisen.

Trots att hon försökte koncentrera sig på filmen fanns tankarna på Jonas i bakhuvudet. Han hade inte svarat på hennes sms eller hört av sig på hela dagen.

Hade det varit naivt att tro att allting skulle fungera bara för att de blivit så förälskade i varandra? Kanske hade de gått för fort fram under våren.

Nora kände på sig att omställningen hade blivit för stor för Wilma.

Ebba släckte nattlampan och drog upp täcket till hakan. Hon måste sova nu, men kunde inte sluta tänka på Tobbe, hela tiden undrade hon hur han mådde och vad han gjorde. I går hade hon legat vaken in på småtimmarna utan att kunna somna.

Hon mindes Tobbes busiga leende när han försökte få henne att skratta under tråkiga föredrag i aulan, värmen när de höll varandra i handen på rasterna, känslan av att bara vara de två.

Hon mindes när han sov över hos henne för första gången. Mamma hade varit bortrest och Ebba hade sagt att hon skulle bo hos Felicia. Istället hade hon tagit hem Tobbe och de hade somnat tillsammans i hennes säng.

Hon hade aldrig varit så lycklig som när hon slog upp ögonen på morgonen och han låg bredvid henne med det röda rufsiga håret på kudden.

Finaste Tobbe, tänkte hon.

Det pep till i mobilen på nattduksbordet. Ebba sträckte sig efter den utan att tända lampan. Om mamma märkte att hon messade så här sent skulle hon bli tokig.

Mot alla odds hoppades hon att det var Tobbe som hörde av sig. Men när hon tog upp telefonen var det ett sms från Felicia på Vindalsö.

Ebba skulle vara kvar på Lidingö hela veckan eftersom mammas semester började först om en vecka. Sedan skulle de till Gotland i fjorton dagar.

Ebba läste det korta meddelandet.

”Tobbe ska till polisen i morgon, jag också.”

En klump formade sig i halsen på Ebba. Hon svalde flera gånger.

”Vrfr då?” skrev hon snabbt tillbaka och tryckte på sändknappen.

Svaret kom direkt.

”Vet inte.”

Det gick några sekunder, så pep det igen.
Bokstäverna lyste i halvmörkret.
”Jag såg Tobbe på stranden när Victor dog. Vad ska jag säga till polisen?”

Kapitel 62

En ensam lampa var tänd i biblioteket där Johan Ekengreen satt i en stoppad brun skinnfåtölj. Ljuset spred sig i en svag cirkel, bokhyllorna som täckte väggarna låg i skugga. Cd:n med Jonny Cash hade för länge sedan spelat klart men Johan kunde inte finna orken att resa sig och sätta på en ny. I handen höll han en halvfull konjakskupa, flaskan på bordet var nästan tom.

Ellinor hade landat tidigt på eftermiddagen, blek och förkrossad. När hon fick syn på honom i ankomsthallen började tårarna rinna. Johan bet ihop, han kunde inte börja gråta han också inför alla människor. Han hade redan märkt att flera kände igen honom. Istället spände han käkarna så hårt att rösten blev barsk.

”Ge mig din väska. Bilen är utanför.”

Med snabba steg gick han mot dörrarna för att hinna därifrån innan han förlorade behärskningen. Ellinor fick småspringa bakom honom.

Pontus, hans äldste son, var fortfarande på Ibiza. Han var den ende som inte brutit ihop över beskedet. Bara han fick spela golf och åka skidor var han nöjd, tänkte Johan strävt.

Pontus levde och Victor var död.

Det var meningslöst att tänka så. Orättvist. Men han kunde inte låta bli. Det var inte Pontus som Johan hade hoppats på. Hans äldsta son var glad och charmig, men inte mycket mer. Han var en lättviktare som tog efter sin mamma, det var den bittra sanningen.

I halvmörkret erkände Johan för sig själv hur det låg till. Det var i sin yngste son som han känt igen sig, det var Viktor som skulle ha fört hans begåvning vidare.

Ändå hade Victors förutsättningar varit så väsentligt annorlunda mot hans egna. Johan hade inte fått något gratis. Föräldrarna hade arbetat på bruket för att försörja honom och hans äldre systrar. Under uppväxten led mamman av ständig tandvärk, men pengarna räckte inte till tandläkarbesök. Till sist blev hon tvungen att dra ut alla tänder.

Minnet av lösgommen på nattduksbordet hade inte släppt.

Det stod tidigt klart att Johan hade läshuvud. Trots bristen på pengar hade mamman insisterat på att han skulle gå gymnasiet, inte sluta efter grundskolan som de andra pojkarna i det lilla samhället.

När Johan tog studenten gjorde han det som den första i sin familj.

Han borde minnas den dagen med glädje, tänkte han inte för första gången. Men det enda han kom ihåg var förödmjukelsen, känslan av skam när han stod på skolgården med föräldrarna. Fadern i sin slitna keps och modern med en noppig kofta över en småblommig klänning.

Han hade blivit bjuden på sina klasskamraters studentskivor. Det var ett bittert skämt, att bjuda igen var otänkbart.

Direkt efter skolan gjorde han lumpen som kustjägare. Det hade varit den bästa perioden i hans liv och när han började på universitetet gjorde han det med äkta saknad. Men han hade lätt för att lära, betygen var goda och han märkte så småningom, med en viss förundran, att han var populär bland sina kvinnliga kurskamrater.

Nya världar öppnades.

Som en kameleont anpassade han sig och studerade i smyg de välbärgade vännerna och deras vanor. Hur en man uppvaktade en kvinna, hur en yngre tilltalade en äldre. Allting tog han till sig.

Diskret lade han till några bokstäver i efternamnet för att det skulle få en bättre klang. Ekgren blev Ekengreen. De nya kontakterna ledde till ett bra arbete med vit skjorta och blankputsade skor. Vid trettio tjänade han mer pengar än hans föräldrar hade kunnat drömma om.

Han hälsade sällan på i föräldrahemmet.

Så småningom avancerade han, bytte till ett nytt jobb, och sedan ännu ett. Det första vd-jobbet kom redan i trettioårsåldern. Han blev inbjuden till paneldebatter och intervjuad i affärspressen, efter några år ringde styrelseordföranden för ett stort börsnoterat företag som behövde en koncernchef.

Han tjänade ännu mer pengar utan att känna sig hemma någonstans. Men han dolde det omsorgsfullt, med ett påkostat hus i en fin förort och skräddarsydda kostymer.

Nicoles och Pontus mamma hade varit med på en del av resan. I åratal blundade hon för alla rykten om andra kvinnor. Tills hon fick nog och lämnade honom.

Några år senare träffade han Madeleine på en privat middag. Hon var perfekt, sexton år yngre och från en känd finansfamilj, mamman var av polsk adel. Först föddes Ellinor och inom två år Victor. De var lika blonda och eleganta som sin mor.

Ellinor och Victor.

Greppet om konjakskupan hårdnade.

På spiselkransen ovanför den öppna spisen stod fotografier av barnen. Hans *fyra* barn. Nu levde bara tre. Victor skulle aldrig komma tillbaka. Döden var det enda som var oåterkalleligt.

För första gången i sitt liv kände sig Johan äldre än sina år.

Han tog en stor klunk, det brände till på tungan.

Ovissheten kring Victors död plågade honom mer än han kunnat föreställa sig. Plötsligt förstod han varför anhöriga till dem som gått under i fartygsolyckor kunde kämpa i åratal för att kropparna skulle bärgas.

Behovet att få reda på vad som hade hänt var fysiskt, ovissheten värkte i honom. Det var det enda han tänkt på det senaste dygnet.

Vem hade mördat hans son?

På eftermiddagen hade han ringt polisen för att höra hur utredningen gick men bara fått otillfredsställande svar.

"Vi kommer att höra av oss när vi vet mer", hade Thomas Andreasson sagt.

Det dög inte.

Det knöt sig i magen på Johan vid tanken på de intetsägande orden. Skulle han behöva vänta i veckor, kanske månader, på ett svar?

"Något måste ni väl ha fått reda på", försökte han.

"Vi hör av oss", upprepade polismannen.

Johan kände hur bristen på besked höll på att kväva honom. Frustrationen kröp i kroppen. Han kunde inte bara sitta och vänta.

Häftigt ställde han ifrån sig glaset och reste sig från fåtöljen. Han tog några steg utan att veta vart. Planlöst gick han bort till skrivbordet och blev stående med armarna stödda mot bordsskivan.

Blicken gled över rummet.

I den bortre bokhyllan, på den näst översta hyllan, stod jubileumsboken om de svenska kustjägarna, elitförbandet på Korsö utanför Sandhamn. Johan hade gått ut som trea i sin kurs.

Han hade slitit som ett djur, ryktet om de hårda kustjägarna hade inte varit överdrivet. Men han hade lärt sig att bita ihop och aldrig släppa fokus, lärdomar som hade varit ovärderliga i hans senare karriär. Kårandan hade varit extrem, ingenting kunde bryta den inbördes lojaliteten.

Johan tvekade, så rätade han på ryggen och gick bort till bokhyllan. Han lyfte ner boken och bläddrade tills han kom fram till sin egen årskurs.

De hade varit trettiosex stycken som gick ut det året, i mitten på sextiotalet. Han hade bara regelbunden kontakt med ett fåtal men visste att han när som helst kunde be sina kurskamrater om hjälp, vad det än gällde.

Med boken i handen vred han på huvudet och betraktade fotografiet av Victor.

Sonen log mot honom, det blonda håret lite rufsigt. Den ljusblå skjortan var öppen i halsen och avslöjade konfirmationskorset av silver som de hade gett honom. Det var bara ett år sedan Victor konfirmerades på ett seglarläger i skärgården.

Minnet av Victors orörliga ansikte när han låg på britsen, med blodiga testar i pannan, blev allt starkare.

Det gjorde ont att andas.

Med boken i handen gick Johan tillbaka till skrivbordet och drog ut den översta lådan där den gamla adressboken låg. Fingrarna letade fram telefonnumret av sig själva. Snabbt knappade han in numret på mobilen.

”Det är Johan Ekengreen. Jag behöver din hjälp”, sa han lågt in i luren.

Tisdag

Kapitel 63

Wilma sov fortfarande. Jonas tänkte att det var lika så gott. Han hade låtit henne vara i fred kvällen före precis som Margot rått honom till, men i dag måste de pratas vid.

Ljudlöst stängde han till hennes rum och gick nerför trappan. Med vana rörelser snörde han på sig joggingskorna och gick ut på trappan. Det var ljummet ute fastän klockan bara var åtta på morgonen.

Brandska villan tornade upp sig på Kvarnberget alldeles intill men han undvek att titta på den gula byggnaden och började istället jogga i riktning mot Missionshuset, in i skogen.

Löprundan gick tvärsöver ön, utmed stranden på den södra sidan, hela vägen bort till Trouville och tillbaka via sandfälten. Två varv tog en knapp timme, fyrtiofem minuter om han tog i.

Det var befriande att komma in bland de fridfulla furorna. De höga tallkronorna susade lätt i morgonbrisen, det enda som hördes var hans egna fötter mot den barrtäckta stigen som slingrade sig fram genom blåbärsris och ljungplantor.

Jonas fokuserade på sitt löpsteg. Han andades med jämna andetag och försökte tömma hjärnan på allt annat.

Hela natten hade han vänt och vridit på sig. Just nu ville han ingenting hellre än att låta kroppens stresshormoner ätas upp av löpningen.

Jonas drog upp tempot och svängde av på stigen som ledde ner mot den södra stranden. Den låg mer avskilt än de populära Trouvillestränderna och hade inte lika fin sand. Men den var vackrare.

Det var där han för första gången hade pratat med Nora. Verkligen pratat.

Hon hade tagit en ensam promenad och de hade stött på varandra av en slump. Det var i september, bara ett halvår efter hennes separation.

Den gången hade hon verkat så sorgsen, ögonen ville inte följa munnens leende och vid ett tillfälle hade hon varit nära att börja gråta.

Det hade rört honom, det där mötet på stranden, när hennes mun darrade till. Han hade fått henne att le genom att kasta macka med sten.

De hade slagit följe tillbaka till byn och innan de skildes åt hörde han sig själv fråga om hon ville äta middag med honom. Orden hade överraskat honom, han hade knappt hunnit formulera tanken innan de kom, men blivit orimligt glad när hon tackade ja.

De hade tillbringat en lång, otvungen kväll på Dykarbaren och en vecka senare hade de stött på varandra igen av en slump. Båda hade en barnfri helg och det hade slutat med att de tillbringade natten tillsammans.

Han hade blivit förälskad nästan med detsamma.

En kvinna att leva med, hade han tänkt instinktivt.

För första gången på åratal tyckte han om att vakna tillsammans med någon, istället för att besvärad skynda ifrån sitt nattliga sällskap.

Svetten rann nerför ryggen, Jonas ökade takten. Det var en befrielse att koncentrera sig på ansträngda muskler och lungor som värkte. Det gällde att hitta rätt spår på stranden, inte för högt upp i sanden så att det blev tungt men inte heller så långt ner att vågorna slickade skorna. Snart skulle han vara framme vid Gröna planerna, öns fotbollsplats där ungarna kickat boll i alla år.

En bit bort i vattenbrynet stod två kvinnor i frottémorgonrockar och gjorde sig klara för ett morgondopp, Jonas höjde handen i en hälsning när han sprang förbi.

Två särpräglade hus med torn och stenformationer kom inom synhåll. För att inte störa husägarna sneddade han in i skogen och uppför en liten bergsknalle. Med vilje tog han i allt han kunde, han fick blodsmak i munnen som blandades med salt.

Långt borta skällde en hund och Jonas vek av mot träspången som ledde till den breda vägen mot byn. De enkla brädorna sviktade under hans steg och inom några minuter befann han sig på den långa raksträckan.

Blodet dunkade i ådrorna. Svetten rann ner i ögonen och droppade på tröjan som redan var genomblöt.

Trots att han sprang allt han orkade kom tankarna ikapp.

Måste han tvingas välja mellan sin dotter och relationen till Nora? Var det verkligen så illa?

Kapitel 64

Spaningsroteln satt på våningen ovanför Utredningsroteln i det tegelröda polishuset. Det tog bara några minuter för Margit och Thomas att ta trapporna dit. Under tiden berättade Thomas om gårdagskvällens samtal med Harry Anjou.

När de steg in hade Torbjörn Landin samlat tre kollegor vid ett runt bord i ett mindre konferensrum utan fönster. Han var en storvuxen man med rödbrusig hy, det såg nästan ut som om han hade någon form av rosacea kring näsa och kinder. Handslaget var fast.

”Välkommen”, sa han och pekade på två lediga stolar.

Thomas kände igen ansiktena på de övriga men Landin presenterade samtliga i rummet, två män och en kvinna: Harald Rimér, Kurt Ögren och Emma Hallberg.

”Det här gänget utgör hälften av de civilklädda poliser som befann sig på Sandhamn under midsommarhelgen”, sa Landin. ”De andra har kompledigt, men vi kan höra dem senare om det skulle behövas.”

Thomas hälsade och tog fram sitt anteckningsblock.

”Jag har berättat om er utredning”, sa Landin, ”så alla är informerade. Vad behöver ni få reda på mer specifikt?”

Allting som kan kasta ljus över Victor Ekengreens sista timmar i livet, tänkte Thomas utan att säga något.

Han tog fram ett foto av Victor. Föräldrarna hade lämnat över bilden. Den var tagen utomhus, på sjön. Victor var solbränd och bar en rödrandig flytväst. Han tittade på något bakom kameran.

Thomas fick en plötslig känsla av att Victor var sorgsen. Men kanske kisade han bara mot solen, det var svårt att avgöra.

”Det här är Victor Ekengreen”, sa han. ”Vi undrar om någon av er lade märke till honom under midsommarhelgen?”

Bilden gick runt i rummet men alla skakade på huvudet.

”Han såg bra ut”, sa Emma Hallberg lågt.

”En av våra hypoteser är att Victor hade stämt träff med sin langare på brottsplatsen”, sa Margit. ”Och att det sedan gick snett.”

”Vi funderar på om någon av dem som ni spanade på kan ha varit involverad”, sa Thomas.

”Han hittades i Skärkarlshamn, va?” sa Emma och lade ifrån sig fotografiet.

Thomas och Margit nickade bägge två.

”Det är för långt bort”, sa Emma.

”Hur menar du?” sa Margit.

”Det pågick mycket handel i hamnen. Det känns krystat att en köpare och säljare skulle gå iväg så långt för att göra upp en affär när det bara är att gå runt knuten och klara av det på fem minuter.”

”Emma har en poäng”, sa Landin. ”Det mesta av handeln äger rum på båtarna. Ryktet sprider sig snabbt, det tar inte lång tid för folk att förstå var man kan köpa. Det är inte säljaren som flyttar på sig, det är köparen. Det skulle ta för lång tid om säljarna skulle möta varje kund på ett särskilt ställe.”

”Vi gjorde flera tillslag bland båtarna under helgen”, sa Harald Rimér. Han var helt snaggad och hjässan kraftigt solbränd. ”Det är inte svårt att se var kommersen pågår när man vet vad man ska titta efter.”

Landin drog i fingrarna så att de knakade.

”Till vissa båtar kommer det nya besökare med ungefär en kvarts mellanrum”, sa han. ”De stannar bara i tio minuter. Köparen går ombord, skakar hand och försvinner ner under däck. Efter fem till tio minuter dyker han upp igen och tackar för sig. Efter en stund kommer det en ny klient. Det är då man får på känn att något är på gång.”

De andra hummade instämmande.

”Så varför skulle en langare göra sig besväret att gå bort till Skärkarlshamn när det bara var att vänta på att kunderna dök upp?” sa Thomas högt.

Han tänkte på samtalet med Harry Anjou. Skärkarlshamn var en perfekt plats för narkotikahandel, hade Anjou sagt. Lagom långt bort från hamnen.

”Jag hade fått uppfattningen att Skärskarlshamn kunde vara en bra plats för att göra upp drogaffärer”, sa han.

Emma skakade på huvudet.

”Det är alldeles för krångligt.”

”Säg mig en sak”, sa Kurt Ögren. ”Den döde, hade han några Amsterdamkuvert på sig?”

Thomas kände igen uttrycket. Det vanligaste sättet för att transportera några gram kokain var i ett fyrkantigt papper, litet som en post-it-lapp, som veks på tvärs i en snibb.

”Inte som vi vet”, sa han.

”Hur var det med bollar?” sa Landin.

Gruppchefen syftade på de bollar av plastfolie som användes för att transportera större mängder av drogen. Genom att sätta ihop tummen med pekfingret och vira den tunna plasten runt om skapades en ficka där pulvret kunde hällas ner.

”Nej”, sa Margit. ”Varför frågar du?”

”Jag tänkte bara att om offret hade kvar oöppnade förpackningar hade han knappast behov av att köpa mer.”

Det var inget fel på logiken, tänkte Thomas, men de hade inte hittat någonting runtom Victor förutom ett litet kuvert som gått iväg på analys.

Var drogspåret en återvändsgränd? Borde de släppa tanken på att Ekengreens död hade att göra med knarklangarna på Sandhamn?

Det var för tidigt, Thomas ville veta mer.

”Hur mycket spanade ni på den här Minosevitch under kvällen?” sa han. ”Det var mycket folk i hamnen. Hade ni koll på var han uppehöll sig?”

”Det kan jag svara på”, sa Emma. ”Hans gäng satt på Seglarrestaurangen och smörjde kråset.”

”Är du säker på det?” sa Margit.

”Japp. De hade ett eget långbord i den östra delen. Jag kan inte svära på att alla var där, men nog såg det ut som om hela sällskapet hade samlats, de var åtminstone en tio tolv stycken som åt och drack.” Hon gjorde en liten paus. ”De var inte svåra att upptäcka, om man säger så. De tar upp mycket plats.”

”Kan du säga något om tidpunkten?” sa Thomas.

”Ja, du”, svarade Emma med en axelryckning. ”De var i alla fall där när flaggan togs ner. Jag var uppe en sväng på restaurangen när jag hörde skottet.”

”Klockan nio”, sa Thomas automatiskt. ”Det är då flaggan halas.”

”Då var det vid den tiden.”

Så Minosevitch och hans hantlangare hade ätit middag på östra verandan ungefär samtidigt som Victor Ekengreen slogs ihjäl på stranden. Det räckte med att en enda person inte hade varit med på middagen. Eller att han hade anslutit senare. De visste inte hur många som ingick i gruppen.

Varför hade Victor gått till just Skärkarlshamn? Det var fortfarande en nyckelfråga. Det kunde vara en ren slump, men om det nu inte var det …

Margit tog ordet.

”Låt mig säga så här”, sa hon. ”Är det sannolikt att någon av de här killarna skulle slå ihjäl en tonåring på grund av ett gruff över några gram kokain?”

Hon vände sig direkt till Landin.

”Vad är din uppfattning?”

Landin kliade sig vid näsan där de röda knottrorna bredde ut sig över huden.

”Det låter faktiskt inte särskilt troligt”, sa han. ”De ger sig sällan på småGrabbar.”

Nora gick ner till köket för att göra frukost. Klockan var nästan nio, hon hade vaknat senare än vanligt. Hon var seg och tung i kroppen, hade ingen energi alls.

Pojkarna sov, det skulle säkert dröja innan de vaknade. På tonårsvis kunde Adam sova till lunch om hon inte väckte honom. Simon var ännu morgontidig, men även han hade varit uppe länge i går eftersom filmen slutat först efter midnatt.

Det hade mulnat på, men köket i sydvästläge var ändå ljust. Eftersom huset låg högst upp på Kvarnberget fanns det ingenting som skymde. Från fönstren kunde Nora se nästan ända bort till Stavsnäs, i varje fall inbillade hon sig det.

Borta vid Eknö kom en vit Waxholmsbåt på väg mot Sandhamn, bakom den hade en stor tankbåt börjat gira för att gå väster om ön på väg mot Östersjön.

Noras mobil låg mitt på köksbordet. När hon lyfte upp den såg hon direkt att det fanns ett nytt meddelande. Det måste ha kommit efter att hon hade lagt sig.

Det var från Jonas.

”Wilma mår ganska bra. Tack för att du frågade. Jag hör av mig./J”

Hon blev stående med mobilen i handen och läste orden en gång till.

Han skulle höra av sig. Vad menade han med det?

Det var så konstigt, de bodde mindre än femtio meter ifrån varandra, men komma över och prata med henne gick inte. Hur svårt kunde det vara?

Hon tog telefonen och raderade ilsket meddelandet.

Kapitel 65

Himlen var mulen utanför Thomas rum. Klockan närmade sig nio på tisdagsmorgonen och Felicia Grimstad skulle alldeles strax infinna sig. Thomas såg inte fram emot att träffa hennes arrogante far igen.

Han tog fram sin anteckningsbok och bläddrade i noteringarna från mötet med Landin. De borde tala med resten av gänget från Span som varit på Sandhamn. De skulle vara tillbaka på torsdag morgon hade Landin sagt. Det var ingen brist på saker att ta tag i dessförinnan.

Telefonen ringde. Det var ett internt nummer.

"Hallå."

"Det är Nilsson", sa rättsteknikern.

"God morgon", sa Thomas. "Hur går det?"

"Vi har gjort i ordning det som ska skickas till SKL, men det är en grej som måste ordnas först. Vi hittade en liten gul tygbit intill kroppen, knappt en halv centimeter stor."

"Vad är det med den?"

"Jag undrar om inte tyget kommer från en av ordningspolisernas reflexvästar."

Thomas ställde ifrån sig muggen.

"Jaha?"

"Förmodligen är det någon av de uniformerade kollegorna som fastnat i en gren, men det innebär att vi måste samla in alla deras västar så att vi kan utesluta lappen från analysen. Jag vill inte skicka iväg ett prov i onödan, som du säkert förstår."

"Jag tar hand om det", sa Thomas. "Jag ber Anjou ordna det så snart som möjligt, han kom precis därifrån."

"Det låter bra", avslutade Nilsson. "Vi hörs."

Thomas reste sig och gick bort till Harry Anjous rum. Han satt framför datorn och förde koncentrerat musen fram och tillbaka medan han klickade sig igenom någonting.

En halvfull kaffemugg stod intill flera urdruckna där bottenskylan stelnat, en dosa grovsnus låg bredvid.

”Kan du hjälpa mig med en grej? sa Thomas.

”Visst”, sa Anjou och såg upp.

”Nilsson vill ha in alla reflexvästar från insatsen på Sandhamn. Kan du fixa det med en gång?”

”Varför då?”

”Han har hittat en gul tygbit på brottsplatsen som behöver uteslutas från bevismaterialet. Den kommer förmodligen från någon av kollegorna på Ordningen som var där när Victor hittades.”

”Jag ordnar det”, sa Anjou och lade ifrån sig musen.

Den hamnade så olyckligt att den knuffade ner snusdosan från bordet. Mörkbrunt snus spreds över hela golvet.

”Skit också.”

Thomas försökte undvika att le åt eländet, han räddades av att telefonen ringde inne hos honom.

”Jag måste gå.”

”Jag tar hand om västarna”, sa Anjou utan att se upp medan han försökte sopa ihop det värsta med skospetsen.

Samtalet gällde Felicia Grimstad. Hon var på plats och Thomas stack in huvudet hos Margit.

”Ska vi köra? Felicia är i receptionen. Karin hämtar upp henne.”

När Thomas och Margit öppnade dörren till förhörsrummet satt Felicia Grimstad hopsjunken på en stol. Håret var hopfäst i en hästsvans och hon bar en kort kjol med en bomullstopp prydligt nerstoppad i linningen.

Den här gången var tack och lov enbart mamman med. Jeanette Grimstad hälsade vänligt på de båda poliserna.

Felicia kastade en hålögd blick på Thomas och Margit.

”Har ni hittat han som mördade Victor?” sa hon lågt.

”Vi har mycket kvar i utredningen än”, svarade Thomas. ”Men det är just därför vi har bett dig komma hit.”

”Hur känner du dig?” sa Margit.

”Inte så bra.”

Jeanette Grimstad strök över sin dotters kind med baksidan av handen.

”Lilla vännen”, sa hon ömt.

”Har du kunnat vila något?” frågade Thomas.

Felicia skakade på huvudet.

”Lite grann, men det är svårt att somna.”

Thomas ville gå varsamt fram. Det var ingen idé att jaga upp flickan från början.

”Vi vill prata lite mer med dig om vad som hände den sista kvällen då du var tillsammans med Victor”, sa han.

”Innan han dog”, sa hon sakta.

”Just det.”

Felicia knäppte händerna i knäet.

”Vi undrar om det fanns fler som befann sig på stranden som kan ha lagt märke till något”, sa Margit. ”Kommer du ihåg hur det såg ut omkring er när du var där tillsammans med Victor? Var det andra ungdomar i närheten, eller kanske tältare? Alla detaljer är viktiga, vi har haft svårt att hitta vittnen, förstår du.”

Jeanette Grimstad lade armen över dotterns axlar.

”Försök tänka efter, älskling”, sa hon.

Thomas var tacksam för hennes lugn. Saken hade inte blivit bättre om de också hade fått tampas med Jochen Grimstads snarstuckenhet.

”Jag vet inget mer”, sa Felicia. ”Ni har ju redan frågat om allt det där.”

”Vi tar det ett steg i taget”, sa Margit. ”När du kom till Skärkarlshamn, var det någon annan i närheten då?”

Felicia tuggade på underläppen och funderade några sekunder.

”Jag tror att det satt ett gäng där i början”, sa Felicia.

”I början av stranden menar du?”

”Ja.”

”Var då någonstans?”

”Bredvid ett stort hus med ett långt staket. Gult. Inte så nära där vi var.”

På den norra delen av stranden alltså, tänkte Thomas, några hundra meter därifrån. Precis så långt man kunde komma ifrån brottsplatsen.

Han hade hoppats på ett annat svar.

”Men du kände inte igen dem?” fortsatte Margit.

”Nej.”

”Skulle du göra det om du träffade dem nu?”

”Jag tror inte det.”

Margit försökte med en annan infallsvinkel.

”Du har berättat för oss att du och Victor stannade till och satte er vid ett stort träd, samma plats där din pojkväns kropp senare hittades.”

Felicia ryckte till när hon hörde ordet ”kropp”. Hon svalde påtagligt och sa med liten röst: ”Ja.”

”Hur länge tror du att ni var kvar där, innan du slocknade?”

”Jag vet inte. En stund.”

”Har du ingen uppfattning alls om tiden?” sa Thomas. ”Det är ganska viktigt för oss att få reda på det.”

”Nej.”

”Var det en timme eller trettio minuter? Var det längre?”

”Jag vet inte.”

Hur långt är ett snöre, tänkte Thomas. Hon hade ingen aning om hur länge hon befunnit sig på platsen. Det gjorde knappast saken bättre att hon varit både onykter och uppriven.

Rättsläkaren hade gett dem en ram på några timmar, närmare än så gick det inte att bestämma tidpunkten för dödsfallet. De behövde snäva in den eller, ännu hellre, få ett klockslag.

Thomas log lugnande mot Jeanette Grimstad som verkade vara på vippen att lägga sig i.

”Det här är inte så lätt. Men vi måste ställa vissa frågor till din dotter.”

”Jag förstår det”, sa Jeanette Grimstad och vände sig mot Felicia. ”Polisen gör bara sitt jobb. Vi är säkert snart klara.”

Frågan om droger låg på tungan. Thomas anade att mamman skulle reagera med bestörtning. Men det var ingen idé att skjuta upp det.

”Vi behöver prata om en annan sak”, sa Thomas. ”Vi har förstått att ni drack alkohol i båten, vodka som ni blandade med läsk om jag minns rätt.”

Han fäste blicken på Felicias ansikte.

”Vi har anledning att tro att det förekom droger också.”

Jeanette Grimstad ryckte till och Felicia slog handen för munnen.

”Droger?” sa Jeanette.

Margit såg oavvänt på Felicia.

”Den rättsmedicinska undersökningen visar att din pojkvän hade använt kokain samma kväll som han dog”, sa hon. ”Kände du till det?”

Felicias mun darrade till.

”Kände du till det?” sa Margit igen.

”Ja.”

Svaret var så lågt att det knappt hördes.

”Kan du upprepa ditt svar in i bandspelaren?”

”Ja”, sa Felicia med sänkt huvud.

”Du måste svara sanningsenligt nu”, fortsatte Margit. ”Hände det att du också använde kokain? Tog du det till exempel på midsommardagen?”

”Ja”, viskade Felicia utan att se på sin mamma.

Jeanette Grimstad andades in så häftigt att hon började hosta. Hon satte handen för munnen och vände sig bort, det lät som om hostan övergick i en snyftning men det gick inte att avgöra säkert.

Thomas väntade några sekunder.

”Hur länge hade ni hållit på med droger”, sa han till Felicia. ”Vad fick dig att börja med det?”

Felicia

Det var första gången de skulle på fest efter jullovet, temperaturen hade sjunkit till minus tio och det låg snö på marken. När de gick från bussen var det iskallt, Felicia frös om fötterna trots sina fodrade Uggboots.

Det var party hemma hos Filip och de hade sällskap av Ebba och Tobbe. Klockan närmade sig elva och musiken hördes i hela huset. Folk dansade maniskt i både vardagsrummet och matsalen där ett stort bord hade skjutits mot väggen.

De slängde ytterkläderna i tamburen. Felicia ville gå in och börja festa, men Victor var rastlös. Han verkade leta efter något och svarade knappt när Felicia försökte prata med honom.

Han var fortfarande solbränd efter familjens julsemester i Mexiko, solen hade tagit bra där borta.

”Ska vi dansa, sa jag?”

Felicia knuffade Victor i sidan och rättade till sin svarta klänning. Hon hade fått den i julklapp, den var skitdyr men Victor hade inte sagt något om den.

”Inte nu”, sa han och tittade sig omkring.

”Varför inte då?”

”Jag måste göra en grej först.”

”Vad är det?”

”Det spelar väl ingen roll. Jag kommer sedan.”

Felicia gjorde en butter min så att han märkte det.

”Jag vill ju vara med dig.”

Hon slickade sig om läpparna som glänste rosa och försökte fånga hans intresse.

Det glimtade till i Victors ögon, men hon förstod inte varför. Så ryckte han på axlarna och strök bak håret. Det hade vuxit och räckte ner i nacken. Felicia gillade den nya längden, det var coolt när han föste det bakom öronen.

”Okej då”, sa han. ”Häng med.”

Till höger om vardagsrummet låg ett mindre rum som användes som bibliotek. Väggarna var täckta med bokhyllor och två fåtöljer i grönt skinn stod framme vid fönstret.

Victor gick före in i rummet med Felicia efter. Han stängde dörren noga bakom dem och satte sig i en av fåtöljerna. Sedan såg han på henne, vägde henne med blicken.

Utan att säga någonting tog han fram en fickspegel och ett tunt kuvert ur bakfickan.

Felicia hade anat vad han och Tobbe ägnat sig åt när de gick undan då och då på fester. Varje gång kom de tillbaka med glansiga ögon och ny spänst i stegen. Plötsligt var de på strålande humör. Men Victor hade aldrig öppet visat vad han höll på med.

Försiktigt hällde Victor ut ett vitt pulver på spegeln och formade en smal lina. Sedan lutade han sig över bordet och drog in den med en kontrollerad rörelse.

Kroppen svarade snabbt på drogen. Victor drog Felicia intill sig och gav henne en hetsig kyss.

När han släppte henne pekade han på kuvertet med kokain på bordet.

”Det räcker till dig också. Vill du ha?”

Felicia slets mellan sin nyfikenhet och föräldrarnas förmaningar som ekade någonstans i bakhuvudet.

Victor kramade hennes bröst genom den tunna klänningen och kysste henne igen. Sedan log han överlägset, snuddade vid ena näsborren och sköt fram fickspegeln mot henne.

”Ska du inte testa?”

Felicia tvekade, och flyttade kroppsvikten i fåtöljen.

”Kom igen nu”, sa Victor. ”Det var du som ville hänga på.”

”Okej då”, mumlade hon.

Med vana rörelser gjorde han i ordning en ny lina.

”Är det säkert att det inte är farligt?”

Felicia hade tyckt att det verkade spännande men nu kände hon sig tveksam.

”Krångla inte nu. Jag mår ju bra. Jävligt bra till och med.”

Han drog henne intill sig igen och kysste henne hungrigt. Felicia smälte. Hon slutade göra invändningar, böjde på huvudet och sträckte fram ansiktet mot bordet. Med pekfingret tryckte hon mot den högra sidan av näsan precis som Victor gjort och andades in genom den andra näsborren. Nästippen var så nära fickspegeln att den nästan snuddade vid glaset.

En ny känsla spred sig i kroppen. Allt var bra igen. Det var inte ett dugg otäckt, hon förstod inte alls varför hon tvekat tidigare.

Victor betraktade henne förväntansfullt och hon glittrade mot honom.

Kapitel 66

Felicia undvek att se på sin mamma som satt med händerna hårt knutna i knäet.

"Hur ofta använde ni kokain?" sa Margit efter en stunds tystnad.

Thomas såg hur frågan fick Jeanette Grimstad att rycka till. Margit gick ofta rakt på sak.

"Alltså … Det var olika. Mest på fester." Felicia hängde med huvudet. "Victor och Tobbe gjorde det mycket mer än jag. Det är säkert."

"Och Ebba?" frågade Thomas.

"Hon ville inte. Hon och Tobbe tjafsade om det innan det tog slut."

"Hur hade ni råd?" undrade Margit. "Det är inte särskilt billigt, sju- eller åttahundra kronor grammet brukar det kosta, ibland mer."

Felicia sjönk ihop ännu mer, håret föll fram och skuggade ögonen. Lågt sa hon:

"Victor tog matpengarna han fick av sina föräldrar. De var borta så himla mycket och han brukade säga att han köpte pizza till hela gänget. Jag tror att Tobbe fick extra av sin pappa på något sätt."

"Räckte verkligen det?" sa Margit långsamt.

Flickan tvekade.

"Ibland tog Victor pengar … från sina föräldrar."

"Han stal alltså?"

"Ja", viskade Felicia.

"Har du också gjort det?" sa Thomas.

Nu flyttade sig Felicia en liten bit på stolen, som om hon sökte sig bort från mamman.

"Ja", mumlade hon. "Några gånger."

Jeanette Grimstad pressade samman läpparna. Hon tittade förfärat på sin dotter.

"Tog du pengar … från min plånbok …?"

Felicia försökte inte säga något till sitt försvar. En tår rann utmed kinden och droppade från hakan.

”Använde ni något annat än kokain?” sa Thomas efter en liten stund. ”Förutom alkohol.”

Hon slog ner blicken.

”Vad var det för någonting?” sa Margit.

Tonfallet var vänligare nu, som om hon uppfattat att Felicia befann sig på bristningsgränsen.

”Jag vet inte riktigt.”

Rösten var så låg att det var en ansträngning att uppfatta orden.

”Victor snodde medicin från sin mamma några gånger. Och ibland köpte han tabletter, men jag vet inte riktigt vad det var för något.”

Margit tog tillbringaren med vatten och fyllde ett glas åt Felicia. Hon svajade praktiskt taget där hon satt.

”Drick lite”, uppmanade hon. ”Du är grön i ansiktet.”

Thomas väntade medan Felicia fick i sig några klunkar. När hon ställt ifrån sig glaset sa han:

”Vem köpte han drogerna av?”

”Från början var det en jobbarkompis till Christoffer. Tobbe kände honom och han brukade fixa grejer. Jag tror att Victor ville vara säker, han tänkte inte riskera att någon lurade honom. Men sedan hittade han en annan som han började köpa från.”

”Var du med då?” sa Margit.

”Inte direkt.”

”Hur menar du?”

”Jag brukade vänta en bit därifrån.”

”Men du såg när affärerna gjordes upp?” sa Thomas. ”Hur gick det till?”

Felicia blinkade några gånger.

”Victor skickade ett sms. Sedan kom det en kille efter skolan, i en svart bil. Victor gav honom pengarna genom fönstret och fick det han beställt. Det gick jättefort.”

”Kände Christoffer till vad som pågick?”

Hon höll upp bägge händerna framför sig.

”Jag tror inte att han fattade någonting. Ärligt. Han håller inte på med sådant, han gillar inte droger.”

”Visste du vad din pojkvän skaffade till midsommar?” sa Margit.

”Nej, jag var inte med den gången. Och jag frågade inte.”

”Hur kom det sig?”

Felicia började riva på en sårskorpa på armbågen.

”Det hade varit jobbigt mellan oss”, svarade hon efter ett tag. ”Dessutom var han sur för att Ebba skulle följa med, men jag kunde ju inte åka annars.”

Lite blod sipprade fram när det gick hål på huden.

”Jag tänkte att han skulle bli … snäll igen”, sa hon. ”När vi kom till Sandhamn. Att det skulle bli bra mellan oss.”

Margit lutade sig fram över bordet.

”Varför var det jobbigt?”

”Han festade så mycket. Han slog över ibland … Vi bråkade en hel del.”

Jeanette Grimstad, som suttit som i en dvala, for plötsligt ut mot sin dotter:

”Varför sa du inte bara nej? Hur kunde du låta Victor övertala dig att använda droger? Vi har ju pratat om det. Du lovade mig att aldrig hålla på med sådant där.”

Felicias ansikte skrynklades ihop.

”Jag älskade honom”, hulkade hon. ”Jag var rädd att han skulle dumpa mig.”

”Menar du att han skulle ha gjort slut om ni inte tog droger tillsammans?” sa Margit misstroget.

Förtvivlat nickade Felicia mot henne.

”Han kunde bli sur för ingenting. Ibland var han världens snällaste men ibland var han bara taskig. Han sa elaka saker, att jag var dum i huvudet och så.”

För första gången sedan förhöret började vände Felicia sig direkt till sin mamma.

”Tobbe dumpade Ebba när hon inte ville pröva. Tänk om Victor hade gjort likadant?”

Felicia lade ner båda armarna på bordet och snyftade med huvudet gömt i dem. Jeanette Grimstad drog med handen över håret som om hon inte förstod hur hon skulle få rätsida på det hon nyss hört.

”Nu får vi sluta”, sa hon. ”Det här går inte längre.”

”Vi är snart färdiga”, försökte Margit. ”Vi har bara några frågor kvar. Det är viktigt att vi får göra klart det här.”

Luften gick ur Jeanette. Hon sjönk ihop mot stolsryggen utan att säga något mer.

Mor och dotter liknade varandra, tänkte Thomas, men Jeanette var fylligare och några grå strån skymtade i det blonda. Den djupa rynkan i pannan skvallrade om djupt obehag.

”Vill du inte snyta dig?” sa Margit till Felicia och hämtade en ask med pappersnäsdukar som hon sköt fram till henne.

Men Felicia lyfte inte blicken.

”Felicia”, sa Thomas. ”Jag har en fråga som det är väldigt viktigt att du besvarar sanningsenligt.”

Han kunde nästan se hur hon hukade sig bakom bordet.

”Var det någon annan på stranden som du och Victor kände?” sa han.

Felicia vred på huvudet, bort mot det öppna fönstret. Eftermiddagens regndroppar hade inte gjort mycket för att lätta upp den kvalmiga luften. Det låg åska i luften.

Hon är på sin vakt, tänkte Thomas. Hon vet någonting mer som hon inte vill tala om för oss. Skyddar hon någon?

”När Victor förlorade humöret och började skrika åt dig på stranden, kom det ingen och försökte hjälpa dig då?” sa Thomas.

”Vi undrar om du kanske ringde Ebba eller Tobbe”, sa Margit, ”och bad någon av dem komma dit?”

En kraftig huvudskakning.

”Nej”, sa Felicia.

Rösten var starkare.

”Jag ringde inte till någon. Det är säkert.”

Margit fortsatte.

”Skickade du något sms till dina kompisar?”

”Nej”, sa hon. ”Jag lovar. Jag gjorde inte det.”

Den skiftande uppsynen tog Thomas med överraskning. Ena minuten verkade Felicia vilsen, rent bortkommen. I nästa sekund stod hon på sig.

Så förstod han.

Margits fråga var ställd så att Felicia kunde neka utan att ljuga. Hon hade inte ringt eller skickat något sms. Men inte desto mindre hade hon sett någon på stranden samma kväll. Det var det hon inte ville avslöja.

Thomas betraktade henne forskande tills hon tog en ny näsduk och snöt sig igen, som för att slippa säga något mer.

Sedan sa han: ”Visst var det så att du träffade någon på stranden strax innan Victor dödades?”

”Nej”, viskade hon med nerböjt huvud och pappersnäsduken framför munnen. ”Nej, så var det inte.”

”Hur var det då?”

Felicias ögon blev blanka igen.
”Berätta nu”, sa Thomas i låg ton, för att inte skrämma henne.
”Jag såg honom.”
”Vem då?”
”Tobbe.”
En tår släppte från franskanten.
”Jag kände igen hans hår.”
”Felicia.”
Margit lät enträgen, som om hon med sitt tonfall kunde få henne att förstå hur viktigt det var att hon svarade ärligt.
”Försökte Tobbe hjälpa dig när du bråkade med Victor?”
”Jag vet inte”, sa hon och kurade ihop sig. ”Jag vet inte, jag kommer inte ihåg mer, jag har ju redan sagt det.”
”Kan du inte se på mig”, sa Margit till Felicia som dröjande mötte hennes blick. ”När du mådde dåligt och Victor tappade besinningen. Var Tobbe där då?”
”Jag minns inte.”
Det verkade som om Jeanette Grimstad försökte tvinga sig att inte blanda sig i samtalet, hon pressade ena knogen mot munnen.
Anade du verkligen ingenting? tänkte Thomas. Är det möjligt att veta så lite om sitt eget barn?
Han lovade sig själv att det aldrig skulle ske med Elin.
”Vi tror”, sa Thomas och uttalade orden sakta så att de skulle sjunka in hos Felicia, ”att Victor var så påverkad att han blev som förbytt.”
Han gjorde en kort paus innan han fortsatte.
”Vi tror att Tobbe försökte hjälpa dig och kom i slagsmål med Victor. Vi tror att bråket slutade med att Tobias Hökström slog ihjäl din pojkvän. Kan det inte ha gått till på det viset?”
”Jag kommer inte ihåg”, sa Felicia och började snyfta förtvivlat igen. ”Jag har ju sagt det! Jag *vet* inte.”

Kapitel 67

Felicia följde efter sin mamma ut från polisstationen och fram till den vita Audin som stod parkerad på gatan. Jeanette lade handen på bildörren och öppnade. Hon hade inte sagt ett ord sedan de lämnade förhörsrummet.

”Mamma, förlåt”, sa Felicia så fort de satt sig i bilen.

Sätet var varmt och de bara benen klibbade med en gång mot lädersitsen. Säkerhetsbältet krånglade under hennes svettiga fingrar men till slut fick hon in metallbrickan i låset så att det klickade till.

Det verkade inte som om mamman hörde henne.

Jeanette vred om bilnyckeln. Motorn gick igång och hon lade i en växel. Men istället för att köra sin väg blev hon sittande, med handen på ratten.

Felicia sneglade på Jeanette, skulle de inte åka hem?

Mamman stirrade tomt framför sig.

Det var nästan inga andra bilar på gatan. Några meter bort stod en grå parkeringsautomat. Felicia lade märkte till en död fluga som fastnat mellan vindrutetorkaren och glaset.

Det gick flera minuter. Felicia tittade förstulet på Jeanette, hon vågade inte säga något.

”Hur kunde du?”

Felicia hade aldrig hört sin mamma låta så besviken och sårad.

”Förlåt”, sa Felicia igen. ”Jag är så ledsen. Jag är så himla ledsen för allting.”

Jeanette strök sig över pannan. Den var blank i värmen.

”Det här trodde jag aldrig om dig. Pappa och jag som har litat på att du kunde sköta dig. Vi har visat dig förtroende. Du har ljugit för oss, använt droger och tagit pengar från mig…”

Rösten dog ut.

Felicia knöt händerna inför sin mammas bedövade ansikte, den stora sorgen.

Jag önskar att jag var död, tänkte hon vilt, precis som Victor. Det hade varit bättre om jag också dött. Det kommer aldrig att bli bra igen.

Hon svalde.

”Tänker du berätta för pappa?”

Felicia hörde själv hur bedjande hon lät men kunde inte låta bli. Rädslan för pappans reaktion satt som en klump i magen. Han kunde bli så arg.

Jeanette ruskade på sig, som för att vakna till. Hon lyfte händerna och pressade fingrarna mot tinningarna.

”Jag måste smälta det här”, sa hon halvhögt, utan att besvara Felicias fråga. ”Jag måste försöka förstå vad det är som har hänt.”

Utan förvarning dunkade hon med knytnäven i instrumentpanelen, så kraftigt att Felicia hoppade till.

”Har du berättat allting nu? Kan du lova mig att det inte finns någonting mer som jag borde veta?”

Hon grep tag i dotterns axel, det gjorde ont men Felicia var för chockad för att säga något. Det var hennes pappa som brukade brusa upp, inte mamma. Jeanette var den som gick emellan när fadern tappade humöret. Hon höjde nästan aldrig rösten.

”Mamma, snälla.”

Jeanette släppte Felicia men stirrade fortfarande på henne som om hon var en främling. Munnen var som ett streck.

Så böjde hon sig fram och stängde av motorn. Hon kramade bilnycklarna i handen.

”Berätta för mig om den sista gången du var med Victor”, sa hon. ”Jag vill veta precis vad som hände den kvällen. Inga fler lögner nu, Felicia.”

Felicia

De låg i sanden, i skydd av trädet. Victor var fortfarande arg. Felicia började smeka honom över magen och ner mot pungen. Det brukade vara ett bra sätt att få honom på gott humör.

Hon försökte skjuta bort känslan att hon uppförde sig billigt.

Just som hon drog ner blixtlåset i hans shorts sköt Victor bort hennes hand och satte sig upp.

”Vill du inte?” sa hon förvirrat.

”Vi ska bara göra det lite mer spännande”, log han.

Ur fickan på shortsen drog han fram ett litet kuvert. Felicia skruvade på sig, Victor var redan så oberäknelig, om han tänkte dra en lina nu var risken stor för att han skulle förlora humöret igen.

”Måste du?” sa hon försiktigt.

Victors ögon smalnade.

”Vad då?”

Felicia backade.

”Jag tyckte bara att vi har det mysigt ändå. Vi behöver inte ta något mer ...”

”Jag har fått lite nya grejer.”

Han stjälpte ut två tabletter i sin öppna handflata och blinkade åt henne.

”En till dig och en till mig.”

”Vad är det för något?”

”Det börjar på e”, log han.

Felicia hade inte använt ecstasy förut men vågade inte protestera.

Lydigt tog hon ett av pillren och sköljde ner det med vodka från fickpluntan som Victor hade med sig. Det var läskigt att svälja tabletten, men hon gjorde det ändå, för hans skull.

Efter ett tag började hon må rätt bra, kvällsljuset var så vackert, hon låg och nynnade på en sång. Victor ville ha sex igen, men det gick inte, han fick inte upp den.

Först blev hon orolig att han skulle bli arg, men han verkade inte bry sig. De halvlåg bredvid varandra och kollade på himlen.

Hon var tvungen att gå och kissa bakom trädet och det var då hon såg Tobbe på stranden. Men han var en bit bort och hon var så slö att hon inte orkade ropa på honom, hon sa inte ens till Victor att han var där.

Efter ett tag började hon må dåligt, den sköna känslan försvann och hon fick kväljningar. Händerna darrade och hon kände sig konstig i kroppen.

Illamåendet ökade och plötsligt blev hon tvungen att kräkas.

Det kom lite på Victor när hon spydde. Han hade också börjat tända av och blev rasande. Han skrek och svor och Felicia kröp ihop, räddare än hon någonsin hade varit tillsammans med honom.

Någon närmade sig, hon mindes en skugga bakom Victor.

Sedan försvann allting.

Kapitel 68

Mannen som följde med Tobias Hökström till förhöret var klädd i en blå kostym med vit skjorta. Den ljusblå slipsen hade mörkare smala ränder.

Han presenterade sig som Arthur Hökström, far till Tobias. Handslaget var fast, Thomas insåg att det här också var en man som var van att få som han ville, precis som Felicias pappa.

”Jag arbetar som advokat”, sa han. ”Jag är delägare i Zetterlings Advokatbyrå, ni kanske har hört talas om den.”

”Sysslar du med brottmål?” sa Margit.

”Nej, inte alls. Jag ägnar mig åt affärsrätt. Främst företagsförvärv och den sortens transaktioner.”

Han uttalade sig som om det var en självklarhet. Affärsrätt låg betydligt högre upp på skalan än simpla brottmål, visste Thomas. Det var också mycket mer lukrativt.

Thomas hade träffat hans sort tidigare. Styva advokater som inte sysslat med brottmål sedan de läste straffrätt på universitetet. Ändå ansåg de sig ha kunskaper överlägsna snutarna som höll i förhöret.

”Slå er ner”, sa Margit och pekade mot två stolar på andra sidan bordet i det vitmålade rummet.

Hon böjde sig mot bandspelaren och läste snabbt in de obligatoriska uppgifterna.

Arthur Hökström tog fram sin telefon och lade den framför sig.

”Är du snäll och lägger undan den där”, sa Margit.

”Hurså?”

Han höjde på ögonbrynen men stoppade ner mobilen i fickan igen.

Margit vände sig till hans son som satt hopsjunken och klappade honom på handen.

”Hur känner du dig, Tobias?” sa hon.

”Säg Tobbe”, mumlade han. ”Det gör alla andra.”

Han var påfallande blek, med blååktiga skuggor under ögonen.

”Du ser inte så pigg ut”, sa Margit. ”Har du fått sova något de senaste dagarna?”

”Inte så mycket.”

Tobbe ruskade på sig. Jeansen var nedhasade över höfterna och såg ut att vara ett par nummer för stora. Kalsongerna stack upp ovanför linningen och den vita t-shirten hängde på kroppen.

”Jag har haft mardrömmar”, sa han.

”Vad har du drömt för något?”

Han satte sig längre ut på stolssitsen.

”Om Victor. Hur han dog och så. Om det gjorde ont när han …”

Rösten dog ut. Han försökte igen.

”Alltså, när han …”

Det gick inte.

”Finns det något särskilt skäl till att du drömmer på det sättet?” sa Margit och höll blicken fäst vid hans ansikte. ”Finns det någonting som du skulle vilja berätta för oss?”

Munnen rörde sig på Tobias Hökström när han försökte forma ord som inte ville komma. Han plockade med fingrarna i knäet.

”Du kanske skulle känna dig bättre om du pratar med oss om det som hände”, fortsatte hon. ”Ibland är det skönt att få lätta sitt hjärta.”

Utan att säga något mer vred pojken på huvudet i faderns riktning. Men innan han kunde svara grep Arthur Hökström in.

”Vart leder egentligen de här frågorna?”

Margit satte sig rakare på stolen.

”En ung man har blivit mördad för två dygn sedan”, sa hon. ”Vi behöver prata med din son om den saken.”

Hon vände sig mot Tobbe igen.

”Ville du säga något?”

Ögonblicket var förbi.

”Nej, inget speciellt”, sa han.

Utan att låtsas om fadern vände sig Thomas direkt till tonåringen.

”Vi vill tala med dig om var du befann dig i lördags, mellan halv nio på kvällen och klockan två på natten.”

Tobbe såg blank ut.

”Jag var på den där båten med min brorsa. Det har jag ju redan sagt till er.”

”Har du någon som kan intyga det?”

”Min brorsa, och en tjej som heter Tessan. Vi var där tillsammans.”

Thomas sa, med eftertryck: ”Vi har talat med både din bror och Therese Almblad och de påstår att du inte alls var där då. Faktum är att Therese säger att du gick iland för att gå på toaletten vid halvniotiden och sedan kom du inte tillbaka. Hon uppger att hon inte har sett dig efter den tidpunkten.”

Tobbes axlar sjönk.

”Har Tessan sagt det?”

”Ja.”

”Han var med sin bror”, avbröt Arthur Hökström. ”Det är redan etablerat.”

”Det var han inte”, sa Margit direkt. ”Din äldste son kan inte bekräfta det. Christoffer tillbringade natten med en studiekamrat som heter Sara och han har ingen aning om var hans lillebror befann sig under de här timmarna.”

”Då minns han fel”, sa Arthur Hökström utan att staka sig.

”Det är möjligt”, sa Thomas, ”men knappast troligt. Jag har svårt att tro att din äldre son ljög oss rätt upp i ansiktet. Men du kanske menar att han kommer att ändra sin historia nu. I så fall innebär det att han tidigare har farit med osanning.”

Det verkade först som om Arthur Hökström tänkte protestera, men sedan lade han armarna i kors framför sig och knep ihop munnen.

Thomas undrade hur han skulle ta emot informationen att hans son använde droger. Hade han i likhet med Jeanette Grimstad varit helt ovetande om ungdomarnas missbruk?

”Kan vi fortsätta?” sa Thomas.

Advokaten nickade stumt.

”Då så, Tobbe”, sa Thomas. ”Vi har fått reda på att både du och dina kamrater har använt droger det senaste året. Kokain till exempel, men även annat.”

Arthur Hökström vände sig bestört mot sin son.

”Vad i helvete har ni hållit på med?” sa han till Tobbe som kröp ihop på stolen. ”Har ni knarkat?”

”Det ser så ut, tyvärr”, sa Thomas och hoppades att pappan inte skulle lägga sig i mer.

Han vände sig direkt till pojken.

”Vi vet att du och Victor var både berusade och drogpåverkade på midsommardagen. Vi vet också att du var på stranden den kvällen då Victor dödades.”

Tobbe skakade hjälplöst på huvudet.

”Vi tror att något gick över styr i Skärkarlshamn som ledde till att din vän dog. Kanske försökte du hjälpa Felicia när Victor tappade besinningen. Ni två hamnade i ett bråk som slutade med att du slog till honom med en sten.”

”Överilat”, lade Margit till. ”Inte med avsikt.”

Tobbe såg med fasa på Thomas och Margit.

”Pappa”, kved han.

Arthur Hökström grep om bordskanten.

”Ni kan inte mena allvar?” utbrast han.

”Är det inte lika bra att du berättar för oss hur det gick till?” sa Margit till Tobbe. ”Det kommer att kännas bättre sedan, det gör det alltid.”

”Jag gick för att leta efter Ebba”, utbrast Tobbe hest. ”Det är säkert. Jag har inte gjort Victor något. Jag lovar.”

Han vände sig mot fadern.

”Jag lovar, pappa, jag har inte gjort någonting. Det var inte jag.”

”Nu räcker det”, sa Arthur Hökström. ”Nu svarar du inte på en enda fråga till.”

Han reste sig så abrupt att stolen välte bakom honom.

”Det här är bara dumheter. Min son har inte gjort sig skyldig till någonting brottsligt. Nu avslutar vi det här förhöret och går härifrån.”

”Sätt dig ner!” sa Thomas.

Arthur Hökström föreföll överraskad av Thomas skarpa ton.

”Tänk efter nu”, sa Thomas mjukare. ”Det är bättre för alla parter att vi får reda ut det här. Vi har begärt en masttömning på Sandhamn. Det innebär att vi kommer att se alla in- och utgående samtal och sms på ön, inklusive sådana som förekommer på din sons mobiltelefon.”

Arthur Hökström stod kvar utan att röra sig.

”Jag kan försäkra dig”, sa Thomas till advokaten, ”att om Tobias inte har med saken att göra så kommer det att visa sig. Men för allas skull behöver vi klara upp det här så snart som möjligt. Det blir inte bättre av att dra ut på saken så att vi måste hålla nya förhör med din son.”

”Vi är snart klara”, lade Margit till. ”Men det är verkligen viktigt att vi får fram sanningen om vad som hände den där kvällen. Det bör väl du som rättskunnig ha förståelse för.”

Orden tycktes ha fastnat i halsen på Arthur Hökström.

Thomas anade en spricka i fasaden. Den erfarne affärsjuristen borde veta att poliserna under rådande omständigheter hade alla möjligheter att förhöra hans son, minderårig eller ej. Frågan var bara vilka tvångsmedel de måste ta till.

Med ena handen slätade Hökström till det gråsprängda håret. Det stod i stark kontrast till sonens lockar, det kraftiga röda håret föreföll inte komma från faderns sida.

”Ni ger oss inte något val”, sa han kort.

Han vände sig om och lyfte motvilligt upp stolen som fallit till golvet.

”Han är bara en grabb, ni får ta det lugnt med honom.”

Hökström gav sin son en tryckning över axeln. För första gången sedan förhöret inleddes anade Thomas en glimt av ömhet i pappans ögon.

Tobbe tittade ängsligt på dem och Margit lade en hand på hans arm.

”Berätta nu vad som verkligen hände den där kvällen på Sandhamn”, sa hon. ”Berätta sanningen, Tobias.”

Tobbe

Tobbe följde med Christoffer till Carl Bianchis Fairline vid Via Mare-bryggan. Tessan klängde på honom men han var inte på humör längre. Spriten hade börjat gå ur kroppen och han hade inte lust att dra en ny lina.

Synen av Ebba när hon tårögd rusade iväg ville inte släppa.

Han försökte värja sig för det dåliga samvetet, bli arg på henne istället. Jävla Ebba som försökte bestämma över honom. Hon var väl inte hans morsa.

Likväl malde det inom honom.

De gick förbi utomhusscenen vid stora bryggan och fortsatte mot de bortre pontonerna. En bit före macken stod det flera barnfamiljer som köade till KSSS-färjan som gick till ön mittemot, Lökholmen. En liten flicka slickade på en stor glasstrut som droppade på hennes shorts.

Tessan pladdrade på bredvid honom. Hon försökte ta hans hand men han drog den till sig.

När de kom fram till Via Mare-bryggan knappade Christoffer in koden så att de kom in genom grinden. Christoffers polares båt låg till höger. Den verkade svindyr, en 48-fotare med vitt blänkande skrov och inredning i mahogny. Dansmusik dundrade från två utomhushögtalare och det var redan massor med folk ombord.

Christoffer hälsade på Dante Bianchi och ropade ”tja” till en söt, ganska lång tjej i tjugoårsåldern. Hon hade tjockt brunt hår i mittbena och var klädd i en blå tröja och vita avklippta jeans.

Christoffer liksom lyste upp när hon kom fram till dem. Han presenterade henne som Sara, en kompis från Handels, men Tobbe fattade med en gång att det inte var hela sanningen. Att de ville vara i fred förstod han också.

”Tobbe, här borta!” ropade Tessan och pekade på en plats bredvid sig.

Han hade ingen lust men gick dit och satte sig i alla fall. Det kändes bara fel att sitta bredvid henne. Han tittade bort mot Christoffer som leende hade tagit Saras hand. Han var helt upptagen av henne.

Tobbe mindes när allt var bra med Ebba.

Hon brukade vänta på honom utanför porten till plugget, han var alltid sen så de fick springa för att komma i tid till första lektionen. I vintras hade hon en fånig vintermössa med en pälstofs som gungade när hon rörde sig. Han brukade reta henne och säga att hon liknade hans mormor på fjällresa.

När det snöade för första gången, i december, hade de byggt en snögubbe i hennes trädgård. Sedan hade han slitit av mössan och vält omkull henne i snön. Hon hade sträckt ut båda armarna mot honom och dragit honom till sig. Trots kylan hade hennes mun varit varm mot hans.

De hade legat i snön bredvid varandra tills de började hacka tänder av kylan.

”Tobbe?”

Tessans röst drog honom tillbaka till verkligheten. Hon gjorde en missnöjd min och sa att hon var törstig.

”Finns det ingenting att dricka på det här stället?”

Tobbe plockade fram vodkaflaskan från ryggsäcken och fixade några glas och mer Fanta. Therese drack en klunk och lutade sig sedan fram. Samtidigt som hon pressade sina bröst mot honom särade hon på läpparna.

Han klarade inte av det. Snabbt reste han sig och mumlade något om att gå på toaletten i hamnen.

”Jag kommer snart”, ljög han och skyndade sig därifrån.

Tessan ropade någonting efter honom men han låtsades som om han inte hörde.

Medan han letade sig fram till herrtoaletterna bakom strandpromenaden undrade han vad han sysslade med. Missmodigt gick han in på muggen och ställde sig i kön. När han var klar och skulle tvätta sig mötte han sitt eget olyckliga ansikte i spegeln. Två högljudda killar kom in på toaletten medan Tobbe sköljde av händerna. Det fanns inga pappersservetter kvar i hållaren så han torkade av sig på byxorna och gick ut.

Tobbe blev stående utanför herrmuggen. Han hade ingen lust att gå tillbaka till båten men visste inte vart han skulle ta vägen. Klockan var kvart i nio på kvällen och han tog upp sin mobil och drog iväg ett sms till Victor för att få reda på var han höll hus. Det hade gått ett bra tag sedan han och Felicia stack.

Han såg på mobilen igen.

Ebba hade sett så ledsen ut när hon sprang sin väg. Borde han ringa henne och kolla att hon var okej? Men varför skulle hon vilja snacka med honom? Det var han som hade burit sig åt som ett arsel.

Innerst inne visste han exakt varför det hade tagit slut. Det hade gått för långt med drogerna, alldeles för långt.

Det hade börjat på skoj. Han hade aldrig tvekat inför nya grejer och när han fick chansen att testa kokain kunde han inte låta bli. Han var mest nyfiken, en kompis hade sagt att man kunde festa hela natten.

Victor ville också prova och innan Tobbe visste ordet av började de snorta nästan varje helg. Victor låg på och varför skulle Tobbe banga? Han gillade känslan, även om det aldrig blev lika häftigt igen som den där allra första gången.

Victor hittade en ny kran och köpte allt möjligt. När han inte fick tag på snö körde han andra grejer. Snart började han fixa kokain åt fler i gänget. Det blev mer och mer och Tobbe var inte dummare än att han förstod att Victor inte hade råd att köpa så mycket som han använde om han inte hade börjat deala.

Ibland var Victor inbunden och grinig, ibland var han argsint och lättretad. Tobbe började fundera på att lägga av, men det gick inte att snacka med Victor om det. Dessutom ville Tobbe inte ge Ebba den tillfredsställelsen. Han hade varit så jävla förbannad på henne hela våren. Det tog emot att erkänna att hon hade haft rätt.

Men Victors beteende gjorde honom orolig.

Farsan hade hyrt ett hus på Mallorca i juli, både Christoffer och Tobbe skulle vara där i några veckor. Det lät som ett bra tillfälle att sluta.

Midsommar skulle bli sista gången han drog en lina, det lovade han sig själv.

Tobbe stoppade ner mobilen i bakfickan och började gå, förbi baksidan på Seglarrestaurangen och uppför en brant backe. Någonstans hoppades han på att stöta ihop med Ebba. Få slå sig ner och snacka med henne.

När han gått en stund kom han till en utkiksplats. Bredvid ett gammalt järnankare mitt på klippan satt ett par i trettioårsåldern och höll om varandra.

Tobbe önskade att det var han och Ebba som suttit där tillsammans.

Planlöst följde han berget tills han kom till några flata hällar vid vattenbrynet. Han fortsatte utmed vattenlinjen och bort till stranden där det satt ett gäng runt en lägereld. Han hörde skratten men kände inte igen dem.

Ebba var inte där.

Efter ett tag återvände han till de släta stenarna och lade sig ner. Likgiltigt stirrade han upp i himlen. Det tog emot att gå tillbaka till Bianchis båt, Tessan var säkert kvar.

Till sist måste han ha somnat för när han vaknade hade solen gått ner och på avstånd hördes musiken som dunkade i hamnen. Han halkade till i mörkret och slog sig i ansiktet. Det gjorde sjukt ont och han började nästan gråta, men på något sätt lyckades han ta sig tillbaka till båten. Där slocknade han i soffan.

Kapitel 69

Tobbes röst grumlades och han avbröt sig.

Thomas utbytte en blick med Margit. Tobias Hökström kunde inte styrka var han hade befunnit sig vid den kritiska tidpunkten och trots att det fanns ett ögonvittne ville han inte erkänna att han varit i närheten av Victor.

Misstankarna kvarstod, frågan var hur de skulle gå vidare.

”Du vidhåller alltså att du inte har haft någonting att göra med mordet på Victor?” sa Thomas.

Tobbe tittade olyckligt på Thomas.

”Jag hade ingen aning om vad som hade hänt förrän polisen sa det, jag lovar.” Orden kom fort och ryckigt. ”Jag har talat om allting nu.”

Det du säger bevisar ingenting, tänkte Thomas och betraktade den sextonårige pojken. Men du har mycket som talar emot dig.

”Som vi redan nämnt har vi fått bekräftat att du var i Skärkarlshamn vid den ungefärliga tidpunkt då din barndomsvän dödades”, sa han. ”Felicia såg dig. Förstår du nu varför vi tror att du var inblandad i Victors död?”

Tobbe sneglade mot sin far. Arthur Hökström hade blivit en nyans blekare. Ingen av dem sa ett ord.

”Erkänner du att du befann dig på stranden samtidigt som din kamrat slogs ihjäl?” sa Margit.

”Men han var inte där när jag kom dit”, sa Tobbe med en röst som nästan gick upp i falsett. ”Varken han eller Felicia. Varför tror ni inte på mig?”

Thomas släppte honom inte med blicken.

”Det vi tror är att ni två råkade i slagsmål. När Victor var död flydde du till en undanskymd plats där ingen kunde se dig. Klippskrevorna nedanför Dansberget passade säkert utmärkt för ändamålet. Kanske är det riktigt att du somnade, anspänningen tog ut sin rätt. När du så småningom vaknade tror jag att du inte visste vart du skulle ta vägen, så du gick tillbaka till båten, i brist på bättre.”

Arthur Hökström hade än en gång rest sig upp under Thomas utläggning. Käkarna arbetade som om han ville säga något men inte lyckades få fram det. Så satte han sig igen. Händerna darrade när han lade dem framför sig på bordet.

”Har jag rätt?” sa Thomas och tittade på Tobbe.

Tonåringen skakade stumt på huvudet. Han var flammig i ansiktet. Blåmärket på kinden syntes mer än tidigare.

”Det där märket du har på kinden”, sa Thomas. ”Vi har pratat om det tidigare utan att du har kunnat ge oss en bra förklaring. Varifrån kommer det, på riktigt?”

”Jag sa ju det. Jag snubblade på klipporna och slog mig i mörkret.”

”Så du har inte varit i slagsmål med någon?”

”Nej”, sa han. ”Nej, det har jag inte.”

”Du har inte slagits med Victor? Det ser ut som om det kan komma från en knytnäve.”

”Sluta! Jag sa ju att jag ramlade.”

Margit lade återigen en hand på hans arm.

”Inser du allvaret i det här?” sa hon. ”Du har precis medgivit att du ljög för oss när vi talade med dig första gången på Sandhamn. Du teg om att både du och Victor använde knark. Kan du ge mig ett enda skäl till att vi ska tro på dig nu?”

Tonåringen betraktade Margit och Thomas med uppspärrade ögon.

”Det var inte meningen att ljuga när du frågade mig förra gången. Jag ville bara inte säga att…” Han blev röd om kinderna. ”Att jag försökte hitta Ebba.”

”Varför inte då?” sa Thomas.

”Det var ju mitt fel att hon drog. Det var därför jag sa att jag var på Bianchis båt med de andra.”

Rodnaden ökade.

”Det kändes hemskt att hon gick till polisen för att hon inte hittade oss… att hon var så rädd.”

Rösten dog ut. Tobbe började tugga på det som återstod av ena tumnageln.

”Jag skämdes”, sa han kvävt.

Arthur Hökström lutade sig fram och förde varsamt bort handen från sonens mun.

”Låt den vara nu.”

Thomas iakttog gesten mellan far och son. Det såg inte alls bra ut för Tobbe. Han hade ljugit för dem, han saknade alibi och det fanns inte någon bra förklaring till blåmärket på kinden. Men det saknades teknisk bevisning.

Än så länge.

De skulle behöva undersöka kläderna han bar i helgen, men då krävdes det ett åklagarbeslut.

Han märkte på Margit att hon tänkte i samma banor.

Thomas bestämde sig.

”Vi avbryter förhöret en stund. Jag vill diskutera med åklagaren innan vi går vidare.”

Tobbe var mycket blek när Thomas och Margit kom tillbaka efter tio minuter. De satte sig ner och Thomas slog på bandspelaren igen.

”Nu har vi pratat med åklagaren”, sa Thomas och gjorde en liten paus för att hitta de rätta orden.

Det fanns bara ett sätt att säga det han måste.

”Du underrättas härmed om att du är misstänkt för mord alternativt dråp. Du har rätt till en offentlig försvarare som bekostas av allmänna medel.”

”Pappa!” ropade Tobbe med gäll röst. ”Snälla. Gör något.”

Arthur Hökström lade armen om sonen och drog honom intill sig. Först verkade det som om Tobbe inte var van vid fysisk kontakt från pappan. Sedan gömde han ansiktet hos Arthur, det röda håret pressades mot det sträva kostymtyget.

”Det löser sig”, sa Arthur Hökström lågt till sin son utan att bry sig om Thomas och Margit tvärsöver bordet. ”Det kommer att ordna sig.”

Som om han försökte övertyga både sig själv och sin son upprepade han, ännu högre: ”Det kommer att ordna sig.”

”Åklagaren har fattat beslut om husrannsakan i ditt hem och att de kläder som du hade i helgen ska tas i beslag”, sa Thomas. ”Du kommer också att bli topsad för DNA-prover innan du går härifrån.”

”Men jag har ju inte gjort någonting”, fick Tobbe fram.

”Det vore mycket bättre om du samarbetade med oss”, sa Margit. ”Det blir bara värre av att dra ut på det här.”

Hon lutade sig fram.

”Vi tror inte att du gjorde det med flit”, fortsatte hon vänligt. ”Kan du inte berätta för oss hur det gick till när du kom i slagsmål med Victor? Vi vet att ni två har bråkat förut, det har din bror berättat för oss.”

”Christoffer”, andades Tobbe.

Arthur Hökström hade fått ett glasartat uttryck i ögonen. Thomas hade halvt om halvt väntat sig att han skulle avbryta förhöret och kräva att hans son fick en offentlig försvarare med en gång. Men tydligen var pappan för skakad för att tänka i sådana banor.

”Victor var min kompis”, stammade Tobbe. ”Varför skulle jag döda honom?”

”Inte avsiktligt”, sa Margit uppmuntrande. ”Hur mycket drack du i lördags?”

”Jag minns inte riktigt.”

”Försök. Var det tre vodkadrinkar eller mer än så? Hur mycket sprit gick åt den där dagen?”

”Kanske fyra eller fem drinkar, inte mer.”

”Tog du kokain också?” pressade Margit.

Han nickade ynkligt.

”Ja.”

”När då?”

”På eftermiddagen.”

”Vad var klockan?”

”Jag vet inte, kanske fyra.”

”Så du var både full och drogpåverkad den kvällen.”

”Men jag dödade honom inte. Jag gjorde inte det!”

Tobbes röst var ett skrik.

”Är du säker på att du minns rätt?” sa Margit med allvarlig stämma. ”Om jag hade hällt i mig en halv flaska vodka och dessutom tagit knark tvivlar jag på att jag hade kommit ihåg någonting alls.”

Margit böjde sig fram.

”Varför framhärdar du?” sa hon.

”Jag har inte gjort något”, grät Tobbe med snor hängande från näsan.

Thomas rörde vid Margits arm. Grabben var helt förstörd, det fick räcka nu.

”Jag tror inte att vi kommer mycket längre i dag”, sa han. ”Som vi redan har nämnt kommer dina kläder att tas i beslag, din mobil också.”

Luften var tjock i det lilla rummet.

”Jag ska prata med åklagaren så att du får besked om du är anhållen eller ej”, sa Thomas och reste sig. ”Du och din pappa får vänta här under tiden.”

”Får jag inte åka hem?” viskade Tobbe.

Kapitel 70

”Jaha, vad gör vi nu då?” sa Margit till Thomas.

De satt på hans rum och försökte analysera förmiddagens förhör.

”Du hörde själv vad hon sa”, sa Thomas. ”Det vi har räcker inte för att få honom anhållen.”

Åklagaren, Charlotte Ståhlgren, hade inte velat fatta beslut om att anhålla Tobias Hökström. Hon tyckte inte att de hade tillräckligt på fötterna. Vid ett anhållande skulle han ändå överlämnas med en gång till de sociala myndigheterna eftersom han var minderårig. Det var bättre att vänta.

”Vi har i alla fall fått tag i kläderna”, sa Margit. ”Och mobilen.”

Hon såg på klockan och reste sig.

”Ska vi gå och äta lunch? Vi kan väl se om Harry vill följa med?”

De valde en restaurang på några minuters promenad från stationen, ner mot Nacka strand och vattnet.

Thomas bestämde sig för kokt torsk med äggsås, det var hederlig husmanskost, inte särskilt sofistikerat, men helt okej. Margit föredrog en rejäl bit lasagne som förmodligen var överkokt men doftade gott. Harry Anjou tog också pastan.

Med brickan i handen följde Thomas efter Margit som styrde stegen mot utomhusdelen.

Trots gråvädret var det skönt i luften. Uteserveringen bestod av ett inhägnat trädäck där bord med rödrutiga dukar var utställda. Nästan alla var upptagna, industrisemestern hade inte börjat riktigt än.

Thomas satte ner sin bricka bredvid Harry Anjous.

”Fryser du?” sa han skämtsamt till sin nya kollega som bar en tjock mörkbrun läderjacka.

Själv hade han bara skjorta på sig.

”Jag känner mig lite ruggig”, sa Harry.

Han såg inte riktigt frisk ut, tänkte Thomas, han hade påsar under ögonen och ögonvitorna var blodsprängda. Hade han inte återhämtat sig efter midsommarhelgen?

”Hoppas du inte håller på att bli sjuk”, sa Margit. ”Vi behöver alla krafter vi har.”

Samtalet kom av sig självt in på fallet, som så ofta under en pågående utredning. Det var svårt att koppla bort jobbet.

”Vi behöver få tag i fler vittnen”, sa Margit. ”Kalle och Erik har inte hittat en enda person därute som sett eller hört något. Utom den där grannen, och hon gav inte så mycket.”

”Är du förvånad?” sa Thomas.

De andra ungdomarna på stranden hade med all sannolikhet köpt sin alkohol på illegala vägar. Många var dessutom där utan sina föräldrars tillåtelse. Under de omständigheterna var det inte konstigt att få ville träda fram.

Margit plockade upp gaffeln igen. Thomas kunde se att hjärnan arbetade medan hon tuggade.

”Jag trodde faktiskt att vi hade tillräckligt för ett anhållande”, sa hon. ”Med Felicias vittnesmål och det Tobbe själv sagt kan vi styrka att han var på brottsplatsen i anslutning till Victors död. Dessutom vet vi att killarna hade bråkat tidigare och att båda var kraftigt påverkade.”

”Men Felicia vet inte exakt vad som hände”, påminde Thomas. ”Hon var också drogpåverkad och Tobbe nekar till all inblandning.”

”Jag vet det, men du får medge att han ligger illa till. Han var förmodligen så hög att han inte minns vad han gjorde.”

”Dessutom har han blåmärket på kinden”, sa Harry som dittills koncentrerat sig på maten.

”Jag har svårt att tro på att han snubblade och slog sig”, sa Margit.

”Ja, det låter som en dålig bortförklaring”, medgav Thomas.

Margit försvann in i restaurangen för att hämta kaffe och var strax tillbaka med tre muggar.

”Jag ska ringa Nilsson efter lunch och snacka lite”, sa Thomas. ”Vi får se om han har något mer att komma med.”

”Det ska bli intressant att se vad kläderna ger”, sa Margit. ”Men det tar väl minst en vecka att få svar på det.”

”Om inte grabben bryter ihop och erkänner”, sa Harry Anjou och tog fram en snusdosa ur fickan. ”Jag tycker att vi ska pressa honom ännu mer. Jag kan våga en månadslön på att det är han.”

Kapitel 71

Det var en lättnad att lämna hemmet för några timmar, tänkte Johan Ekengreen då han körde upp på motorvägen. När Madeleine inte sov på sina tabletter vandrade hon omkring som en vålnad i huset.

Han stod inte ut.

Hans styrelsemöte skulle börja klockan två, om femtio minuter. Det var gott om tid. Men han satt hellre och väntade i bilen än stannade hemma.

I handskfacket låg en ask med cigariller. Johan rökte bara i enstaka fall, men nu sträckte han sig efter asken och tände en.

Mobilen ringde. Johan trevade med handen i innerfickan och fick fram telefonen. Rutinmässigt slängde han en blick på displayen.

Telefonhöljet kändes plötsligt kallt i handen.

"Ja", sa han.

"Jag har pratat med personer i utredningen", sa den välbekanta stämman. Polischefen lät nästan likadan som när de hade legat på Korsö fyrtiotre år tidigare. Bara mer luttrad. "Det verkar som om det finns starka misstankar mot en av din sons kamrater."

Johan kramade mobilen hårdare.

"Har du något namn?" sa han.

"Han heter Tobias Hökström, vet du vem det är?"

Cigarillen föll från Johans hand, ner i knäet. Glöden brände igenom byxtyget på insidan av låret. Han fumlade efter den.

"Hallå? Är du kvar?"

Johans röst var sträv när han svarade.

"Ja. Tobias Hökström är, var, Victors bäste vän."

Bilen framför bromsade och Johan undvek med nöd och näppe att köra in i den. Han svängde ut i ytterfilen, alldeles framför en gul taxi.

"Jag förstår inte", sa han, fortfarande förvirrad. "Skulle Tobbe vara inblandad?"

"Det verkar så. Utredarna tror att det var ett slagsmål mellan killarna, de var tydligen höga på droger bägge två."

”Vad säger du?”

”De har hittat spår av kokain i din sons kropp.”

Den där polisen, Thomas Andreasson, hade nämnt något om att Victor varit påverkad när de talades vid på telefon i går. Men Johan hade vägrat att ta det till sig.

”Jag beklagar, jag trodde att du visste om det”, fortsatte hans forna kustjägarkamrat. ”Det ser ut som om killarna har rykt ihop på stranden och att det har slutat med att Hökström slog ihjäl din son. Sedan gömde han honom under ett träd. I panik. En hundägare hittade ju kroppen efter bara några timmar.”

Utan att märka det hade Johan ökat farten, nu körde han i etthundrafemtio kilometer i timmen. Landskapet rusade förbi utanför, alldeles för snabbt. Han lyfte foten från gaspedalen med en viljeansträngning.

”Har Tobbe erkänt?” sa han med ansträngd röst.

”Nej, inte än. Men han var inne på förhör i dag tillsammans med pappan.”

Arthur Hökström. Johan kände honom bara ytligt. Madeleine tyckte inte om honom.

”Han är formellt delgiven misstanke om mord eller dråp. Åklagaren har beslutat om husrannsakan och hans kläder har tagits i beslag. De förbereder ett anhållande men åklagaren vill ha mer teknisk bevisning och den tekniska analysen tar minst en vecka, om inte mer. Dessutom är han minderårig, då är det alltid knepigare.”

”Jag förstår”, viskade Johan.

”De kommer snart att ta in honom igen, just nu undersöker de kläderna och hans mobil.”

Polischefen gjorde en kort paus.

”Jag hör av mig igen när jag vet mer.”

”Tack.”

Johan lade ifrån sig telefonen på passagerarsätet. Det bultade i bröstet. På avstånd såg han en bensinmack och han bytte fil utan att se i backspegeln, svängde av och körde in på parkeringen.

När han slog av tändningen rann kallsvetten i nacken.

Tobbe. Var det Tobbe som mördat hans son? Samma kille som brukade följa med dem på semesterresor och till sommarhuset. En glad skit som hamnat i kläm när föräldrarna skildes för något år sedan.

Polisen måste ha misstagit sig.

Johan Ekengreen började darra våldsamt. Pulsen rusade. Han kramade ratten för att lugna sig.

Vad hade Thomas Andreasson sagt på telefon? Johan hade tagit kontakt med honom för att få reda på hur obduktionen gått så att de kunde få tillbaka kroppen för begravningen. Madeleine pratade inte om något annat, hon klamrade sig fast vid att de måste begrava honom så snart som möjligt enligt den gamla familjetraditionen.

Johan hörde Andreassons röst igen, högt och tydligt.

”Din son var tyvärr påverkad när han dog. Tillståndet bidrar till att undersökningen drar ut på tiden. Vi hör av oss så snart vi kan ge ett besked. Det kommer inte att dröja länge, hoppas jag.”

Droger.

Johan hade vägrat tro det, hans son var ingen knarkare. Han hade slagit det ifrån sig, inte sagt ett ord till Madeleine.

Visst hade han hört talas om att droger förekom i deras bostadsområde. Det var en av avigsidorna med att bo där de gjorde. Ungdomarna hade en bortskämd livsstil och mer pengar än de kunde hantera. Några gick över gränsen och sökte kickar. Men Johan hade litat på att hans barn skulle hålla sig ifrån sådant. De hade fått så mycket genom hans försorg.

Det luktade bränt i bilen från byxtyget. Utanför började det dugga, små vattendroppar som föll mot vindrutan och sedan rann nerför glaset.

Victor måste ha blivit övertalad att pröva kokain. Det var den enda rimliga förklaringen.

Johan lyfte upp telefonen igen. Han måste få veta. Snabbt knappade han in numret till polisen.

”Thomas Andreasson”, svarade en röst efter några signaler.

Det lät som om han var utomhus, en bil tutade i bakgrunden.

”Johan Ekengreen här. Du sa i går att obduktionen visade att Victor varit påverkad. Vad menade du med det?”

Orden kom alldeles för snabbt. Johan försökte lugna sig, om han lät alltför uppjagad i telefon skulle han inte få veta det han ville.

”Det är tyvärr korrekt”, sa Thomas. ”Rättsläkaren hittade spår av kokain vid obduktionen.”

”Är ni säkra på det?”

”Jag tror inte att han tog fel. Det finns också vittnen som uppger att din son tog kokain under lördagen.”

”Vem påstår det?”

Han lät fortfarande för hetsig. Lugna ner dig, tänkte han.

”Personer som var med Victor i Sandhamn.”

Andreasson undvek att gå in på detaljer. Det dög inte.

”Kan du vara mer konkret? Vilka har ni pratat med, är de tillförlitliga?”

Johan väntade spänt.

”Vi har talat med både hans flickvän och hans bäste vän.”

Felicia och Tobbe hade alltså bekräftat att Victor knarkade.

De fina vattendropparna på vindrutan gjorde att allt var suddigt framför bilen. Eller var det något med hans ögon?

”Vet ni varför?” sa han. ”Hur det kom sig att han knarkade?”

Svaret dröjde, som om Andreasson övervägde hur mycket han skulle avslöja. Till slut sa han:

”Det var nog hans kompis som först började med droger. Men alla tre har hållit på en längre tid.”

Det blev tyst i luren.

”Jag beklagar”, sa Thomas Andreasson, ”men det förefaller som om din son var fast i ett allvarligt missbruk.”

Det lät som om han ville avsluta samtalet. Men Johan måste få reda på mer.

”En sista fråga”, sa han. ”Har ni någon misstänkt?”

”Jag kan tyvärr inte svara på det.”

”Vi talar om min son”, fick Johan ur sig. ”Snälla du.”

Nu var han desperat, det gick inte att dölja. Men tydligen fick det Thomas Andreasson att ge med sig.

”Vi har underrättat en person om misstanke om mord. Mer kan jag inte säga på det här stadiet.”

Lamslagen avslutade Johan samtalet.

Tobbe.

Det var genom honom som Victor kommit i kontakt med drogerna. Han hade lockat in Victor i ett missbruk och sedan slagit ihjäl honom.

Smaken av galla i munnen kom utan förvarning, Johan fick rycka upp bildörren och kräktes våldsamt upp allt han hade i magen. Det bildades en rosa pöl på den svarta asfalten under bilen.

När allting hade kommit ut lutade Johan pannan mot ratten och stirrade tomt framför sig.

Den jäveln.

Kapitel 72

Det låg kläder strödda överallt på golvet i Wilmas rum, under sängen skymtade en röd bikini tillsammans med en fuktig handduk. På nattduksbordet stod smutsig disk.

Men Jonas var inte där för att be henne städa.

Wilma satt i sängen med uppdragna knän och ryggen mot den gulmålade väggen. Musik strömmade från datorn på magen, mobilen låg inom räckhåll på det skrynkliga lakanet.

Hon hade fortfarande på sig nattlinnet trots att klockan var över två. Det luktade unket i rummet, som om ingen hade vädrat på flera dagar.

Jonas slog sig ner på sängkanten.

”Hej gumman. Hur mår du?”

Wilma stirrade på skärmen utan att se upp.

”Är det inte dags att du och jag pratar med varandra en stund?”

Utan att bry sig om bristen på gensvar lutade sig Jonas fram och gav Wilma en försiktig klapp på kinden.

”Jag vet att du har talat med mamma, men jag behöver också få höra vad som hände i lördags. När du bor hos mig måste du respektera mina regler. Det förstår du väl?”

Wilma hade uppmärksamheten fäst vid dataskärmen. Musiken växlade från en hetsig låt till en annan utan att Jonas kände igen någon av dem.

Hade hon alls hört vad han sagt?

”Du, nu får du lägga undan den där.”

Utan entusiasm sköt hans dotter undan datorn. Det plingade till i mobilen och Wilma sträckte automatiskt ut handen efter telefonen.

Jonas lade varsamt fingrarna över hennes.

”Kan du inte låta den vara en stund?”

”Varför då?”

Wilma ville inte möta hans blick. Jonas kände att han var nära att säga något skarpt men lät bli.

”Därför att jag ber dig göra det.”

Motvilligt lade Wilma undan sin mobil.

Var skulle han börja? Det kändes som om varje ord var laddat, minor som när som helst kunde sprängas om han valde fel. Margot skulle ha varit där, de borde ha varit två om det här samtalet.

Lika delar vrede och oro kämpade om herraväldet när han sökte efter rätt formulering.

”Det här var inte alls okej. Jag hoppas att du inser det. Du hade en tid att passa som vi hade kommit överens om. Både jag och Nora var jätteoroliga för att någonting allvarligt hade hänt dig i lördags.”

”Det angår väl inte Nora”, sa Wilma med oväntat darr på rösten. ”Hon är inte min mamma.”

Det hade varit ett misstag att nämna Noras namn, förstod Jonas. Men det var för sent att ändra på det nu.

”Jag var verkligen orolig, jag trodde att någonting hemskt hade hänt dig.”

Betoningen låg på *jag* den här gången. Wilma reagerade genom att lyfta hakan en aning, men kroppshållningen var fortfarande avvisande.

Jonas sökte än en gång efter rätt sätt att uttrycka sig på.

”När polisen kom trodde jag att det var för din skull, förstår du inte det? Att du hade råkat ut för någonting allvarligt. Dessutom svarade du inte i din telefon, fattar du inte hur du skrämde upp mig? Jag var ute och letade efter dig halva natten.”

När han uttalade orden insåg Jonas hur nära ytan skräcken hade legat. Han hade försökt maskera oron med rationella förklaringar. Allt för att slippa tro det värsta. Men inom sig hade han varit vettskrämd.

Det tjocknade i halsen när han tänkte på allting som kunnat hända. Det var omöjligt att glömma att en annan familj hade förlorat sin egen son samma natt.

”Det här var verkligen inte okej”, upprepade han och brydde sig inte om att rösten blev beslöjad.

Wilma snyftade till och Jonas fick kämpa för att inte förlora kontrollen. Plötsligt slog hon armarna om honom.

”Förlåt, pappa, förlåt.”

”Du måste lova mig att du aldrig gör så här igen. Aldrig någonsin, hör du det.”

Jonas kramade sin dotter hårt.

Efter en lång stund sa han mot hennes öra:

”Nu får du faktiskt berätta för mig varför det blev så här tokigt.”

”Måste jag det?” mumlade hon.

Någonting i rösten skorrade och oron rörde sig i bröstet igen. Mjukt klappade han henne på kinden.

”Vad hände egentligen, Wilma? Om du råkade ut för någonting måste du säga det.”

Wilma

Malena väntade redan vid Strindbergsgården. Wilma log segervisst och öppnade sin väska där de stulna flaskorna låg i botten.

”Fan, vad schyst”, andades Malena. ”Kom nu, så drar vi.”

”Vart ska vi?”

”Till stranden vid tennisbanorna. De andra är redan där.”

Arm i arm skyndade de sig genom hamnen, förbi gruppen med fulla killar som hängde utanför Dykarbaren. Några slängde uppskattande kommentarer efter dem, Wilma låtsades som om hon inte hörde, men det var spännande.

Det tog dem omkring tio minuter att hitta de andra där de satt i sanden. En lägereld brann i mitten av cirkeln.

Hon upptäckte Mattias med en gång, han låg utsträckt på rygg, med händerna bakom huvudet och en öppnad ölflaska bredvid sig.

Det pirrade i magen när hon såg honom, han var verkligen skitsnygg. Hon försökte att inte låtsas om honom och nickade åt allesammans innan hon slog sig ner på marken, bara någon meter från Mattias. Hon tyckte att han kollade in henne, men han sa ingenting.

Hon sköt fram brösten så mycket hon kunde och drog fram vinarna ur väskan.

”Är det någon som vill ha?” sa hon och vände sig som av en händelse till Mattias.

Han reste sig på ena armbågen.

”Har lilltjejerna med sig kröken”, sa han och flinade. ”Hur ska du öppna den där då?”

Generad fattade Wilma att man måste ha en korkskruv för att få upp dem. Hur kunde hon vara så dum att hon inte hade tagit flaskor med skruvhatt när hon var nere i vinkällaren?

Hon rodnade och försökte komma på något att säga för att dölja sin förvirring.

”Använd den här”, sa en kille som satt mittemot.

Micke hette han. Han höll upp en korkskruv i metall med rött handtag.

”Ska jag öppna åt dig?”

Vänligt sträckte han sig fram och tog den ena flaskan från henne.

”Tack”, muttrade Wilma.

Hon sneglade på Mattias, nu tyckte han väl att hon var en riktig barnrumpa som inte fattade någonting. Hon kunde ha sparkat sig själv för att hon var så klantig.

Men Mattias hade redan tappat intresset. Han hade lagt sig ner på rygg igen och snackade med en av de äldre tjejerna. Det bruna håret nuddade vid sanden och Wilma önskade att hon fick sträcka fram handen och ta på det.

Tjejen fnittrade till och Wilma kände på sig att de pratade om henne. De gjorde sig förstås lustiga över hennes klumpiga försök att spela cool.

Micke hade fått ur korken och räckte henne flaskan.

”Så, nu är den öppnad.”

”Tack”, mumlade hon, fortfarande med ögonen på Mattias som inte alls verkade lägga märke till henne.

Malena, som satt sig bredvid, knuffade på henne.

”Får man smaka?”

Malena tog flaskan och drack. Wilma gjorde likadant. Hon fick anstränga sig för att inte grina illa när hon kände smaken. Hastigt tvingade hon sig att svälja och ta ännu en stor klunk så att ingen skulle märka att det var första gången som hon drack på riktigt.

En och en halv timme senare var båda flaskorna nästan slut. Wilma hade makat sig allt närmare Mattias och satt nu bara några centimeter ifrån honom. Den andra tjejen reste sig plötsligt och gick iväg för att kissa i skogen.

Wilma lutade sig mot Mattias. Hon kände sig en aning yr och fick ta stöd med ena handen mot marken. Men nu hade hon chansen.

”Vill du hitta på något?”

Orden var lite sluddriga, men hon hoppades att han inte skulle märka det. Han hade ju själv druckit en hel del, ölflaskan var tom och han hade en ny i handen. Ett helrör vodka hade gått runt flera varv.

Mattias kollade på henne. Han var lite solbränd i pannan, huden skulle nog flagna vid det röda. Han flinade.

”Som vad då?”

Hon ryckte på axlarna och försökte le så inbjudande som möjligt. Bara hon inte hade rödvin på tänderna.

”Vi kanske kan hitta på något, du och jag”, sa hon.

Nu spanade han faktiskt in henne, Wilma kunde knappt andas.

”Kom då”, sa han oväntat och reste sig.

Hon skyndade sig att komma på fötter och följa efter. Det kändes vingligt när hon ställde sig upp, men det gick snart över.

”Vi kommer tillbaka”, ropade han över axeln till de andra. ”Vi ses om ett tag.”

Mattias höll ut handen mot henne och Wilma trodde att hon skulle dö av lycka. De gick en bit tills stranden tog slut och kom sedan till ett staket med grå hus innanför. Mattias klev över staketet som om det var den naturligaste saken i världen.

Wilma blev stående utanför. Det snurrade i huvudet, men hon försökte koncentrera sig på Mattias.

”Vad håller du på med?” sa hon osäkert.

”Min moster bor här. Kära moster Ann-Sofie.”

Wilma fattade ingenting.

”Ska vi dra till din moster? Varför då?”

”Det är ingen hemma men jag vet var reservnycklarna finns”, sa han. ”Kom.”

Han satte kurs mot det stora huset och Wilma följde tveksamt efter. På ena sidan stod en rejäl vedtrave, Mattias gick fram till den och grävde med handen i hörnet. Någonting i metall blänkte till.

”Blir hon inte skitsur om hon upptäcker det?” viskade Wilma.

”Vem ska berätta?”

Mattias tog nyckelknippan och fortsatte bort till ett av de mindre gästhusen som stod inne på tomten. Utan att tveka stack han in en av nycklarna och låste upp.

Plötsligt hördes ljudet av en röst lite längre bort. Wilma vred på huvudet för att se vem det var.

”Shit, det är polisen”, sa hon halvhögt.

”Det är jävligt många på ön i år”, sa Mattias. ”Bry dig inte om det. De har inte med oss att göra.”

Han duckade och drog med sig Wilma in i friggeboden.

”Såg de oss?” viskade hon.

”Ingen aning, men skit i det. Om de frågar säger jag bara att min moster bor här.”

Han stängde dörren bakom dem och tittade ut genom fönstret i några sekunder. Wilma väntade spänt bredvid.

”Det är okej, han är borta”, sa Mattias.

Han vände sig om mot Wilma och pressade sig mot henne.

I en handvändning hade han dragit upp det vita linnet över huvudet så att hon stod i bara behån. Lika kvickt sökte sig hans fingrar till hennes shorts. Han drog ner blixtlåset och hasade ner dem så att de föll till marken.

Wilma stirrade på shortsen kring sina fötter. Generad klev hon ur dem men kände sig fånig där hon stod halvnaken.

”Så där”, sa Mattias och klämde på hennes bröst.

Han började kyssa henne, men avbröt sig.

”Har du något skydd?” frågade han.

Olyckligt skakade hon på huvudet.

”Nej.”

En otålig suck. Wilma kände sig mer och mer illa till mods, det var inte så här hon hade tänkt sig kvällen tillsammans med Mattias. Allting gick för fort.

Hon hade trott att de skulle sitta och snacka och lära känna varandra bättre, kanske hångla lite i sanden. Tusen gånger hade hon föreställt sig känslan när han kysste henne för första gången, men aldrig det här, att han skulle ta henne så hårt på brösten att det gjorde ont.

Mattias föste henne mot den ena gästsängen och när dess kant mötte knävecken kunde hon inte stå upp längre, benen vek sig och hon hamnade på rygg med honom tungt över sig. Hans fingrar sökte sig innanför trosorna.

Gråten trängde på. Det hade blivit så fel allting. Hon kände sig yr och illamående av rödvinet. Men hon vågade inte säga ifrån.

Mattias pressade sin mun mot hennes, tvingade isär hennes läppar och när hon kände hans tunga mot sin fick hon kväljningar.

”Nej”, försökte hon, ”nej, jag vill inte. Jag måste gå hem nu. Sluta, Mattias.”

Utan att bry sig om hennes invändningar hasade han ner behån med ena handen och började knåda hennes bröst igen.

”Sluta, sa jag.”

Förtvivlat försökte hon vrida sig undan men han låg med halva kroppen ovanpå hennes och vikten gjorde att hon inte kunde komma undan.

”Kom igen”, mumlade han och fortsatte kyssa henne.

Det smakade öl och cigaretter och nu kunde hon inte hejda illamåendet som vällde fram.

”Jag måste kräkas”, fick hon ur sig och hann precis vrida huvudet över sängkanten innan en flod av röd vätska vällde fram.

”Men, fy fan”, utbrast Mattias och kastade sig från sängen. ”Jävla subba, kolla vad du har gjort.”

Det hade stänkt på honom men det mesta hade kommit på högen med hennes kläder. Sörjan rann ut på golvet i mörka rännilar.

”Hur fan ska jag förklara det här, hade du tänkt dig?” skrek han åt henne.

Wilma stirrade som paralyserad på honom. Så nappade hon åt sig kläderna och slet upp dörren.

Hon snubblade ut och såg sig omkring. Hon måste därifrån. Nu.

Wilma sprang mot träden så fort hon orkade. Bara han inte följde efter henne. Hon snubblade över en rot och höll på att falla, men hittade balansen igen och fortsatte med flämtande andetag in i skogen. Det brann i bröstet, hon orkade inte mycket längre. Efter ännu ett stycke kollapsade hon på marken.

Snyftningarna kom i långa sjok, hon kände sig så dum och naiv. Vad hade hon trott?

Ett ljud fick henne att rycka till. Var det Mattias? Paniken slog till igen men det verkade inte som om det var någon där.

Efter en stund började hon frysa och drog på sig kläderna, trots att de luktade illa. Sedan måste hon ha slocknat, för när hon öppnade ögonen igen var det natt. Hon visste inte var hon befann sig någonstans, bara att hon mådde så dåligt att hon inte orkade röra sig eller svara i telefon.

Hela natten låg hon där, alldeles ensam.

I gryningen vaknade hon och smög sig tillbaka till byn.

Jonas var hos Nora. När Wilma närmade sig Brandska villan vågade hon inte gå in. Hon visste att hennes pappa skulle förstå vad som hade hänt och hon skämdes så. Hon kunde inte visa upp sig i sina nerspydda kläder. Särskilt inte inför Nora.

Istället försökte hon ta sig in i deras eget hus men där var det låst och hon hade ingen nyckel. Nattkylan fick henne att hacka tänder. Vart skulle hon ta vägen?

Det var då hon kom att tänka på sjöboden.

Kapitel 73

Wilma gömde ansiktet i händerna.

"Jag känner mig så dum", snyftade hon. "Så puckad."

"Vilket förbannat svin", sa Jonas och försökte behärska sig.

Han var så upprörd att han trodde att han skulle kvävas.

"Om jag får tag i den där Mattias vrider jag nacken av honom", utbrast han.

"Jag trodde att jag var kär i honom", sa Wilma med sprucken röst. "Jag trodde att han gillade mig på riktigt. Jag trodde faktiskt det."

Han måste ta det lugnt, det viktigaste var att ta hand om Wilma nu. Jonas tvingade sig att sänka rösten.

"Lilla gumman", sa han och drog sin dotter intill sig.

Hur skulle han få henne att förstå att den där Mattias var en full och kåt tonåring som borde ha en smäll på käften? Han borde egentligen anmälas. Wilma var bara fjorton. En minderårig som han förgripit sig på.

Det svartnade för Jonas ögon när han tänkte på vad som hade kunnat ske om hon inte hade kräkts och sprungit sin väg.

"Det var inte ditt fel, ingenting av det här var ditt fel", sa han tröstande.

Om de anmälde Mattias skulle Wilma utsättas för kränkande utfrågningar, så mycket visste han. Ord skulle stå mot ord. Det skulle resultera i förhör, ingående frågor, ännu fler skamkänslor.

Det fanns inte en chans att han skulle utsätta henne för det.

Bara Wilma förstod att hon inte bar ansvaret för det som hade hänt. Mattias var ett arsel, men det hade ingenting med henne att göra.

"Glöm den där idioten. Får jag någonsin tag på honom kommer han att få…"

Han avbröt sig.

"Han kommer att ångra sig, det lovar jag dig", sa han till sist.

Det började värka i ryggen av den obekväma ställningen på sängkanten. Jonas ställde sig upp och sträckte på sig.

”Vad säger du om att duscha och klä på dig så vädrar vi ut här en stund. Vi skulle kunna äta på Värdshuset i kväll, bara du och jag.”

”Utan Nora?”

Jonas suckade tyst.

”Utan Nora.”

Kapitel 74

Johan Ekengreen satt i biblioteket. Han hade lämnat återbud till styrelsemötet och åkt hem istället. Där hade han stängt in sig med en flaska whisky.

Det var ett bra tag sedan han var nykter, men han hade inga problem med att tänka klart. Gång på gång gick Johan igenom det korta telefonsamtalet, informationen som fått hans värld att kantra.

Han ville fortfarande inte tro det. Men hans gamla kurskamrat hade varit säker på sin sak. Tobbe var delgiven misstanke om mord.

Det tjocknade i strupen på Johan när han tänkte på det svek hans familj utsatts för.

Någonting rörde sig i minnet. Skidresan till Chamonix på sportlovet, då Tobbe hade följt med. Killarna hade varit stökiga och rastlösa hela veckan, särskilt Victor var både snarstucken och okoncentrerad. En kväll hade grabbarna stuckit iväg på disko, dagen därpå ville ingen av dem åka skidor.

Madeleine hade fått höra att de blivit magsjuka men Johan var övertygad om att de var bakfulla. Den gången hade han smålett åt grabbarna som inte kunde hantera alkohol ordentligt. Tonårsfylla.

Nu förstod han bättre. De hade knarkat och sedan mått dåligt. Hur kunde han ha undgått att se det? Så blind han varit, så lite han förstått.

Ändå ville tvivlen inte släppa. Tobbe hade varit Victors bäste vän, han var bara en grabb.

Det ringde på dörrklockan och han hörde hur Ellinor öppnade. Ett svagt mummel av röster när hon pratade med någon. Sedan en försiktig knackning.

”Pappa”, sa Ellinor och öppnade dörren på glänt. ”Tobbes pappa är här, han vill prata med dig.”

Det tog några sekunder för Johan att förstå.

”Arthur?” sa han förbluffad.

Hon nickade och klev åt sidan.

Arthur Hökström steg över tröskeln i kostym och slips. Klädseln antydde att han kom direkt från advokatbyrån.

”Hej Johan”, sa han och sträckte fram högerhanden.

Mekaniskt reste sig Johan och tog emot den.

”Får jag slå mig ner?” sa Arthur Hökström. Utan att vänta på svar satte han sig stelt i fåtöljen mittemot. ”Jag beklagar sorgen. Vi tyckte mycket om Victor i vår familj.”

De banala fraserna var svåra att uthärda. Johan kände hur motviljan steg. Vad gjorde Arthur här, han som hade sin son i livet?

Arthur pekade på en bag som han haft med sig.

”Det är Victors saker, de var kvar på båten.”

”Vad ska vi med dem till?” bet Johan av. ”Victor är död.”

Det gick inte att hålla tillbaka bitterheten.

Arthur Hökström kom av sig, som om han hade repeterat vad han ville säga och nu förlorat sin stickreplik.

Han tog sats igen.

”Jag ville tala med dig om Tobias.”

”Varför då?” sa Johan och grep sitt glas.

Det verkade svårt för hans besökare att få ur sig vad han ville. Till slut sa han:

”Vi var hos polisen på förhör i dag.”

”Jaha.”

Jag vet, ville han säga. Jag vet allt.

”Det var … påfrestande.”

Arthur avbröt sig och lossade lite på slipsen, han svettades i pannan.

”De sa att Tobbe var på stranden där Victor hittades, på kvällen. Felicia såg honom tydligen innan Victor dog. Hon har också suttit i förhör.”

Var det därför polisen var säkra på att Tobbe hade mördat Victor? Tack vare Felicias vittnesmål.

Upplysningen gjorde Johan sjuk, men han visade det inte för Arthur.

”Polisen tror att det är Tobbe som har gjort det”, fick Arthur ur sig. ”Att Tobbe har slagit ihjäl Victor. De har till och med gjort en husrannsakan, tagit hans kläder i beslag. Det är absurt, förstås.”

Arthur strök sig över den fuktiga pannan.

”Tobbe och Victor har varit bästa vänner sedan dagis. Min pojke skulle aldrig kunna skada din son. Det måste du förstå.”

Arthurs röst gick upp i falsett.

”Snälla Johan, du måste berätta för polisen att de är fel ute, att pojkarna var bästa vänner. Han är oskyldig.”

Det hade börjat dugga igen, genom det öppna fönstret hördes ljudet av det lätta sommarregnet. När Victor var liten tyckte han om att plaska i vattenpölar. Johan mindes hur han brukade springa ut och hoppa i dem tills han blev dyblöt och stövlarna var fulla med vatten.

”Jag har gjort mina misstag, det ska gudarna veta”, sa Arthur Hökström med låg röst. ”De senaste åren har inte varit lätta för någon. Jag vet att jag inte har varit en bra pappa, att jag inte har tagit ansvar för mina grabbar. Men jag är inte mer än människa … Nu straffas Tobbe …”

Han böjde på nacken som om insikten var mer än han orkade med.

”Det är förfärligt att Victor är död men det blir inte bättre av att min son utpekas som hans mördare. Tobbe har inte med saken att göra. Det vet både du och jag.”

Orden kom ut i en viskning.

”Bara du kan få polisen att förstå vilket misstag de har begått. Jag gör vad som helst om du hjälper oss.”

Ljudet av glas som krossades överraskade dem båda.

Johan stirrade på whiskyglaset som han lyckats krama sönder, trots den tjocka kristallen. På den äkta mattan låg resten av glasskärvorna. Whiskyn hade försvunnit i det djupröda orientaliska mönstret.

”Din son lever”, sa han klanglöst, ”och du kommer hit för att be mig försvara min sons mördare.”

Splitter hade fastnat i den köttiga delen av handflatan, en tunn strimma blod ringlade över huden.

Johans läppar var så strama att de inte ville lyda när han skulle forma orden. Han fick tvinga fram dem, stavelse för stavelse.

”Försvinn härifrån”, sa han. ”Gå.”

Kapitel 75

Nora vred på utomhuskranen och höll fram den gröna vattenkannan av plast under strålen. Krukorna med pelargonior behövde vattnas, jorden var torr och hade börjat smula sig.

Det var fortfarande mulet in mot fastlandet men det hade spruckit upp över Sandhamn. Vädret var ofta bättre i ytterskärgården.

Hon gick med den tunga vattenkannan i handen när hon i ögonvrån såg Jonas utanför grinden. Hon pressade fram ett vitt neutralt leende och ställde ifrån sig kannan på det nedersta steget på yttertrappan.

”Hej”, sa hon avvaktande.

”Hej.”

Han blev stående vid staketet utan att komma in.

”Hur är det?” sa han.

”Det är bra. Bara bra, fint”, sa hon glättigt. ”Hur mår Wilma?”

”Det är okej. Hon har sovit rätt mycket men det är nog bättre nu.”

”Det var skönt att höra.”

Nora nöp några gulnade blad från den närmaste krukan.

”Vad var det som hade hänt?” sa hon med de vissna bladen i handen.

”En kille. Och alkohol, förstås.”

Jonas knöt ena handen i luften men sa inget mer. Det var tydligt att han inte ville gå in på detaljer och Nora ville inte vara påträngande.

Det blev tyst.

”Vill du ha lite kaffe?” sa hon i brist på något bättre.

”Inte just nu”, sa han lågmält. ”Jag skulle behöva komma i kontakt med Thomas.”

”Varför då?”

Orden slank bara ur henne.

”Det verkar som om Wilma och hennes kompisar höll till i Skärkarlshamn samma kväll som den där pojken blev mördad. Polisen borde få reda på det. Jag läste i tidningen att de söker efter vittnen.”

”Jaha.”

Hon lät så enfaldig. När hon bara ville att han skulle förstå hur mycket hon tyckte om honom. Självfallet ska du låta din dotter komma i första hand, ville hon säga. Jag har egna barn, jag förstår mycket väl hur det känns. Men du behöver inte utesluta mig för det. Varför måste det vara antingen eller?

Ingenting av det hon tänkte gick att uttrycka i stunden. Istället kastade hon en blick på hans seglarskor och sa: ”Ditt skosnöre har gått upp.”

”Va?”

Jonas tittade ner och upptäckte att den ena läderremmen hängde och dinglade.

”Tack”, sa han, och satte sig på huk för att knyta snöret.

De stod bara två meter ifrån varandra men det var som om en mur av glas vuxit fram mellan dem. Varje försök till samtal studsade mot osynliga hinder. Nora kom att tänka på mimdansare i vita kläder och med svartmålade munnar. Med öppna handflator låtsades de ta på väggar som inte fanns. Overkligt men ändå på riktigt.

Thomas telefonnummer. Hon trevade i fickan efter mobilen och några knapptryckningar senare kom ”Thomas” upp. Hon höll fram mobilen och Jonas knappade in numret på sin telefon.

”Jag måste gå tillbaka till Wilma”, sa han när han var klar. ”Vi kan väl ta en kaffe lite senare.”

Han sträckte ut handen mot henne som om han ville ge henne en klapp på kinden, men just då kom Simon cyklande. Han tvärbromsade så häftigt att grus sprutade upp på Jonas och det blev djupa hjulspår.

Slarvigt slängde han ifrån sig cykeln och slank förbi Jonas, in genom grinden, och fram till Nora.

”Ska vi inte äta middag snart?” ropade han. ”Jag är jättehungrig.”

Stämningen var bruten.

”Jag måste börja med middagen”, sa hon och gick uppför trappan till ytterdörren utan att se sig om.

Kapitel 76

”Pappa?”

Ellinor öppnade dörren till biblioteket där Johan Ekengreen suttit sedan Arthur Hökström gått sin väg. Ögonen var svullna och hennes silverblonda hår hafsigt uppsatt med ett spänne. Några testar hängde runt ansiktet. Runt handleden bar hon ett armband som bestod av rader av små plastkulor lindade i flera varv.

”Vad gör du?” sa hon.

”Jag sitter och tänker.”

Blicken drogs till fotografiet av Victor på spiselkransen. Det gick inte att låta bli. Ellinor följde hans blick och snyftade till.

Hon kramade en pappersnäsduk.

”Ska vi inte äta middag i dag?” sa hon.

”Jag är inte så hungrig, gumman. Du och mamma får äta för er själva.”

”Mamma ligger och sover.” Ellinor gjorde en hjälplös gest med handen. ”Förresten finns det ingen mat i kylskåpet, det är ingen som har handlat.”

Johan drog fram sin plånbok och plockade upp en femhundralapp.

”Kan inte du gå till torget och köpa något? Ta vad du vill. Det kanske är bra om du kommer ut en stund.”

Ut ur det här mausoleet, tänkte han, men sa det inte högt.

En del av honom ville gråta tillsammans med Ellinor men han kunde inte tillåta sig att ge efter för sorgen. Inte än, det fanns annat som han först måste ta hand om.

Ellinor tog emot pengarna och stoppade ner dem i bakfickan på de ljusblå piratbyxorna.

”Ska inte du ha något?” sa hon och pillade på sitt armband.

”Jag har ingen vidare aptit.”

”Okej.”

Ellinor skulle just vända sig om när Johan hejdade henne.

”Vänta lite. Jag måste fråga dig om en sak.”

Hans dotter stannade till.

”Jag talade med polisen tidigare. Det är en sak jag undrar över.”

”Vad då?”

Hon hade ingen aning om vart han ville komma. Johan såg det på henne. Hade inte ens Ellinor förstått vad som pågick?

”De påstår att Victor använde droger”, sa han. ”De säger att han hade kokain i kroppen när han dog.”

Ellinor tog tag i ryggen på en av fåtöljerna.

”Åh pappa.”

Johan släppte henne inte med blicken. Ellinors ansikte drog ihop sig.

”Visste du om det?” sa han.

Ellinor

När Victor vaknade på nyårsdagen satt Ellinor på sängkanten. Hon hade satt upp håret i en hästsvans och bar sin nya blå bikini. Utanför fönstret hördes avlägsna skratt från poolområdet, det var redan mitt på dagen.

Victor såg eländig ut.

"Hur mycket drack du i går?" sa Ellinor.

Hon hade aldrig sett sin bror så packad som kvällen innan. Var det bara för att de inte var hemma i Sverige som han drack så mycket? De senaste åren hade de rest bort för att fira jul. I år hade de åkt till Mexiko och anlänt mitt i en värmebölja.

"Ni är så stora nu", hade föräldrarna sagt första gången det kom på tal. "Vore det inte skönt med sol och värme istället för den här kylan?"

Ellinor visste att Victor mycket hellre hade firat jul i Sverige. Han hade alltid älskat julafton. Som liten brukade han springa ner i vardagsrummet och förväntansfullt titta på alla paket under granen. Sedan kunde han sitta i timmar och vrida och vända på klapparna tills resten av familjen vaknade.

Madeleine brukade ta med paket som de fick öppna den tjugofjärde, men det blev aldrig samma sak. Inte som i ett vinterkallt Sverige.

"Du dricker för mycket", sa Ellinor nu.

Hon förstod att han inte skulle protestera, att han visste att hon hade rätt.

"Det var ju nyårsafton", stönade han.

"Lägg av."

Det skilde bara tjugo månader mellan dem men hon hade ändå tagit hand om honom under hela uppväxten. Men den här hösten hade hon knappt varit hemma, skolan hade slukat all tid. Det hade bara blivit några korta weekendbesök och då hade hon mest ägnat sig åt de gamla vännerna. Det hade inte funnits tid att softa med lillebror.

Victor var ensam hemma alldeles för mycket, när hon ringde lät han ofta deppad. Det kändes som om mamma och pappa alltid var borta.

Tack och lov hade han blivit tillsammans med Felicia under hösten, annars hade hon oroat sig ännu mer. Felicia var gullig, och Victor hade någon att hänga med när föräldrarna var bortresta.

Den sista helgen som Ellinor var på besök före jullovet hade Felicia varit där. I smyg hade Ellinor gjort tummen upp och när hon såg hur glad det gjorde Victor fick hon skuldkänslor. Hon anade att brodern saknade henne mycket mer än hon kunde föreställa sig. Hon visste att han fick slita i skolan, att pappa ställde höga krav. Men hon hade inte uppfattat att han tog det så allvarligt.

Nu var hon chockad över hur han drack.

”När började du hålla på så här?”

Ellinor rättade till axelbandet på bikinitoppen, det hade lämnat en svag vit rand efter sig i den bruna huden. Hon knuffade på sin bror som borrade ner huvudet i kudden.

”Låt mig vara”, mumlade han in i örngottet. ”Jag orkar inte med något förhör.”

”Victor.” Ellinor gav sig inte. ”Vad håller du på med? Tänk om mamma och pappa hade märkt någonting.”

”Mmm.”

Deras föräldrar hade ätit middag med de andra familjerna som var med på resan och ingen hade lagt sig i hur ”ungdomarna” firade in det nya året.

Sent på natten hade Ellinor skymtat pappan när denne gått ut på terrassen för att röka en cigarill. Någon som inte liknade Madeleine hade stått intill.

”Victor”, upprepade Ellinor. ”Vad är det som har hänt? Du har druckit varenda dag sedan vi kom hit.”

De bodde på ett all-inclusive hotell. Det var inga problem att hämta dricka i någon av de många barerna. Men var det mer än så? Visst hade det luktat något sötaktigt häromdagen?

”Har du rökt gräs också?” sa hon och hörde själv hur lik mamma hon lät på rösten. ”Du är bara femton.”

”Sexton om en månad”, kom det svagt.

”Håller du på så här när du går i skolan?”

Hon mjuknade.

”Jag är ju orolig för dig, fattar du inte det.”

”Jag ska inte göra det mer.”

I det ögonblicket lät han uppriktig. Det var uppenbart att han mådde uselt, det lät som om tungan satt fast i gommen.

”Jag måste spy”, mumlade han och försvann till badrummet.

Högljudda uppkastningar hördes genom dörren.

När han kom tillbaka satt Ellinor lutad mot sänggaveln med knäna uppdragna mot hakan. Hon följde honom med blicken när han lade sig ner igen.

”Är det jobbigt i plugget?” sa hon. ”Har du och Felicia bråkat eller är det något annat?”

”Jag är bara så jävla trött på allting.”

”Vad är det som har hänt?”

Han svarade inte.

”Victor.”

”Vad vill du veta?” mumlade han efter en lång stund. ”Att farsan och morsan jämt är upptagna med någon skit? Eller att de bara bryr sig om hur det går med betygen men ger fan i resten. Du vet ingenting om hur jag mår.”

Victor rullade över på rygg och stirrade i taket.

”Det gör detsamma, jag kommer aldrig att bli lika bra som du. Det finns bara en i vår familj som lever upp till alla förväntningar.”

”Men Victor!”

Ellinor blev förskräckt över bitterheten som vällde fram. Hon hade aldrig hört sin bror låta på det viset. Hans käkar var stela och det såg ut som om han ville slå någon på käften.

”Vad är det med dig?” utbrast hon. ”Varför är du så arg?”

Den svarta hotelltelefonen på nattduksbordet avbröt dem.

Ellinor tog luren och lyssnade i några sekunder innan hon lade på.

”Det var mamma. Vi ska äta brunch på den där golfklubben klockan två. Du måste duscha med en gång, vi ska samlas i lobbyn om en kvart.”

Resten av resan undvek Victor henne.

Hon fick ingen ny chans att prata med honom.

Kapitel 77

”Jag har aldrig sett honom dricka på det viset”, sa Ellinor. ”Jag vet inte om han använde kokain också, men jag är nästan säker på att han rökte marijuana när vi var i Mexiko.”

Ellinor drog med handen över pannan.

”Jag fattar inte att du och mamma inte märkte något. Han var ju full nästan varje kväll.”

Det högg till i Johan när han hörde orden.

”Varför sa du ingenting?” frågade han.

Hennes uppgivna blick gav honom svaret: Ni skulle aldrig ha lyssnat.

Utan att säga något mer reste hon sig och gick. Dörren gled igen bakom hennes rygg.

Du är så lik Victor, tänkte Johan. Samma hårfärg, samma blåa ögon. Mitt vackra barn. Som Tobias Hökström tog ifrån mig.

Sorgen vällde fram igen men han tvingade den tillbaka och koncentrerade sig på ilskan. Han reste sig och gick fram till det antika skrivbordet vid fönstret. Han hade ropat in det på en auktion för flera år sedan. Många besökare trodde att det var arvegods, det hade roat honom att inte rätta dem.

Han tog fram sin telefonbok ur den översta lådan, han visste precis vem han skulle prata med. Carl Tarras, säkerhetschefen på koncernen där Johan varit vd. En före detta militär som sadlat om när krigsmakten skar ner. Nu drev han en framgångsrik konsultfirma som sysslade med allt från säkerhetslösningar till personskydd för ledande befattningshavare.

Carl Tarras hade kontakter i alla delar av samhället.

Johan tog fram sin mobiltelefon. Handen var blytung när han slog telefonnumret. Men innan signalen hann gå fram tryckte han bort samtalet.

Allting var kaos. Han måste tänka efter.

Från barskåpet hämtade han en ny flaska whisky och skruvade långsamt av den gröna kapsylen. Sedan hällde han upp ett glas och fyllde på med vatten från tillbringaren på bordet. Han satte sig i fåtöljen igen, lutade sig tillbaka och blundade.

Ännu en gång gick han igenom det som sagts på telefon när han satt i bilen. Ord för ord, mening för mening.

Uppgiftslämnaren hade varit helt säker på sin sak. Allting pekade mot Tobias Hökström. Arthur hade själv bekräftat det när han berättade om Felicias vittnesmål. Tobbe hade varit på stranden där Victor dog. Felicia hade sett honom.

Drogerna, de var roten till det onda. Men det var Tobbes fel att Victor hade börjat missbruka.

Tobbe var både orsak och verkan.

Det var bara en tidsfråga innan polisen skulle anhålla Tobbe, en teknikalitet hade polischefen sagt i luren. Då skulle han vara utom räckhåll. Han skulle förmodligen få sluten ungdomsvård, något år eller två, högst. Snart skulle han vara ute igen och kunna fortsätta sitt liv.

Medan Victor var borta för alltid.

Minnet av Victors döda ansikte kom för Johan igen. Kroppen som låg utsträckt på britsen i den lilla stugan på Sandhamn. Växlingen mellan ljus och skugga i den skumma hallen när han var tvungen att identifiera sin döde son.

Madeleines förtvivlade gråt.

De hade inte funnits där för Victor när han levde. Det skulle han få leva med i resten av sitt liv. Men han kunde inte sitta overksam och titta på nu.

Det fanns en skuld att betala.

Arthur Hökström hade vädjat om hans hjälp och allt Johan ville göra var att slå honom på käften.

Raseriet som vällde fram var starkare än något annat han känt i sitt liv. Det pulserade i ådrorna och dunkade i pannan.

Hur i helvete kunde den mannen tro att Johan skulle lyfta ett finger för att hjälpa hans son?

Varför skulle Tobbe leva när Victor var död?

Kapitel 78

Thomas skulle just passera Mölnvik när telefonen ringde. Han hade precis tjugo minuter på sig för att hinna med sista båten från Stavsnäs. Elin skulle knappast vara vaken när han kom fram, men han fick åtminstone se henne och Pernilla skulle slippa vara ensam.

Staffan Nilssons namn lyste på displayen. De hade ringt om varandra på eftermiddagen.

”Hur gick det med västarna?” sa Nilsson direkt.

”Västarna?” upprepade Thomas.

Han passerade den sista fartkameran och tillät sig att köra lite fortare.

”Ni skulle samla in reflexvästarna från ordningspoliserna som deltog i midsommarhelgens insats. Vi pratade om det i morse.”

”Ja, just det. Jag bad Harry Anjou ta hand om det. Jag trodde att ni hade fått dem redan.”

”Inte än.” Nilsson lät irriterad. ”Saken är den att det finns en hel del andra tygfibrer på kroppen som måste undersökas. Det vore bra om vi kunde få den här saken ur världen så snart som möjligt.”

”Självklart. Jag kollar med Anjou direkt i morgon bitti. Går det bra?”

”Det får väl duga.”

”Ni har inte hittat något annat?” sa Thomas. ”Hur har det gått med Tobias Hökströms kläder?”

”Vi håller på med dem. Du vet att det tar ett tag. Jag hör av mig.”

Det knäppte till i luren och Thomas förstod att Nilsson lagt på.

Han ökade farten så mycket han vågade på den slingrande vägen utmed Värmdö Golfklubb och förbi Fågelbro.

Den digitala klockan på instrumentpanelen visade på nitton och tjugotre när sträckan smalnade och Strömma kanal kom i sikte. Några segelbåtar låg i den trånga kanalen och väntade på att släppas igenom, men de röda bommarna hade ännu inte fällts ner.

Signalen som varnade för att bron skulle öppnas ljöd just som Thomas körde över. Men han var på rätt sida nu. Från Strömma tog det högst tio minuter till Stavsnäs.

Det ringde igen. Thomas svarade utan att se efter vem det var.

”Hej Thomas, det här är Jonas Sköld.”

Jonas. Varför ringde han? Thomas visste inte ens att Jonas hade hans nummer.

”Hej”, sa han efter en sekunds tvekan.

”Jag fick ditt direktnummer av Nora”, förklarade Jonas, som om han läst Thomas tankar. ”Det gäller Wilma.”

Ett styng av dåligt samvete. Thomas hade inte ägnat en tanke åt Wilma under de senaste dagarna. Det hade inte funnits utrymme. Han borde förstås ha hört av sig till Nora men det hade inte blivit av.

”Hur mår hon efter allt som hänt?”

”Det är väl sådär”, sa Jonas och harklade sig. ”Det är delvis därför jag ringer.”

Alldeles strax skulle Thomas vara i Stavsnäs. Med bara minuter på sig att parkera bilen.

”Vad gäller saken?”

”Wilma har berättat för mig att hon var i Skärkarlshamn med ett gäng kompisar i lördags kväll. Jag tyckte att du borde få reda på det, under omständigheterna.”

En kort paus.

”Jag läste i tidningarna att ni sökte vittnen.”

”Jag förstår.”

Thomas tänkte snabbt. Tärnan, taxibåten som gick till Harö, fortsatte sedan till Sandhamn. Om han istället åkte dit kunde han träffa Wilma med en gång. Sedan kanske Nora kunde skjutsa honom till Harö med familjens utombordare.

Pernilla skulle inte bli glad men det borde inte ta mer än några timmar. Det var värt besväret.

”Jag är på väg ut. Kan jag prata med henne redan i kväll?”

”Visst. När vill du komma?”

”Båten borde vara framme runt halv nio. Jag kan gå direkt till er.”

”Okej.” Jonas harklade sig. ”Vi är hos oss, i Noras gamla hus.”

Hade inte han varit i Brandska villan senast? Vid närmare eftertanke lät Jonas inte särskilt glad. Men Thomas ville inte ställa alltför privata frågor.

Han avslutade samtalet utan att vara så mycket klokare.

Stavsnäs dök upp och Thomas svängde in på parkeringen, löste en biljett i ilfart och slängde den på instrumentpanelen under vindrutan. Sedan sprang han mot båten där skepparen just höll på att göra loss förtamparna.

”Nu hade du tur”, flinade han åt Thomas. ”Det var allt i sista minuten.”

Thomas nickade andfått och skyndade sig ombord. Det var inga svårigheter att hitta en ledig plats och han slog sig ner i den bakre salongen just som båten backade ut från kajen. Det var skönt att få sitta i fred en stund. Det hade varit ännu en lång dag. Han lutade sig mot väggen, tillät sig att blunda, men insåg efter bara någon minut att han måste meddela Pernilla att han skulle bli försenad. Det var lika bra att också kolla med Nora om hon kunde köra hem honom efter samtalet med Wilma.

Han slängde iväg ett sms till Nora och bara någon minut senare kom ett svar.

”Visste inte att du skulle komma men kan gärna köra dig/Nora.”

Det var märkligt att Jonas inte sagt något om hans besök, tänkte Thomas.

Han slog numret till Pernilla och hoppades att det skulle vara okej att han kom ut senare än han sagt.

Kapitel 79

Jonas mötte Thomas på trappan. Håret var blött, som om han nyss hade tagit en dusch.

De gick in i Noras gamla kök. Det såg likadant ut som det alltid gjort, men ändå inte. Jonas hade hängt undan alla slitna gamla kökshanddukar och grytlappar och ersatt dem med egna färgstarka i rött och grönt. På köksbänken stod flaskor med olika slags olivoljor framme och några krukor med basilika och rosmarin trängdes på en rund bricka på köksbordet.

”Vill du ha kaffe?” sa Jonas. ”Eller hellre en kall öl?”

Tekniskt sett var han inte i tjänst men först av allt ville han prata med Wilma.

”En öl vore gott”, sa Thomas, ”om jag kan ta den när jag har fått träffa din dotter.”

”Självklart.”

Jonas gick bort till trappan som ledde till övervåningen.

”Wilma”, ropade han. ”Thomas är här nu. Kommer du ner är du snäll?”

Det dröjde bara några minuter så kom Wilma in i köket. Hon hade på sig en långärmad stickad tröja över blå shorts och var barfota, precis som sin pappa.

”Hej”, sa hon, aningen förlägen.

”Hej på dig”, sa Thomas och sträckte ut handen. ”Så bra att vi kunde ses i kväll.”

Han vände sig mot Jonas.

”Ska vi sätta oss här?”

”Du bestämmer, vi kan gå in i vardagsrummet om du hellre vill det.”

”Köket blir bra”, sa Thomas.

Han hade alltid tyckt om Noras rymliga kök, där kvällssolen lyste genom fönstret.

Wilma drog ut en av de vita köksstolarna. Hon lade den ena foten under sig och satte upp ett knä som hon lutade hakan mot. Sedan lindade hon båda armarna kring benet.

Thomas slog sig ner mittemot medan Jonas förblev stående, lutad mot diskbänken.

I vänlig ton sa Jonas till sin dotter: ”Berätta nu för Thomas vilka du träffade på stranden i lördags.”

”Måste han veta allting?” sa hon.

Olusten i rösten var påtaglig men Thomas erbjöds ingen förklaring.

”Kom igen nu, tjejen”, sa Jonas och tittade uppmuntrande på sin dotter. ”Du behöver bara säga vilka som var där och vad du såg under kvällen. Det kan vara viktigt för Thomas att få reda på det.”

Wilma sneglade mot Jonas när hon hade berättat klart. Han gav henne ett uppmuntrande leende.

”Du har varit till stor hjälp”, sa Thomas uppriktigt till Wilma. ”Det var jättebra att jag fick prata med dig.”

Plötsligt hade han fått tillgång till en rad vittnen som annars säkerligen hade förblivit okända.

Wilma vek ihop listan där hon skrivit ner de namn och telefonnummer som hon kunde komma på och gav den till Thomas. Han stoppade lappen i fickan.

”Tack ska du ha”, sa han och vände sig till Jonas. ”Nu tar jag gärna den där ölen, om det är okej.”

”Visst.”

Jonas gick fram till kylskåpet och öppnade dörren. Han tog fram två burkar ur kylskåpet, behöll den ena och räckte Thomas den andra.

”Vi har haft svårt att hitta vittnen på Sandhamn, det har inte precis varit någon rusning till tipstelefonen”, sa Thomas. ”Var har du Nora någonstans, förresten? Hon har lovat köra över mig till Harö när vi är klara.”

Jonas ställde sig med ryggen mot dörröppningen. Ansiktet var bortvänt.

”Jag tror att hon är hemma hos sig”, sa han.

Wilma reste sig upp.

”Kan jag gå nu?” sa hon.

”Det ska väl gå bra”, sa Thomas, men hejdade Wilma just som hon skulle lämna köket.

”Bara en sista fråga”, sa han. ”Den där polisen som du nämnde, precis när ni skulle gå in i stugan, kommer du ihåg något om hans utseende?”

Hon skakade på huvudet.

”Nej, inte direkt.”

”Men du är säker på att han var ensam?”

Hon nickade.

”Hade han mörkt eller ljust hår? Var han kort eller lång, tjock eller smal.”

Wilma tvekade.

”Det gick så fort”, sa hon. ”Men Mattias kanske minns, han såg honom mycket bättre än jag.”

”Och det finns ingenting annat som du kan komma ihåg?”

Thomas försökte låta lätt på rösten. Han ville inte pressa flickan, men det var konstigt att ingen av de uniformerade kollegorna hade anmält att de befunnit sig i Skärkarlshamn under de kritiska timmarna. Det var en rutinsak att uppge något sådant under rådande omständigheter.

Thomas ställde ifrån sig ölburken på bordet.

”Gör mig en tjänst”, sa han till Wilma. ”Blunda och försök se situationen framför dig.”

Wilma slöt ögonen.

”Föreställ dig hur det kändes när du förstod att det var en polis i närheten”, sa Thomas. ”Vad uppfattade du då?”

Wilma blinkade till, så tittade hon rakt på Thomas.

”Han hade en gul väst på sig.”

Kapitel 80

Du hittar honom på Salvatore's, en pizzeria på hörnet vid Paradistorget, en kort bit ifrån pendeltåget. Kom klockan tjugotvå så finns han där. Du måste ha med dig tiotusen kronor i kontanter för att visa att du menar allvar. Han kräver att du kommer dit själv, det är hans försäkring.

Instruktionerna från den förre säkerhetschefen hade varit tydliga.

Johan såg pendeltågsstationen i Huddinge genom vindrutan där han satt i baksätet på taxin. Han hade druckit alldeles för mycket för att sätta sig i sin egen bil, det hade han begripit. Det fick bli taxi, han kunde inte riskera att åka dit i en nykterhetskontroll.

Inte i kväll.

För säkerhets skull beställde han en taxi som först körde honom till city. Där klev han av och betalade kontant. Så snart bilen kört iväg gick han bort till Centralstationen på Vasagatan och ställde sig i taxikön utanför huvudingången. När det blev hans tur valde han en bil från ett annat bolag än det han nyss åkt med.

Innan han gått hemifrån hade han tryckt ner en blå keps på huvudet och satt på sig mörka solglasögon. Trots sommarvärmen bar han tunna handskar för att inte lämna fingeravtryck efter sig.

Det var som hämtat ur en dålig film, tänkte han, men han var inte dum. Det fanns ingen anledning att bli igenkänd. Han tänkte inte ta några risker.

”Huddinge pendeltågsstation”, mumlade han med nerböjt huvud.

Det tog inte lång tid att lämna huvudstaden bakom sig. Bilen svängde upp på Söderleden och fortsatte mot väg 226, Huddingevägen. Trafiken var sparsam och efter en dryg kvart var de framme.

Johan väntade vid ett stort träd tills taxin hade åkt sin väg. Då gick han, med målmedvetna steg, mot Paradistorget.

Restaurangen dök upp på andra sidan gatan. Den solkiga vita neonskylten upplyste honom om att han kommit rätt. Utanför entrén, på trottoaren, stod en låg trekant i vit plast som radade upp ställets olika pizzor.

På avstånd, tvärsöver järnvägsspåren, låg en klunga höghus med belamrade balkonger. En kvinna i sjal skyndade förbi med en barnvagn, hon undvek ögonkontakt med några ungdomar som hängde på sina mopeder vid korvkiosken ett hundratal meter längre bort.

Restiden mellan området där han nu befann sig och de egna lummiga villakvarteren var inte mer än en knapp timme men Johan kände sig lika främmande som om han hade kommit till ett annat land.

Obehaget kröp i kroppen, han ville därifrån. Nu ångrade han att han inte hade bett taxichauffören vänta på honom. Men det var en risk han velat undvika, killen kunde lägga honom på minnet.

Dörren till den sjabbiga pizzerian öppnades av en lång man som tände en cigarett när han kom ut på gatan. Glöden syntes tydligt i kvällningen.

Johan tvekade där han stod i skuggan.

Han kunde fortfarande avstå, vända sig om och gå till pendeltågsstationen. Inom en timme skulle han vara tillbaka hos sin hustru och dotter.

Men han såg sin sons sargade ansikte framför sig.

Mannen med cigaretten hade rökt klart. Han slängde fimpen på gatan och tryckte till den med klacken. Sedan gick han in igen.

Johan slängde en blick på klockan, snart fem över tio. Han måste gå in.

I fickan hade han kuvertet med pengar. Han förvarade alltid ett visst mått kontanter hemma. Kassaskåpet var inbyggt i källaren och där hade han hämtat det som behövdes.

Handen slöt sig om pengarna. Bunten var tunn med tanke på beloppet. Tio sedlar som var värda tusen kronor var.

För samma summa kunde han få skydd för sig och de sina. Det var det gängse priset om någon hotade ens närstående. Det räckte för att skicka en varning genom systemet: rör inte den här familjen. Det var en udda kunskap han delade med många i höga positioner.

Men nu gällde det någonting helt annat. Den här gången var penningsumman bara en avbetalning. En entrébiljett.

Ett gnisslande ljud hördes på avstånd och Johan vred på huvudet mot stationen. Ett tåg hade just kommit in och skulle snart avgå mot Stockholm. Det var inte för sent att åka sin väg.

Han kramade sedelbunten hårdare.

Kapitel 81

Nora släppte av Thomas vid bryggan på Harö. Vattenytan klövs av svallet från hennes egen båt, annars låg den lilla viken alldeles stilla. Vid badstegen på nocken låg en kvarglömd frottéhandduk tillsammans med en rosa napp.

”Vill du följa med in och säga hej till Pernilla?” sa Thomas.

”Jag måste hem till pojkarna. Men vi kan väl ses i helgen? Ni kan komma över och fika om ni vill.”

Motorn gick på tomgång och Nora höll i bryggkanten så att båten inte skulle driva sin väg. Thomas hade jackan slängd över ena axeln.

”Kan vi hålla det öppet? Det beror lite på hur utredningen går.”

”Visst. Vi kan höras på fredag”, sa Nora och sköt ifrån med handen. ”Hälsa familjen”, ropade hon över motorljudet.

När hon rundat Harö blev Sandhamn synligt och Nora styrde mot de gula och röda trähusen vid inloppet. Det höga lotstornet reste sig över talltopparna. Där hade det i decennier funnits ständig bevakning. Båtsmännen gick i skift för att det inte skulle stå obemannat. Nuförtiden var allting datoriserat, tornet var övergivet.

Snurran hade inga lanternor men det behövdes inte. Kvällshimlen var klar, molnen som brett ut sig under dagen hade försvunnit och bakom hennes rygg gick solen ner som ett stort orange klot.

På en ingivelse drog hon ner farten och lät båten driva.

Thomas hade sett förbryllad ut när han kom bort till Brandska villan efter besöket hos Jonas och Wilma. Nora hade undvikit hans tysta fråga. Istället hade hon tagit sin jacka, hämtat båtnyckeln i nyckelskåpet och gått före ner till bryggan för att starta motorn.

Utombordaren guppade på de lätta vågorna. Nora lutade sig över relingen och doppade handen i vattnet. Det var ganska kallt, det var det alltid så här långt ut i havsbandet. Men hon tyckte om den svala känslan som omslöt fingertopparna och lät det dröja innan hon drog upp handen igen.

Väster om Sandhamn kom en stor färja med estnisk flagga. Solnedgången speglades i dess fönster, det var som om alla fönsterglas hade målats i rosenrött.

Tanken hon försökt undvika kom tillbaka.

Thomas hade varit på besök hos Jonas, i hennes gamla hem, utan att hon varit inbjuden.

Kapitel 82

Johan Ekengreen tryckte ner handtaget och steg in.

Ett tiotal bord var uppställda i den avlånga lokalen som hade mörk träpanel på väggarna. Den var större än utsidan gav sken av, köksytorna låg synliga till vänster och mittemot fanns flera dörrar målade i svart.

Några strögäster satt vid fönsterborden. Det luktade kraftigt av tomatsås och nybakad pizza. Längst in i restaurangen, med ryggen mot väggen, satt en kraftig man med mörkt hår som glesnat över pannan. Det som återstod var klippt mycket kort. Runt halsen glimmade en smal halskedja i silver och han bar en bred ring i borstat stål på den ena tummen.

Under de grova ögonbrynen var ögonen på sin vakt.

Han heter Wolfgang Ivkovac. Han vet att du kommer. Mer än så kan jag inte göra.

Johan gick fram till det runda bordet.

Ivkovac hade sällskap av tre andra män, också de kraftiga, men det var bara han som hade en tallrik med mat framför sig, en halväten calzone.

Johan lyfte hakan och mötte Ivkovacs blick.

”Du vet varför jag är här”, sa han lågt.

Ivkovac gjorde en rörelse med huvudet och en av männen reste sig och beredde plats för Johan.

Han satte sig klumpigt. Plötsligt kände han sig svimfärdig, tungan låg som en oformlig klump i munnen. Men det var för sent att ändra sig.

”Min son är död”, sa han långsamt.

”Jag beklagar”, sa Ivkovac och sköt undan tallriken. ”Hur kan jag hjälpa dig?”

Fokusera, tänkte Johan. Han försökte återkalla känslan från det militära. Kylan som tog över då varje fiber i kroppen var inriktad på ett enda mål. När världen försvann och ingenting annat räknades.

”Jag vet vem som orsakade det”, sa han.

Från innerfickan tog Johan fram ett foto på Tobbe och lade det på bordet. Han sköt över det till Ivkovac.

Ivkovac tog upp fotografiet och studerade det noga.
”Han är ung”, sa han.
”Det var min son också”, sa Johan.
Ivkovac skakade eftertänksamt på huvudet.
”Jag har egna barn”, sa han. ”Två söner och två döttrar. Föräldrar ska inte överleva sina barn.”
Han lyfte ölglaset och drack ur det sista. Ett bleknat ärr vid halsen rörde sig när han svalde.
Johan pekade på bilden.
”På baksidan står hans namn och adress.”
”Har du pengarna med dig?” sa Ivkovac.
Johan rörde vid fickan med kuvertet så att mannen mittemot kunde se det.
”Ja.”
”Det här kommer att kosta mer.”
Han skrev en siffra på en lapp och visade Johan. Det var betydligt mindre än kostnaden för skidresan till Chamonix.
Återigen smakade det galla i munnen.
”Du får ett kontonummer till en bank utomlands. Det får inte synas varifrån pengarna kommer.”
En menande gest.
”Du fattar, va?”
”Jag ordnar det i morgon bitti.”
Johan hade gjort affärer i Turkiet i flera år. Han hade en gammal bekant där som var pålitlig. Om Johan ringde honom skulle han utan några frågor föra över summan till Ivkovacs konto. Så småningom skulle det komma en faktura för konsulttjänster till ett av Johans bolag. Pengarna skulle aldrig gå att spåra.
Jag är skicklig, tänkte han. Till och med under de här omständigheterna. Jag har kontakter som kan hjälpa mig med allt jag behöver.
Det låg ingen glädje i vetskapen.
”När vill du ha det gjort?” sa Ivkovac till Johan.
”Så snart som möjligt.”
Diskret tog Johan upp kuvertet med pengar och räckte det till Ivkovac i skydd av bordet. Lika diskret stoppade jugoslaven på sig det.
”En sak till”, sa Johan. ”Det måste se ut som en olyckshändelse.”
Ivkovac växlade en blick med en av livvakterna.

”Är det viktigt?”

”Ja, det är säkrare, för mig.”

Johan reste sig och sköt in stolen.

Rösten var stadig, beslutet var fattat.

”Jag vill att det ska ske inför hans fars ögon.”

Onsdag

Kapitel 83

Det var varmt i rummet, Tobbe hade svårt att komma till ro. Det enda han hade på sig var ett par kalsonger men han svettades ändå, fastän lakanet var kastat åt sidan.

Actionfilmen som han försökt kolla på hade slutat strax efter två, han borde vara sömnig men det gick inte att slappna av.

Det var tyst i lägenheten, för tyst. Morsan hade för länge sedan tagit en av sina sömntabletter, Christoffer var hos Sara. Han hade erbjudit sig att stanna hemma, men Tobbe hade sagt att det inte behövdes.

Nu ångrade han sig. Han önskade att Christoffer hade varit där men ville inte ringa honom mitt i natten.

Farsan hade frågat om han ville bo hos dem ett tag, men han hade skakat på huvudet. Ingenting blev bättre av att flytta till pappa och Eva. Tobbe visste att morsan skulle ta det som ännu ett svek. Han orkade inte med fler sorgsna blickar och förebråelser.

Det räckte med hans egna.

Varje gång han försökte sova mindes han förhöret hos polisen. Den kvinnliga polisen hade stirrat på honom som om han var ett monster. I deras ögon var han kriminell, en ungdomsbrottsling…

En mördare.

Skulle han hamna i fängelse nu? Han var bara sexton år, han skulle börja på gymnasiet i augusti. Det var bara i USA som man låste in tonåringar i riktiga fängelser, försökte han tänka. Men magen drog ändå ihop sig av rädsla. Tänk om han hade fel och skulle spärras in bland vuxna som våldtog honom.

Underläppen darrade.

Det var så mycket han ångrade, så mycket han skulle ha gjort annorlunda om han fått chansen. Allting var hans fel, men ingenting gick att ändra.

Det var fortfarande rörigt efter polisens besök. De hade stått och rotat i hans lådor och i tvättkorgen när han kom hem. Det hade varit overkligt, polisbilen på gatan och morsans gråt från köket. Några grannar hade stått utanför och sneglat mot deras fönster. Med böjt huvud hade han skyndat in genom porten.

Om han bara hade haft någon att prata med.

Ebba.

Hon skulle ha förstått hur han kände sig. Han hade varit en sådan idiot som stött bort henne.

Polisen hade tagit hans dator men han gick ut i vardagsrummet och satte sig framför den stationära som morsan brukade använda. Där gick han in på Facebook och letade rätt på Ebbas profil. Hon hade inte blockerat honom i alla fall. Tanken tröstade på något sätt.

Långsamt gick han igenom Ebbas statusuppdateringar den senaste tiden, de var inte många och inga alls efter midsommarhelgen.

Fotoalbumet lockade. När de var tillsammans hade han funnits med på massor av bilder, nu var allesammans borta. Det gick knappast att klandra henne, ändå önskade han att några hade varit kvar. Men han tyckte om att titta på bilderna av Ebba, det lugnade honom.

Efter en stund kom han till fotografier där Victor fanns med, tillsammans med Felicia. Det gungade till, snabbt bläddrade han förbi dem för att slippa se Victor.

Det sista fotot på Ebba var taget på skolavslutningen i juni. Hon bar en vit bomullsklänning med brodyr och smala axelband. Leende mötte hon kameran och höll upp kuvertet med sitt slutbetyg.

Han kom ihåg hur enkelt livet hade känts den dagen. Jublet inför sommarlovet, vemodet över att klassen nu gått ut.

De hade stått i solen på skolgården och inte velat skingras.

Innan han kunde ångra sig klickade han på Ebbas meddelandeknapp. En liten ruta kom upp på skärmen. Bokstäverna skrev sig själva.

”Förlåt.”

Kapitel 84

När Thomas parkerade utanför Nacka polisstation och skyndade sig till hissen var klockan redan halv åtta. Båten in från Harö hade varit några minuter försenad och dessutom hade han åkt på en broöppning vid Strömma.

Morgonmötet skulle precis börja, han slängde in jackan på rummet och gick snabbt bort till konferensrummet där Erik, Kalle och Karin redan slagit sig ner. Margit kom samtidigt från andra hållet, han stannade till vid ingången och lät henne gå före.

”Jag stötte ihop med Nilsson i hissen”, sa hon och satte sig vid den närmaste långsidan av bordet. ”Han nämnde att ni hade snackat om reflexvästarna, de där som Anjou skulle samla ihop.”

”Ja, just det. Det saknas några.”

Ett ljud i dörröppningen avbröt dem. Harry Anjou klev över tröskeln med en kaffekopp i handen. Han verkade fortfarande inte riktigt pigg, ansiktet hängde och hyn var grådaskig.

”Perfekt”, sa Margit. ”Vi pratade just om dig. Hur gick det med västarna?”

Harry ställde ifrån sig kaffet och drog ut en stol.

”De är inlämnade”, sa han. ”Jag gick bort med de sista alldeles nyss.”

”Utmärkt.” Margit synade hans insjunkna ögon. ”Hur känner du dig?”

”Så där.”

Karin såg upp från sitt block.

”Jag har Alvedon i min låda om du vill ha”, sa hon vänligt.

Anjou nickade kort.

”En annan sak”, sa Thomas. ”Sachsen har hört av sig. De lämnar ifrån sig kroppen i dag, begravningen ska tydligen ske redan i morgon om jag förstår saken rätt.”

”Det var snabba puckar”, sa Margit.

”Mamman är katolik.”

Margit höjde ett varnande pekfinger.

”Då får vi hoppas att Sachsen inte behöver kolla något i efterhand. Det är inte kul när det sker efter jordfästningen.”

Telefonen ringde just som Thomas lämnade morgonmötet. Det var Nora.

”Hej, har du tid en minut?”

”Om det bara är en minut.”

Han skrattade för att ta udden av uttalandet.

”Jaha.” Nora kom ändå av sig. ”Jag ville bara höra om du kom hem ordentligt.”

Thomas fick med ens en känsla av att hon hade tänkt säga något helt annat.

”Det vet du väl, du släppte själv av mig på bryggan.”

”Då så. Men det var ju bra. Hej, så länge.”

Hon hade definitivt något på hjärtat.

”Vänta en sekund så får jag gå in på mitt rum”, sa Thomas.

Han gick bort till sig och stängde dörren.

”Är det något som har hänt?” sa han och drog ut kontorsstolen. ”Du ringer väl inte bara för det där?”

En bedrövad suck i telefonen. Thomas mindes hur hon brukade låta när hon bråkat med Henrik.

”Det är inte riktigt bra mellan Jonas och mig just nu”, sa Nora efter ett tag.

”Det ante mig. Jag undrade varför du inte var där i går kväll.”

”Sa Jonas något om mig?”

”Nej, inte alls”, svarade Thomas sanningsenligt. ”Jag undrade bara var du höll hus och han sa att du var i Brandska villan.”

Det blev tyst.

”Får man fråga vad det är som pågår?”

”Det är det här med Wilma”, sa hon. ”Hon gillar inte mig, det har varit jobbigt ända från början. Hon har nog haft svårt att vänja sig vid att Jonas fått en flickvän.”

”Det hör väl till”, sa Thomas.

”När hon var borta hela natten i lördags blev Jonas väldigt orolig. Sedan hon kom tillbaka i söndags har vi knappt pratat med varandra. Jag tror att han lägger skulden på mig på något sätt. Jag vet inte vad jag ska göra.”

Nora hejdade sig plötsligt. Nästan abrupt.

”Jag tror att Jonas måste koncentrera sig på Wilma just nu”, sa Thomas försiktigt. ”Hon behöver sin pappa.”

Av Wilmas berättelse hade Thomas förstått att hon hade råkat ut för något otrevligt. Även om hon inte gått in på detaljer gick det att läsa mellan raderna. När Wilma lämnat köket hade Jonas antytt att Mattias gått över gränsen. Men han hade varit tydlig med att han inte ville göra en polissak av händelsen.

Det var inte Thomas sak att berätta det för Nora. Det måste Jonas göra själv.

”Men jag vet ju inte vad hon har råkat ut för”, utbrast Nora häftigt. ”Han berättar inte något för mig.”

Thomas försökte hitta en mellanväg.

”Nora, jag kan inte gå in på vad Wilma sa, men hon är skör just nu, det var någonting med en kille som gick snett. Det är inte så konstigt att Jonas ägnar sig åt henne.”

”Varför säger han inte det då?”

”Du vet väl hur vi män fungerar”, sa Thomas och försökte låta lättsam. ”Vi kan bara fokusera på en sak i taget.”

”Så du tycker inte att jag ska oroa mig så mycket?”

”Du känner Jonas mycket bättre än jag gör. Men jag hade nog reagerat på ungefär samma sätt.”

”Är det säkert? Tack snälla du, du anar inte vad det betyder för mig att du säger så.”

Lättnaden i hennes röst var påtaglig. Men Thomas mindes skuggan över Jonas ansikte när han frågat efter Nora.

Kapitel 85

Klockan närmade sig tio. Thomas hade slagit upp Mattias Wassberg på Facebook och studerade nu sjuttonåringens ansikte på dataskärmen. På fotografiet bar Wassberg en vit kortärmad t-shirt. Det syntes att han tränade, överarmarna var muskulösa.

Det var ingen tvekan om att grabben såg bra ut, men det var något med leendet som fick Thomas att tycka att han verkade självgod. Men kanske var han färgad av det han fått reda på i går.

Thomas visste alltför väl hur många skithögar det fanns som redan i tonåren behandlade tjejer illa. Förhoppningsvis hade Wilma kommit undan med blotta förskräckelsen.

Thomas slog det nummer till Mattias Wassberg som Wilma gett honom. Efter fem signaler svarade en sömnig röst.

”Hallå.”

Thomas presenterade sig.

”Vi behöver ställa några frågor till dig angående händelser som utspelade sig på Sandhamn i helgen.”

”Jag är ute och seglar”, mumlade rösten grötigt.

”Var är du någonstans?”

”Utanför Gotland.”

”När kommer du tillbaka till Stockholm?” sa Thomas. ”Vi vill gärna träffa dig.”

”Jag vet inte.”

Det började brusa i telefon. Mattias Wassberg hostade till och sa något som Thomas inte hörde, sedan bröts samtalet.

Thomas ringde upp igen men den här gången svarade en metallisk röst att abonnenten inte kunde nås för närvarande.

Mobiltäckningen på sjön var inte den bästa, det visste Thomas. Han prövade igen, utan framgång.

För tillfället gick det inte att få tag i Mattias Wassberg.

Staffan Nilsson stod böjd över en bänk i rostfritt stål i det stora ljusa rummet där den tekniska fältenheten höll till.

På ett bord intill låg en hög med neongula reflexvästar staplade, alla noggrant märkta med namnet på den polis som västen tillhörde. I ett tråg på golvet låg de som redan var undersökta.

”Då ska vi se här.”

Nilsson mumlade lite för sig själv när han metodiskt gick igenom dem en efter en. Det gjorde han alltid, hans fru brukade säga att han lät som en gammal gubbe.

Sjutton stycken var redan granskade.

Han sträckte sig efter den artonde. Adrian Karlsson stod det på den vita namnlappen.

Nilsson upptäckte med en gång att det saknades en liten bit gult tyg i ett hörn.

”Var lade jag nu pincetten?”

Han vände sig om och hittade den på bänken. Med det smala verktyget plockade han upp ett gult tygfragment ur en förslutningsbar plastpåse. Den var märkt med ett katalogiseringsnummer och tillhörde brottsutredningen.

Med noggranna rörelser förde han fragmentet mot hålet i västen för att se om den upphittade biten passade.

”Det var som fan”, utbrast han.

Johan andades lättare. Det var tyst i huset, Madeleine låg och vilade, Ellinor var hos en kompis.

Så snart han hade lämnat restaurangen i Huddinge kändes det bättre. Bitarna höll på att falla på plats. Skulden till Victor skulle betalas av.

I den förvissningen hade han åkt tillbaka till villan och mot alla odds lyckats sova några timmar bredvid Madeleine.

Allting var bättre än att sitta passiv och sörja.

Efter frukosten hade han vidtagit mått och steg för att ordna det sista. Telefonsamtalet till Turkiet var avklarat, det hade han ringt redan på morgonen, för säkerhets skull med ett kontantkort som han köpt i en kiosk.

Precis som han förutsett blev det inga problem, hans gamle vän hjälpte gärna till, utan att ställa några frågor.

Om några månader skulle det komma en räkning, helt legitim, för analystjänster i samband med ett tänkt företagsförvärv som inte blev av.

Planera, genomföra, analysera, det hade han lärt sig på kustjägarskolan och tillämpat ända sedan dess. Det hade burit honom genom hela karriären. Aldrig se tillbaka när beslutet var fattat.

Redan då hade han funnit sinnesro i vetskapen om en väl genomförd operation. Men aldrig hade han anat att kunskaperna skulle tas i bruk i hans livs svåraste situation.

Begravningen skulle ske i morgon i den katolska domkyrkan på Folkungagatan. Madeleine hölls uppe av planeringen inför arrangemanget och alla detaljer kring utsmyckningen. Efteråt skulle de ha en mottagning, hon hade insisterat på det, trots att Johan tvivlade på att hon skulle klara anspänningen. Men han lät henne få sin vilja fram i allting som rörde deras sons begravning. Det enda han krävde var att det inte fick förekomma några vita blommor.

Vita liljor var för gamla människor, som dött efter ett fullgott liv.

”Johan.”

När han såg upp stod Madeleine i dörröppningen. Håret var fett kring tinningarna och hängde livlöst runt öronen. Hon hade knäppt en knapp fel i den kortärmade vita blusen.

”Johan”, sa hon igen och höll upp en mörkblå kostym framför sig. ”Jag måste lämna kläder till begravningsbyrån. De undrar vad Victor ska ha på sig i morgon.”

Johan betraktade plagget på galgen. En slips i grått siden hängde ner över det ena kavajslaget.

”Det är kanske bättre med jeans och en skjorta”, sa Madeleine. ”Den sortens kläder som han brukade ha på sig. Den rosa skjortan som han köpte för egna pengar. Det här känns inte som Victor.”

Ögonen glänste av tårar. Hon svalde flera gånger och försökte igen.

”Vad tycker du?”

Johan skakade på huvudet. Vad spelade det för roll vad Victor hade på sig? Om tjugofyra timmar skulle hans kista sänkas i jorden. Ingen skulle någonsin se honom igen.

”Men kostym är mer värdigt”, sa Madeleine. ”Det passar nog bättre ändå.”

Rösten bröts.

”Hjälp mig”, sa hon. ”Jag vet inte vad som är bäst.”

Hon tog stöd mot dörrposten.

”Snälla Johan.”

Hastigt reste han sig och tog galgen ifrån henne.

”Ska inte du vila lite”, sa han vänligt trots att han bara ville att hon skulle gå sin väg. ”Ta och lägg dig en stund. Jag hänger upp det här, vi kan bestämma det senare.”

Madeleine släppte hängaren och Johan gav henne en fumlig klapp över axeln. Han måste försöka vara snäll, trots att han knappt förmådde vara i samma rum som henne.

Han orkade varken med sin egen sorg eller sin hustrus.

Kapitel 86

Dörren till Staffan Nilssons tjänsterum var stängd när Thomas kom dit och han knackade på.

”Kom in”, hördes en bestämd röst inifrån rummet.

”Du hade sökt mig”, sa Thomas när han steg in.

”Ja, jag ville visa dig något”, sa Nilsson och reste sig från stolen. ”Häng med.”

Han gick före in till labbet med Thomas bakom sig. En stor hög med gula reflexvästar låg på ett metallbord.

Nilsson lyfte upp en av dem och höll fram den. Den var trasig i nederkanten.

”Så frågan är avklarad?” sa Thomas.

”Inte riktigt.”

”Vad menar du med det?”

”Det saknas visserligen en liten bit tyg i den här, men när jag jämför den med biten som vi hittade på brottsplatsen är det något som inte stämmer.”

”Kan du förklara närmare?”

Nilsson vände sig istället om. Han hämtade en plastpåse med ett tygfragment och räckte den till Thomas.

”Se själv.”

”Passar de inte ihop?” sa Thomas utan att riktigt förstå vart Nilsson ville komma.

”Titta på snittytan på västens tyg.”

Thomas lutade sig fram och studerade syntetväven noga.

”Den ser rak ut.”

”Det är just det.”

Nilsson tog påsen från Thomas och lade ner den bredvid Adrian Karlssons reflexväst så att hålet hamnade precis intill den lilla tygbiten.

”Det du ser i påsen är tyg som har slitits itu, som om det har fastnat. När man tittar som hastigast kan man tro att fragmentet kommer från Karlssons väst. Men det som saknas på den västen är delvis bortklippt, även om det ser ut som om det har ryckts loss på slutet."

Rättsteknikern lutade sig mot bänken och korsade armarna. Thomas studerade hans ansikte.

"Vad är det du säger?"

"Tyget är manipulerat för att det ska se ut som om det är trasigt. Någon vill få oss att tro att tygbiten kommer från just den här västen."

Thomas försökte begripa innebörden.

"Du menar att Adrian Karlsson avsiktligt skulle ha använt en sax för att få det att verka som om tygbiten kommer från honom?"

"Ungefär så."

"Varför skulle han göra det?"

"Det är precis min fråga", sa kriminalteknikern. "Varför skulle han göra det?"

Thomas gick nerför trapporna till det undre våningsplanet där Ordningsroteln höll till.

Det var någonting som inte stämde, precis som Nilsson påpekat. Varför skulle Karlsson klippa sönder sin egen reflexväst?

Thomas gick bort till Jens Sturup, insatsledaren på Sandhamn under midsommarhelgen. Dörren stod på glänt och Thomas klev in. Sturup satt vid sitt skrivbord med en stor pärm uppslagen framför sig. En blå kaffemugg med texten "Ordnung muss sein" stod framför honom på bordet.

"Hej", sa Thomas. "Jag söker Adrian Karlsson. Råkar du veta var han håller hus?"

Sturup såg på klockan.

"Jag tror att han går på sena skiftet i dag, det börjar klockan femton. Vad gäller saken?"

"Jag har några frågor som rör den mördade grabben på Sandhamn. Kan du be att han kommer upp till mig så snart han kommer in."

"Jag fixar det", sa Sturup och återgick till sin pärm men Thomas blev stående på tröskeln.

"Har du tid en minut?" sa han.

Insatsledaren lyfte på huvudet.

"Visst gick alla uniformer i par under insatsen på Sandhamn. Det är väl bara kollegorna på Span som jobbar på egen hand?"

”Tekniskt sett, ja”, sa gruppchefen.

”Vad menar du med det?”

”Som princip är det så, men det finns undantag. Om det är relativt lugnt, eller om någon till exempel behöver gå på toaletten, kan det hända att de tar sig ett varv på egen hand.”

”Så det kan ha förekommit att någon patrullerade utan en partner?”

”Ja, det skulle jag tro.”

Wilma hade nämnt att hon skymtat en ensam polis. I en gul skyddsväst.

Om Adrian Karlsson hade råkat riva sönder sin väst på brottsplatsen kunde han enkelt ha anmält det, då hade saken varit ur världen. Alltså betydde det någonting att han hade valt en annan väg.

I en mordutredning var det avvikelserna som var intressanta, det som bröt mönstret. Var det brutet nu?

”Känner du honom närmare?” sa Thomas eftertänksamt. ”Karlsson, alltså? Jag träffade honom bara som hastigast på Sandhamn i söndags.”

”Någorlunda”, sa Sturup. ”Vi har jobbat ihop de senaste åren. Han var med på midsommarinsatsen även förra året.”

”Hur är han som person?”

Sturup slog ihop pärmen.

”Noggrann, ärlig, ganska lugn. Det är en hygglig kille, han är en bra polis.”

”Hur gammal är han?”

”Trettiofyra, tror jag, möjligen trettiofem.”

”Familjeförhållanden?”

”Sambo, ett barn. Jag tror att han har ett till på gång i höst.”

”Säg mig en sak.” Thomas drog på frågan för att inte lägga någon dramatik i orden. ”Råkar du veta om han har fått någon anmärkning tidigare? Har det förekommit några snedsteg?”

”Hur så?”

”Jag undrade bara.”

Jens Sturup sköt upp glasögonen i pannan.

”Nej, nu får du nog tala om för mig vad saken gäller. Det är klart att du säger så av en bestämd orsak.”

Thomas tvekade, så bestämde han sig för att tona ner alltsammans.

”Det är nog ingenting, bara en grej som är lite underlig. Det går säkert att reda ut när jag får tala med honom.”

Han vände sig om för att gå.

”Men glöm inte att be honom kontakta mig”, sa han innan han lämnade rummet.

”Personen du söker kan inte nås för tillfället.”

Thomas tryckte bort den automatiska rösten men satt kvar med telefonen i handen. Mattias Wassberg måste fortfarande vara på sjön.

Ett ljud vid dörren fick honom att reagera. En uniformsklädd Adrian Karlsson klev in i hans rum.

”Du hade sökt mig”, sa han. ”Vad gäller saken?”

”Slå dig ner.”

Thomas lade undan telefonen, han fick jaga Wassberg senare.

”Jag ska gå på mitt pass om några minuter”, sa Karlsson. ”Tar det här lång tid?”

Han kastade en menande blick på armbandsuret men satte sig ner mittemot Thomas.

”Jag tror inte det, jag behöver bara kolla en sak”, sa Thomas och bestämde sig för att gå rakt på sak. ”Jag har en fråga angående den reflexväst som du lämnade in i går. Den är trasig och det ser ut som om du har klippt loss en bit tyg från den. Varför har du gjort det?”

”Vad pratar du om?”

Adrian Karlsson lät förvånad och Thomas betraktade forskande sin kollega.

”Din reflexväst är sönder och det ser ut som om det har gjorts med flit. Jag undrar hur det kommer sig.”

”Den var hel när jag lämnade ifrån mig den”, sa Adrian. ”Det kan jag gå ed på.”

Thomas försökte fånga Margits uppmärksamhet där hon satt i kafferummet med tiotalet arbetskamrater. Karin Ek fyllde år och bjöd på tårta till eftermiddagsfikat.

När Margit upptäckte Thomas ställde hon ifrån sig sin tallrik och ursäktade sig. Thomas gick undan några meter så att kollegorna inte skulle höra vad de sa.

”Adrian Karlsson?” sa Margit med en gång när hon kom fram.

”Jag har precis talat med honom.”

”Hur gick det?”

”Han svär på att hans väst var hel när han lämnade in den.”

”Va?”

”Jag ställde en rak fråga och fick ett rakt svar.”

Thomas lutade sig mot väggen.

”Karlsson vill inte kännas vid att han skulle ha skadat den på något sätt. Jag försökte pressa honom och då blev han upprörd, nästan fientlig. Undrade om någon försökte sätta dit honom.”

”Det låter väldigt konstigt”, sa Margit. ”Västen är trasig och Nilsson är säker på att den är manipulerad.”

”Det finns bara två personer som har haft tillgång till den innan den kom till Nilsson.”

”Om Adrian säger att det inte är han så återstår bara Harry.”

”Det är precis det som oroar mig.”

Från fikarummet hördes en skrattsalva, förmodligen var det Erik som underhöll församlingen, han brukade vara bra på att hålla låda.

”Jag gillar inte när saker och ting krånglar till sig”, sa Margit lågt. ”Speciellt inte när det rör någon inom kåren. Kan det vara fel väst? Går det att byta namn utan att det syns?”

”Nilsson skulle nog se det direkt.”

”Vi har inte tid att ägna oss åt internt schabbel.”

På avstånd hördes nya skratt runt tårtbordet.

”Vi måste reda ut vad som har hänt med västen”, sa Margit.

”Jag pratar med Harry.”

”Han är inte i fikarummet. Jag har faktiskt inte sett honom på hela eftermiddagen.”

Kapitel 87

Johan Ekengreen satt ensam på altanen med ett glas rödvin.

Middagen var avklarad, de hade ätit thaimat som han köpt från en av restaurangerna i centrum. Madeleine hade mest petat i maten, men hon hade fått i sig lite grann i alla fall. Ellinor och Nicole också.

Nicole hade anlänt på eftermiddagen och försökte hjälpa till så gott hon kunde. Framför allt tog hon hand om Ellinor och Johan var tacksam mot sin äldsta dotter för det.

Pontus hade haft svårt att få tag i en biljett men var också på väg. Flyget skulle landa sent i kväll, han skulle komma runt midnatt.

När det här var över tänkte Johan åka ut till deras ö. Ensam. Där kunde han låta sorgen komma ikapp.

Om och om igen gick han igenom mötet kvällen före. Av någon anledning lugnade det honom. Varje gång kom han fram till slutsatsen att upplägget var perfekt, det fanns inte några lösa trådar. Nu återstod bara bekräftelsen på betalningen.

Den nya telefonen med kontantkortet pep till i fickan, han tog den och reste sig från stolen. Med mobilen i handen gick han undan, ner på den noggrant ansade gräsmattan.

Landskoden på displayen visade att telefonsamtalet kom från Turkiet.

”My friend”, sa den välbekanta rösten på sin brutna engelska. ”The payment has gone through exactly as you wished. The bank has faxed its confirmation. Everything has been taken care of.”

”I understand.”

Johan satte sig på en av gjutjärnsbänkarna. Några rostfläckar bröt av mot den svarta ytan, bänkarna behövde målas om var tredje sommar, i år var det dags igen.

”I am in your debt”, sa han lågt.

”This is what old friends do for each other. I am happy to help you. You know that.”

”Thank you.”

Johan knäppte bort samtalet.

Framför honom glittrade kvällssolen i vattnet. Vid bryggan låg Delta 42:an, båten som de brukade använda för att ta sig till sommarhuset.

Han mindes glädjen när han fick den nästan exakt ett år tidigare. Victor hade följt med då den skulle hämtas på varvet. De hade turats om att köra tillbaka till Lidingö och dragit upp farten rejält. Sonen hade stått bakom ratten och det blonda håret hade fladdrat i vinden.

Johan betraktade det svarta höljet på mobiltelefonen. Efter några minuter slog han ett nytt nummer, tio siffror som han hade fått på en papperslapp kvällen innan och lärt sig utantill innan han lämnade restaurangen.

Tre signaler gick fram, sedan kände han igen rösten som korthugget svarade i luren.

”Pengarna finns på kontot”, sa Johan utan att presentera sig. ”Som vi avtalade i går kväll.”

Han knäppte bort samtalet och reste sig. Med långsamma steg följde han den gruslagda stigen fram till bryggan och gick ut på den. Träplankorna fjädrade en aning under skosulorna. Han fortsatte fram till nocken, där Delta 42:an låg på den yttersta platsen. Vid en mindre boj, mellan motorbåten och strandkanten, låg Victors vattenskoter, som vanligt en aning slarvigt förtöjd, med tågändorna i vattnet.

Johan kände ett tryck över bröstet när han såg det. Det var så typiskt Victor att bara göra en hafsig knop som kunde gå upp om det började blåsa. Han böjde sig ner och lade om tampen. Sedan rätade han på ryggen och gick längst ut på bryggan.

Med en knyck på armen slängde han telefonen så långt ut i vattnet som han orkade. Det var tjugo meter djupt utanför, den skulle aldrig gå att hitta.

Mobilen försvann med ett litet plask just som två svanar gled förbi med högburna huvuden. De vita fjäderdräkterna avtecknade sig mot det spegelblanka vattnet, en fjunig unge med smal hals paddlade efter.

Med svidande ögon betraktade Johan de vackra fåglarna. Vreden och sorgen låg som en dov klump i bröstet. Det fanns inga tårar som kunde lindra smärtan.

Inte än.

Kapitel 88

Thomas kliade sig i ögonen. I flera timmar hade han suttit på sitt rum och gått igenom olika utskrifter.

Han hoppades att Nilsson skulle höra av sig. Förhoppningsvis hade den preliminära undersökningen av Tobbes kläder gett något.

Det var alldeles för varmt i rummet, luftkonditioneringen fungerade verkligen inget vidare om sommaren.

Frustrerad reste han sig och sträckte på armarna, ryggen var stel och han vred på huvudet för att stretcha axlarnas muskler.

När han vände sig om stod Margit där.

”Hur går det?” sa Thomas.

”Jag har fått tag på Mattias Wassbergs mamma”, sa hon. ”Hon berättade att han är hos en kompis som har ett sommarhus på Utö.”

”Utö”, upprepade Thomas. ”Det ligger norr om Nynäshamn. Förut var han ju utanför Gotland.”

Klockan närmade sig halv åtta på kvällen. Det började bli sent.

”Vad tror du om att åka dit i morgon bitti”, sa han. ”Jag vill prata med honom så snart som möjligt.”

Han mindes Adrian Karlssons ansiktsuttryck när Thomas frågat om den trasiga västen. Hur han förnekat all inblandning.

”Jag skulle vilja få reda på hur den där polisen såg ut som Wilma nämnde”, lade han till. ”Mattias kanske kan lämna ett bättre signalement.”

Thomas gick runt skrivbordet och satte sig igen.

”Fick du prata med Mattias syrra?”

”Hon är på ridläger på västkusten, men mamman försöker nå henne åt mig.”

”Hur är det med de andra namnen som Wilma nämnde? De var åtminstone fyra till i det där gänget.”

”Kalle och Erik håller fortfarande på med dem. Men sommarlovet har börjat, det tar ett tag att få fatt i folk.”

”Någon i det där gänget borde ha lagt märke till Victor och Felicia”, sa

Thomas. "De kan inte ha befunnit sig mer än fyrahundra meter därifrån."

Margit ryckte på axlarna och vände sig om för att gå, men stannade till på tröskeln.

"Har du fått tag i Harry?"

"Nej. Han svarar inte på mobilen."

"Tror du att han har blivit sjuk? Han var rätt risig i morse."

"Det borde han väl ha anmält i så fall."

Thomas tog fram mobilen och slog Harry Anjous nummer. Återigen kom han direkt till telefonsvararen.

"Konstigt, det här är fjärde gången jag ringer."

Thomas sträckte sig efter jackan som hängde över stolsryggen.

"Vet du vad, jag åker hem till honom."

Margit nickade.

"Vill du ha sällskap?"

"Det behövs inte."

Harry Anjou bodde i en lägenhet nära Älta Centrum, söder om Nacka polisstation, det borde inte ta mer än en dryg kvart att köra dit. Telefonen ringde just som Thomas kom ut i rondellen före påfarten till motorvägen. Displayen avslöjade att det var Staffan Nilsson.

Äntligen.

Nilsson gick rakt på sak. Han verkade uppjagad.

"Jag har upptäckt en sak."

Tobbes kläder, tänkte Thomas med en gång. Han har hittat något.

"Berätta", sa Thomas och körde ut på motorvägen efter en snabb kontroll i sidospegeln.

"Vi fick uppgift om att det var tjugoåtta personer i insatsstyrkan på Sandhamn i helgen. Det är vad som står på listan."

Orden tog Thomas med överraskning. Vad handlade samtalet om?

"Det kan nog stämma. Jag har inte räknat dem så noga."

"När jag gick igenom alla västarna visade det sig att jag bara hade fått in tjugosju stycken. Det fattas en. Med tanke på det du och jag pratade om gillar jag det inte alls."

Thomas anade plötsligt vad Nilsson ville.

"Vet du vem det är som inte har lämnat ifrån sig sin?" frågade han.

"Ja. Det är Harry Anjou."

Kapitel 89

Ett tiotal identiska hyreshus radade upp sig framför Thomas. Anjou bodde på andra våningen i det tredje huset. Thomas parkerade bilen utanför porten och låste dörrarna med en tryckning på larmbrickan.

Medan han gick mot ingången insåg han hur lite han kände sin nya kollega. Vem var egentligen Harry Anjou? De hade inte bytt många ord av personlig natur sedan de träffades några dagar tidigare på Sandhamn.

Entrén till Anjous hus hade portkod, men just som Thomas funderade på hur han skulle ta sig in öppnades porten av en kille i trettioårsåldern.

Thomas tog trapporna i några snabba steg. På andra våningen hade en av ytterdörrarna en handskriven lapp fasttejpad utanpå den tryckta namnskylten:

Harry Anjou.

Thomas ringde på klockan. Signalerna hördes tydligt där han stod utanför.

När han ringde på för tredje gången knäppte det till i låset. Handtaget trycktes ner och Anjous ansikte blev synligt i öppningen. Han såg inte alls frisk ut.

Just som Thomas skulle fråga hur Anjou mådde kände han en stark lukt av alkohol. Han trodde inte att det var sant.

”Sitter du hemma och super?”

Anjou sköt upp dörren en bit. Han verkade medfaren, hakan var täckt av ännu mörkare skäggväxt än vanligt.

”Varför svarar du inte i telefon?” sa Thomas. ”Jag har försökt ringa dig hela dagen. Vi är mitt i en utredning, om du råkar ha missat det.”

”Kom in”, sa Anjou och vände sig om.

Utan att vänta på Thomas gick han före in i ett ljust kök med svartvit korkmatta på golvet och ett runt bord med några stolar.

En halvfull flaska Smirnov stod på diskbänken.

”Vad håller du på med?” sa Thomas och gjorde en gest åt flaskan.

Anjou drog ut en stol och pekade på den andra.

”Sätt dig”, sa han och suckade uppgivet. ”Jag har gjort något jävligt dumt.”

”Det verkar inte bättre.”

Anjou stod kvar, obeslutsam. Så vände han sig om, öppnade ett skåp och tog fram ett glas som han fyllde till en tredjedel med vodka.

Thomas betraktade honom utan att säga något. Spriten skulle inte göra någonting bättre, men det var lönlöst att påpeka det.

”Harry”, uppmanade han. ”Du har inte lämnat in din egen reflexväst, Karlssons väst är trasig men han insisterar på att den var hel när du fick den. Vad är det som pågår?”

Bara droppar återstod i glaset som Anjou höll i handen. Han ställde det ifrån sig och betraktade Thomas med en min som inte gick att tyda.

”Västarna”, sa han med ett bittert skratt. ”Du bad mig samla in västarna.”

”Ja.”

”Jag fick panik.”

Han tystnade och strök sig med handen över håret som låg platt mot den fuktiga pannan.

”Tygbiten kommer alltså från din väst?” sa Thomas.

Harry Anjou nickade sammanbitet.

”Nilsson skulle med en gång ha upptäckt att det var min som var sönder.”

”Så du gjorde ett hål i Adrian Karlssons väst för att få det att verka som om tygbiten kom därifrån?”

Anjous mörka blick besvarade frågan.

”Varför då?” sa Thomas.

”Det var idiotiskt.” Anjou skakade på huvudet. ”Men jag ville bara få saken ur världen. Karlsson var först på plats, han kunde mycket väl ha fastnat i en gren och haft sönder sin väst. Ingen skulle tänka mer på det.”

Thomas insåg hur det låg till.

Alla trodde att Harry Anjou kommit till brottsplatsen när Nilssons undersökning var klar, han hade ju befunnit sig i polisens husbil då rättsteknikerna gick igenom platsen. Det borde egentligen inte finnas någon naturlig förklaring till att tygbiten från Anjou upphittats intill Victor Ekengreens döda kropp.

”Harry”, sa han bekymrat. ”Vad var det som hände den där kvällen? Varför låg det tyg från din väst bredvid Victors kropp? Vad har du gjort?”

Harry Anjou

Harry Anjou hade inte kunnat föreställa sig hur krävande insatsen på Sandhamn skulle bli. Sent på midsommardagen började han ångra att han hade anmält sig frivilligt till helgens tjänstgöring.

Vid det laget hade han jobbat nästan i ett sträck sedan midsommarafton och knappt hunnit äta eller sova. Hela tiden var det någonting som krävde hans uppmärksamhet och när klockan närmade sig nio på kvällen var han dödstrött.

Jens Sturup avlöste honom i husbilen och tog över samordningen. Anjou passade på att gå ut ett varv. Efter flera timmar vid datorn kände han ett stort behov av att röra på sig och han bestämde sig för att gå bort till Skärkarlshamn för att slippa larmet i hamnen.

Normalt gick de två och två, men eftersom han hade suttit inomhus länge hade han ingen kollega att gå med. Det gjorde ingenting, det var bara skönt att få vara ensam en stund.

Med långa kliv gick han förbi Dansberget och tennisbanorna. Snart var han framme vid vägen till Trouville och efter ett tag kom han till stigen som ledde ner mot Skärkarlshamn. Den var täckt med barr och knotiga rötter, han följde den genom skogen till stranden där den slutade vid ett spjälstaket.

En gestalt rörde sig längre fram. Intill ett stort alträd nära vattenbrynet såg han hur en kille vinglade till. När Anjou kom närmare upptäckte han en tjej som låg orörlig på marken. Var hon avsvimmad?

Grabben var i övre tonåren, lång och kraftig med blont hår. Han var ostadig och verkade rejält påverkad.

Nu borde han ha haft sällskap av en kollega, men det fanns inte tid att kalla på förstärkning. Anjou skyndade på stegen för att kolla om flickan mådde bra, en känsla sa honom att någonting var fel.

Han stannade till några meter ifrån tonåringen som höll i en spritflaska. Uppsynen var fientlig, till och med aggressiv.

Senare skulle han få veta att det var Victor Ekengreen.

”Hur var det här då?” sa Anjou och nickade åt den avdomnade tjejen på marken.

Hon låg på rygg och hade inte reagerat när han kom fram. Det enda hon hade på sig var en tunn tröja och en kort kjol som hasat upp över låren.

Pågick det ett övergrepp, var killen i färd med att våldta henne? Tankarna rusade i huvudet på Harry, han kände hur adrenalinet steg i kroppen.

Victor svarade inte och Anjou gick lite närmare, nu skilde det bara någon meter mellan dem.

”Vad är det som står på?” sa han i skarpare ton. ”Vad har hänt med den där tjejen? Har du gjort något med henne?”

Kommunikationsradion satt i bältet, borde han kalla på kollegorna?

Det märktes att Victor försökte fixera blicken. Pupillerna var svarta och han andades häftigt. Det ryckte i näsborrarna som var röda och fnasiga. Han hade mer än bara alkohol i kroppen.

Du är ju påtänd, tänkte Anjou.

Han grep om batongen. Droger gjorde människor oberäkneliga, det visste han av erfarenhet. Vad hade grabben ställt till med?

”Dra åt helvete, snutjävel”, ropade Victor och höjde knytnäven. ”Lägg dig inte i det här.”

Anjou lyckades behärska sig trots att han själv var trött och sliten.

”Nu tar vi det bara lugnt”, sa han. ”Vad är det som har hänt?”

Han hoppades att det skulle finnas andra poliser i närheten. Men det var som om de befann sig på en egen del av stranden, trädet skyddade från insyn.

Utan förvarning gick Victor till angrepp.

Han slängde sig på Anjou med hela sin tyngd medan han vevade med armarna. Anjou var inte förberedd på attacken. Han vacklade till och tog ett steg bakåt. De var ungefär lika långa men Victor hade tagit honom med överraskning.

Victor var förvånansvärt stark och Anjou kämpade för att försvara sig. Men just som Victor höll på att brotta ner honom på marken lyckades Anjou få upp knytnävarna och svara med en kraftig knuff mot Victors bröstkorg.

Victor tappade balansen.

Bakom honom, skymd för Anjou, stack det upp en sten ur marken. När Victor föll vred han sig ett halvt varv och träffade den med tinningen.

Det krasade till.

Utan att ge ifrån sig ett ljud sjönk han ihop och föll till marken. Han rullade över på sidan med slutna ögon.

Anjou stirrade på den medvetslöse tonåringen. Blodet rann i pannan.

Helvete.

Han begrep med en gång vad som skulle hända om han blev upptäckt. Oroligt tittade han sig omkring, men ingen syntes till. Flickan i sanden var fortfarande helt borta, hon skulle inte kunna identifiera honom.

Utan att riktigt ha bestämt sig för vad han skulle göra föll Anjou på knä intill Victor och granskade skadan. På nära håll såg det inte så farligt ut, såret var nog ytligt.

Victor andades utan problem.

”Det är säkert inte så illa”, mumlade Anjou. ”Han har bara svimmat av. Snart vaknar han till igen.”

Nervöst svepte han än en gång med blicken omkring sig men kunde inte upptäcka några andra människor i närheten.

Plötsligt hördes avlägsna skratt från andra sidan stranden och rädslan för att bli upptäckt kom ifatt.

Harry Anjou reste sig och med sänkt huvud skyndade han sig tillbaka samma väg som han kommit.

Kapitel 90

”Han levde när jag gick därifrån”, sa Harry Anjou. ”Du måste tro mig, Thomas. Jag hade aldrig lämnat honom om jag trodde att han var allvarligt skadad.”

Han sträckte sig efter flaskan och hällde upp mer vodka.

”Det var han som anföll mig, inte tvärtom. Det var ren otur att han föll mot den där stenen. Jag försökte bara värja mig.”

”Så du bara gick din väg?” sa Thomas utan att bry sig om att dölja sin motvilja. ”Victor kunde ha varit allvarligt skadad. Felicia också.”

Utanför fönstret gick solen i moln, det blev skumt i rummet och i det svagare ljuset framträdde mörka cirklar under Anjous ögon.

”Varför har du inte berättat det här tidigare”, sa Thomas. ”Det ser jävligt illa ut … det förstår du väl. Förutom det du gjorde har du undanhållit viktig information från utredningen.”

Vodkan gungade till när Anjou ställde ner glaset på bordet. Fingeravtrycken efter hans svettiga fingrar syntes tydligt.

”Det hände ett par saker i Ånge”, sa han och satte sig igen. ”Det var därför jag sökte mig till Nacka.”

”Vad var det?”

”Jag drog på mig några anmälningar.”

Han avbröt sig, hostade till.

”Den ena kom för länge sedan, den var helt utan grund, en pundare som inte var riktigt klok. Men för ungefär ett år sedan hände något värre.”

”Vad var det?” sa Thomas.

”Jag tappade kontrollen.”

Rösten blev lägre, mer ansträngd. Thomas förstod att händelsen levde kvar i Anjou.

”Det var några tonåringar som kastade sten på en kollega så att han höll på att förlora synen på ena ögat. Jag kände igen dem på stan nästa dag och blev så jävla förbannad. Det var samtidigt som min tjej och jag höll på att separera, jag sov inte ordentligt, drack för mycket. Det slog slint. Jag gick alldeles för hårt åt dem, särskilt den ene. Han gick bara i nian men var storvuxen. Jag fattade aldrig att han var så ung, då hade jag kanske kunnat behärska mig."

"Blev du anmäld?"

"Ja, det är klart."

"Vad hände?"

"Det blev en utredning. Jag friades, min kollega ställde upp och sa att han inte hade sett någonting, grabben måste ha halkat och slagit sig. De fick lägga ner fallet i brist på bevis."

Han masserade ena tinningen och Thomas anade bitterheten i gesten.

"Men efter det ville ingen jobba med mig längre. Inte ens facket ställde upp på min sida."

"Och det här ligger kvar i din akt", sa Thomas.

"Ja", sa Anjou. "Det syns ju inte när man söker jobb i ett annat polisdistrikt, men om det kommit fram att jag redan hade varit i bråk med en annan tonåring som blivit allvarligt skadad …"

Thomas insåg betydelsen. En tredje internutredning om övervåld skulle med all sannolikhet ha avslutat Anjous poliskarriär.

"Jag är inte en dålig polis", sa Anjou strävt. "Det finns mycket värre rötägg än jag i kåren, det vet du."

Det brann till i ögonen.

"Ge mig en chans att ordna upp det här. Du behöver inte berätta något. Du kan bara säga att jag var sjuk när du kom hit, det var därför jag inte svarade i telefon. De andra behöver inte få reda på sanningen. Victor Ekengreen är ändå död, vad spelar det för roll att vi slogs? Det viktiga är att vi hittar bevis som fäller Hökström."

Han högg tag i Thomas arm.

"Om du ställer upp för mig nu kommer jag att jobba dag och natt med utredningen, det svär jag på."

Thomas drog åt sig armen.

Den första skadan hade varit ytlig, tänkte han. Det hade rättsläkaren sagt. Det var de andra slagen som hade dödat Victor.

Var kom Tobbe in i bilden? Talade Harry sanning när han sa att Victor bara var avsvimmad när han gick därifrån? Eller ljög han nu också?

"Du manipulerade Adrian Karlssons väst", sa Thomas. "Du försökte sätta dit en kollega."

Harry Anjou flackade med blicken.

”Det var dumt, en panikgrej. Men jag tänkte att ingen på allvar kunde tro att han hade något med saken att göra. Jag ville vinna tid tills vi hade hittat den verklige gärningsmannen.”

”Din teori om att Victor kommit i bråk med en langare, var det också ett påhitt för att avleda misstankarna från dig?”

Anjou nickade skamset.

Det kröp i Thomas. Han kunde knappt vara kvar i samma rum som Anjou. Han sköt ut stolen och reste sig.

”Det jag gjorde påverkar inte utredningen”, sa Anjou envist.

Han ställde sig upp och spärrade vägen för Thomas.

”Det var inte jag som tog kål på Victor Ekengreen. Det är hans kompis, den rödhårige. Tobias Hökström var där, det har han själv erkänt. Han måste ha kommit dit efter mig. Victor var galen redan när jag träffade honom. Alla vet att det är den där Hökström som har gjort det.”

Det aggressiva uttrycket i Anjous ögon växlade till bönfallande.

”För fan, vi är ju kollegor.”

Thomas sköt undan Anjou och gick mot ytterdörren.

”Jag beklagar”, sa han. ”Det här måste rapporteras. Alltsammans.”

När han hade tryckt ner dörrhandtaget vände han sig om och såg på sin kollega.

”Vad tänkte du på?”

Kapitel 91

Thomas hade precis avslutat samtalet med Gubben när telefonen ringde igen. Han såg på numret att det var från polisen. Men internutredarna kunde knappast höra av sig så snabbt.

Han tryckte på svarsknappen.

”Landin här. Är du kvar i huset?”

”Nej, jag sitter i bilen.”

”Då tar vi det på telefon”, sa Landin. ”Det går lika bra. Jag har fått höra en sak som berör din utredning.”

”Jaha?”

”Vi har sedan en tid haft span på en kille som tillhör juggemaffian. En riktig mångsysslare, håller på med allt från knark till beskyddarverksamhet och avrättningar. Rikskrim är inblandade i saken.”

”Vad heter han?”

”Wolfgang Ivkovac.”

Thomas saktade farten. Kvällssolen stod fortfarande högt på himlen och bländade honom.

”Saken är den att i går kväll fick han besök av en person som du har intresse av”, fortsatte Landin.

”Jag lyssnar.”

”Johan Ekengreen, pappan till den mördade tonåringen, träffade Ivkovac på en restaurang i Huddinge centrum. Han kom dit vid tiotiden och satt vid hans bord i ungefär tjugo minuter.”

”Ekengreen”, sa Thomas. ”Vad hade han där att göra?”

”Det är precis vad vi frågar oss. Det finns ingenting på honom i sådana här sammanhang, jag har kollat registren. Det finns inga kända beröringspunkter mellan honom och Ivkovac.”

”Tror du att han leker privatspanare?” sa Thomas.

”Jag vet inte. Men jag tyckte att du borde få reda på det i alla fall.”

”Kan det vara så att han anklagar Ivkovac för att ha försett sonen med droger? Att han vill hämnas?”

”Det vore katastrofalt. Jag tror inte att Ekengreen har någon aning om kalibern hos en kille som Ivkovac.”

”Vet du vad de pratade om?”

”Inte den blekaste, våra killar kunde inte höra något, men de kände igen honom.”

Thomas var nästan hemma, han stannade vid det sista rödljuset före sin egen gata.

”Vad gjorde han efter mötet?” sa han.

”Vet inte. Våra mannar bevakade Ivkovac. De såg bara att Ekengreen försvann i riktning mot pendeltågsstationen.”

Det blev tyst i luren.

”Det här är farliga grabbar”, sa Landin, ”Ingenting att leka med. Ekengreen kan råka riktigt illa ut om han försöker sätta dit juggen. Du får hålla ett öga på honom.”

Thomas knäppte bort samtalet och lade ifrån sig mobilen på passagerarsätet. Rödljuset slog om och han började rulla. Till sin förvåning hittade han en parkeringsplats alldeles intill lägenheten. När han slog av tändningen kände han hur trött han var.

Anjous bekännelse hade skakat om honom, han hade inte kunnat föreställa sig att det var så illa. Försöket att sätta dit Adrian Karlsson var stötande, nu hade kollegan både åtal och avsked att vänta sig.

Landins ord dröjde sig också kvar. Vad var det Victors pappa sysslade med? De hade väl nog med elände i den familjen, en privat vendetta mot droghandeln var inte vad de behövde.

Borde han försöka tala pappan tillrätta?

Det fick bli efter begravningen i så fall. I morgon kunde han knappast störa dem.

Tobbe låg på rygg i sängen ovanpå det skrynkliga överkastet och stirrade i taket. Rullgardinen var neddragen, det var skumt i rummet. Han hade inte ätit någonting på hela kvällen men orkade inte resa sig för att gå till köket och ta något.

Varje gång det ringde i telefonen väntade han sig att polisen skulle hämta honom. Det var bara en tidsfråga.

I smyg hade han packat en liten väska med tandborste, en tröja och ett par extra kalsonger, så att han skulle vara redo när de kom. Den var instoppad under sängen så att morsan inte skulle se den och bli ifrån sig.

Tobbe snörvlade till. Om de inte hade åkt till Sandhamn på midsommar, om han inte börjat med droger, om han gått till stranden lite tidigare ...

Det var meningslöst, ingenting gick att ändra på, ändå kunde han inte låta bli att grubbla. Gång på gång rullade bilderna fram bakom ögonlocken.

Vad hade han gjort?

På garderobsdörren, på en svart plastgalge, hängde den mörka kostymen som han skulle bära på begravningen nästa dag. Han hade fått den av Arthur några veckor tidigare, till niornas vårbal. Kostymen hade fått honom att se äldre ut, som om han gick på gymnasiet. Han hade känt sig jävligt fin.

Så meningslöst det verkade nu.

Morsan hade strukit en vit skjorta också och hängt upp den bredvid. Han skulle åka till kyrkan med henne och Christoffer, de skulle ge sig av klockan tolv så att de hade gott om tid.

Arthur skulle också gå, men Tobbe ville inte åka dit med honom och Eva. På något sätt kändes det bättre att komma i sällskap med Christoffer och morsan.

Skulle folk titta på honom och tro att han var en mördare?

Hade det redan spritt sig, polisens misstankar? Visste alla att de hade gjort en husrannsakan hemma hos honom?

Han kurade ihop sig i sängen.

Det var omöjligt att inte tänka på kistan med Victor under det tunga locket. Hur kunde han ligga där inne, i mörkret alldeles ensam?

Klumpen i halsen växte. Det värkte i huvudet.

Suget efter kokain hade försvunnit. Aldrig mer, lovade han sig själv. Varken alkohol eller droger. Allting var hans fel. Det var han som hade fått Victor att börja.

Han hade köpt snö för första gången genom en polare till Christoffer, det var precis före höstlovet. De var hemma hos Victor och softade. Tobbe hade tagit fram det tunna kuvertet och visat det för Victor. När han tömde innehållet på en liten fickspegel samlades ett tunt vitt pulver i en hög.

De hade rökt maja några gånger, men det här var något nytt.

Tobbe mindes hur han tog fram en liten fickkniv och skrapade ihop pulvret. Så lutade han sig fram och drog in det med en mjuk inandning.

Det var det häftigaste han hade varit med om i hela sitt liv. Han mindes hur Victor stirrat på de vita kornen.

”Farsan kommer att döda mig om han någonsin får reda på det här”, sa han.

Tobbe mindes sitt eget svar, som från en annan värld.

”So what”, hade han sagt och grinat obekymrat. ”Det här är så coolt. Du måste också testa. Du kan inte fega ur nu.”

Torsdag

Kapitel 92

Thomas hade hämtat upp Margit på morgonen. Båten till Utö gick halv nio från Årsta Havsbad.

Mattias Wassberg kunde vara så nära ett ögonvittne som det gick att komma. Om det var Harry Anjou som Wilma flyktigt uppfattat på kvällen kanske Wassberg hade sett vad som hände efteråt. Om någon annan kommit dit senare.

Tidpunkten stämde precis.

Anjou var redan omhändertagen och avstängd, internutredarna hade agerat med en gång.

På avstånd såg Thomas en vit båt som närmade sig bryggan. Det var Waxholmsbolaget som trafikerade sträckan och de hade lika gärna kunnat vara på väg till Sandhamn. Samma slags båt, samma slags människor i kön. Thomas och Margit väntade bakom en ung familj med barnvagn och några tyska turister med cyklar.

Under bilfärden hade Thomas beskrivit besöket hos Harry Anjou.

”Tänk om han ljuger”, sa Margit, rätt ut i luften, medan de stod på bryggan.

Solen sken men det var morgonfuktigt i luften.

”Va?”

”Tänk om Harry ljuger.”

Hon avbröt sig för en kraftig nysning.

”Det kanske är riktigt att Ekengreen först halkade och slog sig”, fortsatte hon efter att ha torkat sig med en näsduk, ”men vad säger att det inte var Harry som sedan slog ihjäl honom för att inte bli avslöjad. Vi kanske trots allt är fel ute när vi misstänker Tobbe?”

”Vi kan få svar på det i dag”, sa Thomas.

Han hoppades på Mattias Wassberg.

”Ska ni med?” ropade matrosen vid landgången.

Medan de pratat hade de andra passagerarna redan gått ombord.

”Ja, vänta på oss”, sa Thomas och skyndade sig fram.

Det tog en knapp timme att åka till Utö. En gång i tiden hade järngruvorna dominerat ön. Men på artonhundratalet hade en rik affärsman köpt rubb och stubb och förvandlat Utö till ett sommarparadis för konstnärer och välbärgade stockholmare.

På många sätt påminde ön om Sandhamn, tänkte Thomas, men landskapet var grönare, inte lika kargt som i ytterskärgården. Dessutom var Utö mycket större, med både biltrafik och asfaltsvägar.

De skulle gå av vid en brygga som hette Gruvbyn, det var där Mattias kompisar hade sitt hus, enligt mamman.

Thomas tittade på klockan, nästan halv tio. I samma stund förkunnade en stämma i en sprakande högtalare att de alldeles strax skulle lägga till vid Gruvbyn, sedan skulle båten fortsätta mot Spränga.

Thomas och Margit klev iland på den breda kajen som var omgärdad av röda bodar med svarta tak. På vardera sidan om betongbryggan syntes rader av fritidsbåtar. En faluröd byggnad mittemot bar en stor skylt där vita bokstäver förkunnade att de anlänt till ”Utö Gästhamn”.

Rakt fram låg en T-korsning, från den ledde en mycket brant backe till Utö Värdshus.

”Har du vägbeskrivningen?” sa han till Margit.

Ur fickan halade hon fram ett papper med handskriven text.

”Få se nu”, sa hon. ”Vi ska följa den högra vägen, förbi bageriet. Sedan är det ett hus på vänster hand. Det kan inte vara så långt.”

En bit bort upptäckte Thomas en annan skylt med ordet ”Bageri” på något som liknade en stor lada.

”Kom då så går vi.”

Huset låg så väl dolt av en hög syrenhäck att de nästan missade det.

”Är det här?” sa Margit tveksamt och betraktade den vita träbyggnaden med gråmålade knutar. ”Snacka om växtlighet.”

”Vi får väl se efter”, sa Thomas.

Han öppnade grinden och steg in på grusgången som ledde till ytterdörren. Det fanns ingen ringklocka så han knackade några gånger. När ingen svarade knackade han igen, hårdare. Plötsligt öppnades ett fönster på övervåningen.

”Hallå?” sa en yrvaken stämma. En tjej med blont rufsigt hår stack ut sitt huvud. ”Vad är det?”

”Vi söker en person som heter Mattias Wassberg”, ropade Thomas.

”Han är inte här, han är nog i båten”, sa flickan och drog igen fönstret med en smäll.

Thomas gjorde en grimas och bultade en gång till.

Fönstret for upp.

”Han är inte här, sa jag ju.”

”Vi är från polisen”, förklarade Thomas. ”Öppna nu.”

Det gick några sekunder, så hördes ljudet av en nyckel som vreds om. Snart stod den blonda tjejen framför dem i en mintgrön t-shirt som slutade i höjd med ett par vita trosor. Ögonen var mosiga och hon hade fortfarande märken i ansiktet efter kudden.

Det hade tydligen varit fest kvällen före.

”Är det något som har hänt?” sa hon och tittade nervöst på Thomas.

Margit hade också gått fram till förstutrappan.

”Det är inget farligt”, sa hon. ”Men vi behöver fråga Mattias om några saker. Var kan vi hitta honom?”

”Ähh…”

Den blonda flickan rev sig i håret medan hon tänkte efter.

”Båten ligger nedanför kiosken vid kajen.”

”Hur ser den ut?”

”Det är en segelbåt.” Hon blev osäker. ”Jag vet inte vad det är för sort.”

”Kan du beskriva den?”

Hon skakade först på huvudet, men sa sedan:

”Jo, förresten, den är röd nertill.”

”Då så”, sa Thomas. ”Tack för hjälpen, ursäkta att vi väckte dig.”

Han vände sig om och gick mot grinden.

Det tog knappt tio minuter att ta sig tillbaka till hamnområdet. När de närmade sig kiosken igen svepte Thomas med blicken över kajen. Plötsligt upptäckte han en rörelse på en båt som låg med stäven inåt, cirka hundra meter längre fram. Skrovet skimrade i en varm färg, visst drog det åt rött?

En ung kille dök upp på fördäck och hoppade iland. Hastigt vred han på huvudet innan han snabbt tog av mot backen som ledde till värdshuset.

Thomas insåg med ens vem det måste vara.

”Det är nog Wassberg”, ropade Thomas till Margit och rusade efter.

”Varför sticker han sin väg?” ropade hon bakom hans rygg och började springa hon med. ”Vi vill ju bara prata med honom.”

Thomas sneddade över gräsmattan, förbi bodarna. Wassberg hade försprång och backen var lång och brant. Efter bara några minuter var Thomas andfådd men han fortsatte ändå så snabbt han orkade.

När han kom upp på krönet möttes han av den vita värdshusbyggnaden. Vägen delade sig vid gaveln.

Thomas tvekade. Hade Wassberg sprungit rakt fram eller till vänster?

Några hotellgäster satt på uteverandan och åt frukost, en av dem måste ha uppfattat vad som pågick, för han lyfte armen och pekade österut.

”Han sprang ditåt”, ropade han.

Thomas satte fart igen samtidigt som Margit dök upp. De fortsatte ett hundratal meter till, bebyggelsen tog slut och höga stängsel dök upp. På båda sidor om vägen, innanför avspärrningar, låg stora dammar omgivna av taggiga klippväggar. Det var de gamla gruvhålen som fyllts med vatten.

Thomas stannade till och försökte se in genom stängslen. Näckrosblad täckte vattenytan och lövverk skymde ljuset så det var svårt att se ordentligt.

”Vart tog han vägen?” sa han till Margit.

Hon kisade för att se bättre. Ljudet av en sten som föll i vattnet bröt oväntat tystnaden.

Thomas uppfattade en rörelse vid klippan på andra sidan.

”Där”, ropade han och störtade mot den bortre delen av dammen. ”Han har tagit sig över staketet, han försöker gömma sig därinne.”

Kapitel 93

Inhägnaden var minst två meter hög, med skyltar som varnade obehöriga från att ta sig in på området. Taggtråden högst upp blänkte oroväckande i solskenet.

Thomas sprang utmed stängslet medan han sökte efter en plats där han kunde klättra över. Till slut kom han fram till ett ställe med några stora stenar. De fick duga, om han ställde sig på den största skulle han nog klara det.

Han klev upp och sträckte sig efter kanten samtidigt som han försökte undvika taggtråden så gott han kunde.

Med båda armarna hävde han sig upp och hoppade ner på andra sidan. Jeansen fastnade och en bakficka slets sönder, men han landade på en smal stig som gick precis innanför. Den var bara en halvmeter bred, om han tappade balansen skulle han trilla i dammen.

Så fort han vågade följde han efter Mattias Wassberg som nu verkade ha upptäckt att Thomas tagit sig in på området. Wassberg hade lämnat platsen där han stått och tryckt och rörde sig framåt på den smala remsan utmed stängslet.

Nu skilde det bara ett tjugotal meter mellan dem.

”Mattias”, ropade Thomas så högt han kunde. ”Stanna, det är polisen, vi vill bara prata med dig.”

Längre fram slutade staketet. Det fanns ingenstans att ta vägen. Wassberg blev stående ett ögonblick, han såg sig över axeln.

”Stanna”, ropade Thomas igen.

Han var nästan framme när Mattias Wassberg kastade sig i vattnet. Först försvann han under ytan, sedan dök han upp igen och började simma mot dammens andra sida.

Margit, som följt efter utanför staketet, tvärvände och sprang åt andra hållet för att genskära Wassberg.

Thomas tvekade, så slängde han sig i. Det var oväntat kallt i vattnet, men han ignorerade kylan och fortsatte simma. På avstånd hade dammen inte sett så stor ut, nu insåg han att det var en riktig sjö. Den måste vara bråddjup, tänkte han medan han tog kraftiga simtag för att hinna upp den flyende tonåringen.

Mattias Wassberg var nästan framme på andra sidan när Thomas kom ikapp.

”Stanna”, ropade Thomas för tredje gången.

Wassberg ignorerade honom men Thomas var en bättre simmare. Två simtag till så var han i jämnhöjd.

Han sträckte ut en hand och grabbade tag i Wassberg.

”Hör du inte vad jag säger”, röt han. ”Jag är polis. Lugna dig.”

Wassberg fick panik. Han fäktade med armarna och slog mot Thomas. Sedan kastade han sig desperat fram och försökte trycka ner Thomas under vattnet.

Innan Thomas hann reagera hamnade han under Wassberg. Det kalla vattnet strömmade in genom näsan när han försökte få bort tonåringen. Plötsligt var Margit där, hon drog i Wassberg från andra hållet och Thomas kom upp till ytan igen.

Tillsammans lyckades de koppla ett grepp om den desperat fäktande Mattias och hålla fast honom. De halvt simmade, halvt drog honom med sig mot en avsats i den svarta klippan där det gick att ta sig upp.

Flämtande, på knä, slet Thomas fram ett par handfängsel. Han satte fast dem på Wassberg och sjönk ner bredvid.

Mattias Wassberg andades häftigt, men gav inte ifrån sig något ljud.

I ögonvrån uppfattade Thomas hur någon fumlade med ett lås och öppnade en grind. En vakt i uniform dök upp framför dem.

”Vad i helvete sysslar ni med?” sa den upprörda vakten. ”Det här är avspärrat område. Kan ni inte läsa på skyltarna?”

”Vi är poliser”, flåsade Thomas och reste sig upp. ”Vi har just gripit den här killen för våldsamt motstånd.”

Margit hade också kommit på fötter, det rann om hennes kläder. När hon sträckte ut armen och pekade på Wassberg droppade det från tröjan.

”Titta, Thomas”, sa hon lågt.

Han vände sig om och följde hennes blick.

Det var första gången Thomas såg Wassberg framifrån och nu upptäckte han att pojkens ansikte var fullt av skråmor. Rispor och sår som omöjligt kunde ha uppstått i handgemänget alldeles nyss.

Runt halsen bar Mattias Wassberg en halsduk som lossnat och de kraftiga blåmärkena som täckte huden gick inte att ta miste på. De måste vara minst några dagar gamla, de hade börjat övergå i olika blå och gula nyanser.

Det syntes tydligt att någon, för inte särskilt länge sedan, hade tagit ett hårt strypgrepp på Mattias Wassberg.

Kapitel 94

Telefonen ringde precis när Nora kom tillbaka från affären och öppnade dörren till Brandska villan. Hon såg med en gång att det var Henriks nummer.

Både Adams och Simons cyklar var borta, det var tomt i huset. Det var dags för lunch men det var inte lönt att börja laga något innan killarna var tillbaka.

Med mobilen i handen gick hon ut och satte sig på verandan innan hon svarade.

”Hallå.”

”Hur har ni det därute?” sa Henrik entusiastiskt. ”Det måste vara härligt på Sandhamn i dag.”

Nora togs på sängen av det glada tonfallet.

”Det är bara bra”, sa hon. ”Vädret är jättefint igen.”

”Jag hade mycket hellre varit i skärgården än här framför mina mörka röntgenplåtar.”

”Jag funderade nästan på att åka till Alskär och bada i eftermiddag”, erkände Nora.

”Alskär.”

Henrik drog på ordet, Nora kunde ha svurit på att hon hörde en ton av äkta längtan.

”Det är verkligen fint där”, sa han.

Det blev tyst.

”Du”, sa Henrik. ”Jag undrade en sak angående bytet på fredag.”

Bara inte Henrik började trassla också, det var det sista hon behövde just nu. För första gången på länge hade Nora inte känt sig olycklig över att lämna ifrån sig barnen i två veckor, istället hade hon sett fram emot att få tid på egen hand med Jonas. Nu visste hon varken ut eller in. Jonas hade inte hört av sig och det tog emot att gå över och fråga hur de skulle göra.

Besvikelsen över de senaste dagarnas utveckling gjorde sig påmind.

”Ja”, sa hon dröjande.

”Om du vill kan jag komma till Sandhamn och hämta grabbarna”, sa Henrik. ”Så behöver det inte bli så mycket besvär för dig.”

Det var inte alls vad hon hade väntat sig.

”Vad sa du?” utbrast hon.

”Jag tänkte bara att du skulle slippa att åka hela vägen till Saltsjöbaden med killarna. Jag kan ta en båt ut på fredag eftermiddag och plocka upp dem istället.”

Misstänksamheten gav inte med sig så lätt.

”Varför då?” sa hon. ”Varför skulle du göra det?”

”För att vara snäll, tänkte jag.”

Han skrattade i luren och hon kände igen hans gamla skratt. Det som hon förälskat sig i när han läste medicin och hon juridik. På den tiden då de inte kunde låta bli att ta på varandra.

”Ge dig nu”, sa Henrik. ”Varför måste det alltid finnas en baktanke med allting? Så hemsk är jag väl inte?”

Nora kunde inte låta bli att dra på mungiporna.

”Det skulle onekligen underlätta”, sa hon i varmare ton.

”Vi kanske kunde äta middag ihop”, sa Henrik. ”Pojkarna skulle nog tycka om det. Vi kan gå på Värdshuset om du vill. Du gillar ju deras fiskgryta.”

Nora visste inte vad hon skulle tro.

”Vad säger Marie om det? Eller hade du tänkt dig att hon skulle följa med?”

En svag skiftning hördes i Henriks röst.

”Vi har bestämt oss för att fira semester på olika håll i sommar”, sa han. ”Jag tror att det blir bättre så. Vi behöver en liten paus.”

”Jaha”, slank det ur Nora.

Henrik låtsades inte om hennes överraskning.

”Vad säger du? Ska vi ta en middag på Värsan på fredag?”

”Visst. Gärna.”

Fortfarande förvånad gick Nora in i köket och började packa upp matvarorna.

Henrik hade verkligen låtit trevlig, det var länge sedan de hade haft en så civiliserad konversation. Pojkarna skulle förstås bli glada om de åt middag tillsammans innan det var dags för Henriks två veckor.

Genom det öppna fönstret såg hon att dörren till hennes gamla hus öppnades. Det var Jonas som kom ut på trappan. Han verkade utpumpad, axlarna var hopsjunkna.

Han blev stående så i några sekunder, sedan började han gå i riktning mot Nora och Brandska villan.

Kapitel 95

De hade fått disponera ett utrymme på Utö Värdshus, i den pampiga byggnaden mittemot restaurangen som kallades Societetshuset.

Thomas och Margit hade slagit sig ner i en av sittgrupperna på den rymliga verandan. Hotellet hade lånat dem torra kläder från personalförråden och deras egna blöta var nerstoppade i ett par plastpåsar.

Margit hade haft sinnesnärvaro att lämna sin mobiltelefon på land innan hon hoppade i, men Thomas telefon hade lagt av för gott.

Framför dem glittrade havet i förmiddagssolen. Societetshuset låg på öns högsta punkt och skärgården bredde ut sig i varje riktning. De höga spröjsade fönstren vette mot väster.

Det skulle dröja flera timmar innan solen sken in men verandadörren stod redan på glänt för att släppa in frisk luft.

I en korgstol med ryggen mot verandafönstren satt Mattias Wassberg hopsjunken. Håret var fortfarande en aning blött och kragen på den lånade tröjan hade blivit fuktig.

Den kaxiga tonåringen från bilden på Facebook var som bortblåst. Ryggen var krökt, det hade inte kommit många ord sedan det misslyckade flyktförsöket.

I det klara solljuset var det slående hur illa tilltygad han var.

Avtrycket efter den hand som några dagar tidigare hade fattat ett hårt grepp om Wassbergs svalg var kusligt tydligt. Både tummen och fingertopparna hade gjort rejäla märken som blånade mot den omgivande huden. Ett stort skrubbsår lyste på ena kinden och några kraftiga rispor löpte över kinden och ner mot hakan.

En vit frottéhandduk med Värdshusets logotype låg över Margits axlar. Hon gnuggade håret och sa: ”Nu vill vi veta vad som hände på Sandhamn.”

Mattias Wassberg såg rakt på Thomas och Margit med blicken hos någon som hade gett upp.

”Det var inte mitt fel”, sa han.

Mattias

Jävla tjej. Först spydde hon ner honom och sedan stack hon sin väg.

Mattias tittade på sörjan på golvet. Han övervägde att skita i det och låta mostern undra över vad som hade hänt. Men förmodligen skulle hon fatta vem som låg bakom. Hon hade själv visat honom var reservnycklarna låg, Mattias var den förste hon skulle misstänka när hon kom tillbaka till ön.

Det fick bli en kompromiss.

Han tog en handduk som hängde på en krok och torkade upp så gott han kunde. Han kunde slänga den i skogen sedan, hon skulle nog inte sakna den.

Tyst svor han över Wilma medan han torkade.

Vilken bitch. Hon hade legat på hela kvällen och bjudit ut sig som en riktig hora. Och sedan ville hon inte i sista minuten.

När han var klar luktade det fortfarande spya i gästhuset, men det var i alla fall inte så mycket kvar på golvet.

Utanför fönstret hördes upprörda röster. Någon skrek.

Mattias lade ifrån sig handduken och spejade genom glasrutan. Det var mörkare nu men tillräckligt ljust för att se lite grann. En ryggtavla försvann hastigt från hans synfält, det liknade någon i polisuniform.

Det kryllade av poliser den här helgen, han hade aldrig sett så många på ön.

Med den äckliga handduken i handen gick han ut och låste dörren bakom sig. Snabbt lade han tillbaka nycklarna så att det inte skulle märkas att han varit där.

När han vände sig om var det någon som ropade på honom ett tiotal meter bort. En blond kille i hans ålder stod vid klipporna och höll sig för pannan.

Mattias klev över staketet och gick närmare.

”Ville du något?” sa han förvånat.

Han kände inte igen honom.

Den blonde blinkade. När han tog bort handen från huvudet märkte Mattias att det rann blod från tinningen.

”Jävla snutjävel”, skrek han plötsligt och rusade fram mot Mattias. ”Du ska få för det här.”

”Vad gör du?” hann Mattias ropa innan killen var över honom.

Mattias var inte lika lång, den blonde killen var minst tio centimeter längre. Han föll mot marken medan den okände öste slag över honom.

Med ett vrål av ilska grep han om Mattias huvud och dunkade det mot marken. Mattias såg stjärnor.

Sedan kände han händerna runt halsen.

”Jag ska ge dig”, vrålade den andre.

Ett hårt tryck över struphuvudet, det gick inte att andas. Mattias försökte bända upp fingrarna. Det virvlade i huvudet. Det är inte jag, försökte han pressa fram, du tar fel. Men han fick inte luft, det gick inte att få fram ett ljud. Greppet hårdnade.

Han är galen, hann Mattias tänka innan det började svartna för ögonen.

Han fick loss en arm och krafsade på marken efter något att försvara sig med. Nu dör jag, tänkte han just som fingertopparna rörde vid något hårt.

En sten.

På något sätt fick han upp stenen och slog den i huvudet på killen.

Greppet blev lösare men den andre höll kvar sitt tag om halsen.

Mattias slog igen och igen. Äntligen föll händerna undan och han kunde knuffa bort angriparen. Kraftlöst rullade han över på sidan och försökte dra in luft. Det rosslade i halsen när han andades. Strupen var sårig och tungan torr och svullen, det gick knappt att svälja.

Efter en lång stund vred han på huvudet.

Den blonde låg på rygg, med stela ögon. Mattias insåg att han fortfarande hade stenen i handen. Den var alldeles blodig.

Åh gud, han var död. Vad hade han gjort?

Mattias darrade i hela kroppen och släppte stenen som om han hade bränt sig.

Efter en lång stund hävde han sig upp på knä. Det snurrade i huvudet när han reste sig, det var nästan så att han höll på att svimma.

Då upptäckte han en tjej på marken en liten bit bort. Hon verkade helt borta, avdomnad. Han blev också medveten om de avlägsna rösterna från sitt eget gäng som satt kvar runt lägerelden längre bort på stranden. Genom luften hördes svaga skratt.

Vad skulle han ta sig till? Tänk om polisen kom tillbaka? Han ville inte hamna i fängelse.

Som i en dröm tog han tag i kroppen. Den var mycket tyngre än han väntat sig, men han lyckades släpa in den under det stora trädet. Han slet loss en massa växter som stack upp runtomkring och täckte över den så gott han kunde. När liket inte längre syntes kröp han ut därifrån och hämtade den blodiga stenen. Med all kraft slängde han den i vattnet. Den sjönk med ett litet plask.

Tjejen hade inte rört sig. Ingen hade sett honom.

Mattias snubblade därifrån och in i skogen.

Kapitel 96

De hade slagit sig ner i ett avskilt hörn av Waxholmsbåten som personalen anvisat. Thomas hade tagit av Mattias Wassberg handbojorna. Han bedömde att det inte var någon större risk för ännu ett flyktförsök.

Luften hade gått ur tonåringen fullständigt. Nu satt han, närmast apatisk, i soffhörnet.

Båten skulle anlända till Årsta Brygga vid ettiden. Därifrån skulle de åka direkt till Nacka polisstation där Wassbergs föräldrar och socialtjänsten skulle möta upp.

”Vill du ha något att dricka?” sa Margit.

Hon försvann mot kafeterian och kom tillbaka efter en kort stund med två kaffekoppar och en burk Coca-Cola. Läsken ställde hon ner framför Wassberg, sedan räckte hon Thomas den ena muggen.

”På sätt och vis hade vi rätt hela tiden”, sa hon lågt så att Mattias inte skulle höra. ”Det var en jämnårig som hade gjort det. I stundens hetta. Bara inte Victors bästa kompis.”

Thomas smakade på sitt eget kaffe. Det hade en lätt biton av plast från engångsmuggen men han drack det ändå. Han behövde koffeinet.

Han ville till Harö, till Pernilla och Elin.

”Jag räknade faktiskt med att den tekniska undersökningen skulle ge oss tillräckligt för att anhålla Tobbe”, sa Margit tankfullt.

Med en axelryckning höll hon kaffemuggen till munnen och blåste på innehållet.

”Men jag trodde nog att det hade gått till ungefär som han beskrev det.”

Hon nickade lätt åt Wassbergs håll. Han hade öppnat colan men satt med ansiktet nerböjt och stirrade i bordet utan att ta någon notis om polisernas samtal.

”Så det var rätt tänkt, bara fel person”, sa Margit och ställde ifrån sig muggen. ”Vi måste underrätta Ekengreens anhöriga om att gärningsmannen är identifierad och har erkänt.”

”Förresten”, sa Thomas. ”Jag glömde säga att Landin ringde i går kväll. De har haft span på ett kriminellt nätverk och upptäckte Victors pappa i sällskap med en av höjdarna, Wolfgang Ivkovac."

Margits haka föll.

"Vad säger du?"

"Ekengreen sökte upp honom på en restaurang i Huddinge."

"Varför då?"

"Landin visste inte, men han var orolig för att Ekengreen kunde vilja hämnas. Ivkovac sysslar med droghandel, Ekengreen kanske vill sätta dit honom efter det som hände Victor. Jag hade tänkt prata med honom om det efter begravningen."

Någonting rörde sig i bakhuvudet på Thomas.

Vad hade Harry Anjou sagt egentligen?

"Alla vet att det är den rödhårige som har gjort det."

Det mesta hade pekat på Tobias Hökström. Sanningen var att både han och Margit hade trott att kompisen var skyldig. Thomas hade själv indirekt bekräftat det för Ekengreen.

Hade de misstagit sig igen ...?

Margit drack upp det sista av kaffet och såg på klockan utan att ha en aning om hur tankarna gick i Thomas huvud.

"Vi får kontakta familjen efter begravningen och berätta att vi har förövaren. Den skulle väl börja alldeles snart, eller hur?"

Svetten bröt ut i nacken på Thomas när han insåg hur det kunde ligga till. Ekengreen hade inte sökt upp Ivkovac för att ställa honom till svars. Han hade beställt en avrättning. Landin hade ju berättat att Ivkovac sysslade med allt från droghandel till avrättningar.

Johan Ekengreen ville inte sätta dit jugoslaven, han ville hämnas sin son. Men hämnden var riktad mot den som de alla hade trott var mördaren.

"Jag behöver din telefon", sa han till Margit. "Vi måste ha tag i Johan Ekengreen, med en gång. Han måste få reda på vem som är gärningsmannen."

Margit stirrade på honom.

"Begravningen börjar om fem minuter. Du kan inte störa honom nu."

"Ge mig telefonen, det är viktigt." Thomas reste sig i desperation. "Jag tror att det kan finnas ett kontrakt ute på Tobbe Hökström."

Kapitel 97

Ebba gick några steg före sin mamma från parkeringsgaraget. Hon bar en mörkblå klänning och svarta pumps. Det kändes konstigt i sommarvärmen, men ändå passande.

Håret var hopsamlat i en tofs i nacken och i handen höll hon en ros med långt skaft.

Ebba hade aldrig varit på en katolsk begravning tidigare. Hennes mamma hade förklarat att den var längre än i protestantiska kyrkor, med andra ceremonier och ritualer.

När de kom fram till platsen där den pampiga domkyrkan låg sökte Ebba efter Felicia samtidigt som hon försökte få syn på Tobbe. Han måste vara där.

Hon hade tänkt på honom oavbrutet sedan hon fick meddelandet på Facebook, sent i förrgår natt.

”Förlåt”, stod det. Ingenting mer.

Vad betydde det?

Hon hade velat ringa för att fråga, men inte vågat. Att söka upp honom var otänkbart. Det kanske bara var en fyllegrej. Något som han ångrade i dagsljus. Om han verkligen ville vara med henne borde han höra av sig igen.

Så hon gjorde ingenting. Det var bättre att fortsätta hoppas än att få misstankarna bekräftade.

Men hon kunde inte låta bli att vrida huvudet hit och dit när hon stod bland de övriga begravningsgästerna som dämpat småpratade utanför kyrkporten.

Det var fullt med folk. Nästan hela klassen från nian var där liksom många från parallellklasserna. Rektorn också. Och Victors lärare.

Hennes mamma hälsade på några bekanta och stannade för att byta ett par ord.

Ebba upptäckte Felicia. Hon stod lite vid sidan av, under en stor ek med en tjock stam, tillsammans med sina föräldrar.

Ögonen var redan svullna av gråt och hon kramade en vit näsduk i handen. Hon bar en svart blus som var lite för stor och en mörk kjol som slutade ovanför knäna.

Ebba kände hur tårarna trängde fram när hon slog armarna om Felicia. De höll om varandra en lång stund.

”Ebba”, sa hennes mamma och tog henne försiktigt i armen. ”Vi måste gå in nu.”

Hon gav Felicia en kram och nickade åt Jochen och Jeanette Grimstad.

”Kommer du?” sa hon till Ebba.

De gick mot ingången på den stora kyrkobyggnaden i bränt tegel. Det var dunkelt innanför porten och Ebba fick blinka några gånger för att vänja sig efter solljuset. När de kommit halvvägs uppför altargången upptäckte hon Tobbes röda hår.

Han satt redan på en bänk på vänster sida, längst ut, med sin mamma och Christoffer. Han rörde sig inte, men just som hon passerade vred han på huvudet och mötte hennes blick.

”Ebba.”

Utan att tänka slank hon ner bredvid honom. Hennes mamma, som var precis bakom henne, kom av sig men fortsatte sedan till nästa bänk och tog plats framför dem.

Tobbe var magrare än någonsin, med insjunkna, ledsna ögon.

”Hur mår du?” sa hon lågt.

”Inte så bra.”

Hon lutade sig närmare så att hennes tinning rörde vid hans.

”Varför skrev du så där på Facebook?”

Han såg ner.

”Jag menade det”, viskade han. ”Jag har varit skitdum. Förlåt. Jag ångrar mig så mycket.”

Ebbas fingrar sökte sig till hans. Försiktigt lät hon fingertopparna vandra över den fräkniga huden. Sedan slöt hon sin hand om hans. Tobbes handflata var lite svettig inuti, hon tryckte den hårt.

”Polisen tror att det var jag”, sa han med gråten i halsen.

”Hyssch.”

Tobbe sjönk ihop en aning och lutade huvudet mot hennes.

”Jag älskar dig”, sa hon.

Orden bara kom.

Han snuddade med läpparna vid hennes kind. En låg viskning.

”Jag med.”

Orgeln började spela i bakgrunden. Ebba kände igen den melankoliska melodin men kunde inte placera den. Hon pressade Tobbes hand mot sin mun.

Prästen läste den sista välsignelsen. Madeleine grät förtvivlat bredvid Johan i bänken.

Han tog hennes hand och kramade den. Det var första gången sedan dödsbudet som han rörde vid henne av fri vilja.

Vissheten kom av sig själv. Vi ska ta oss igenom det här.

Vid altaret vilade Victors kista, omgiven av kransar i varma sommarfärger. Ett stort porträtt på sonen var uppställt på ett litet bord intill och ett ljus brann med flämtande låga i en silverljusstake bredvid ramen.

På fotografiet var Victor solbränd och glad, det ljusa håret blåste i vinden. Det var taget en vacker julidag, utanför sommarhuset.

Johan kände hur någonting släppte.

Hans son var död. Det fanns inte någonting i hela världen som kunde ändra på det.

När han vred på huvudet såg han Tobbes röda hår i ögonvrån. Konstigt nog gjorde det honom inte upprörd. De sörjde Victor tillsammans, han förstod det nu. De var inte fiender.

Ingenting skulle bli bättre av att han hämnades sin sons död. Det måste finnas en förklaring som han inte visste om. Tobbe var inte ond.

”Vad har jag gjort?” sa Johan till sig själv.

Han stack ner handen i fickan och rörde vid mobilen. Så snart begravningen var över skulle han ringa Ivkovac och blåsa av alltihop.

Det kändes som att vakna ur en ond dröm, som om en främling hade tagit över de senaste dagarna och fått honom att göra saker mot sin natur. Nu var han sig själv igen.

Det fick inte ske någonting mer, det värsta hade redan inträffat.

Det var inte mitt rätta jag, tänkte Johan och viskade ”förlåt”, utan att veta vem han egentligen bad om ursäkt.

Sorgen var lika svår som tidigare, men ändå på ett annat sätt.

Johans ögon fylldes av tårar, han begravde ansiktet i sina händer och grät tillsammans med Madeleine.

Kapitel 98

Tobbe höll hårt i Ebbas hand när de gick ut i solljuset efter begravningen. Han var lika tagen som hon.

Det var en befrielse att komma ut i den friska luften.

”Följer du med på mottagningen?” sa Tobbe tyst.

”Det är klart jag gör.” Ebba log sorgset. ”Det ska väl alla? Ska inte du dit?”

”Jo”, sa han och betraktade henne, prövande. ”Gärna med dig… om jag får.”

Ebba kramade hans hand. Mer behövdes inte.

De gick mot eken där Ebba hade stått med Felicia innan begravningen började.

”Jag ska bara köpa en dricka”, sa Tobbe och pekade på en kiosk tvärsöver gatan. ”Jag är så törstig. Vill du ha något?”

Ebba skakade på huvudet.

”Jag väntar här, jag måste säga till mamma att vi går tillsammans till mottagningen.”

Tobbe vände sig om för att gå, men dröjde kvar.

”Du…”

”Ja?”

”Nej, det var ingenting”, sa han, men rörde sig inte.

Skyggt sträckte han fram handen och strök henne långsamt över kinden.

”Jo, förresten, du är fin.”

”Det är du med.”

”Jag är snart tillbaka.”

Trots sorgen kände Ebba hur glädjen blommade upp i magen. Hon lutade sig mot trädstammen och såg efter honom.

Några meter bort strömmade begravningsgästerna ut från kyrkan.

Victors föräldrar stod på trappan, Johan några steg framför Madeleine. Christoffer, Arthur och Eva hade redan gått ut på grusgången med Lena bakom sig.

Ebba kunde inte låta bli att se att Johan hade mobilen mot örat. Det måste vara något viktigt eftersom han tog upp den direkt efter begravningen. Han tycktes lyssna på ett meddelande, plötsligt lyfte han blicken och stirrade på Tobbe som redan var på väg mot gatan.

Det var röd gubbe, men Tobbe struntade i det. Typiskt honom.

Från ingenstans kom ett motorljud.

Ena minuten var det tomt på gatan framför kyrkan, sedan sköt en svart bil fram från ett undangömt hörn.

Tobbe stannade till en bit ut i vägbanan.

Ebba uppfattade att Johan släppte mobilen och började springa. Det var för mycket oväsen för att Ebba skulle höra vad han ropade men han gestikulerade vilt med båda armarna.

”Undan, undan”, verkade han skrika.

Tobbe stod kvar mitt på övergångsstället, som om han inte begrep vad som pågick.

Men Ebba förstod.

”Akta dig”, ville hon vråla så högt hon kunde, men fick inte fram ett ljud.

Istället stod hon som förlamad medan bilen accelererade rakt mot Tobbe.

Först stirrade han bara på fordonet som körde mot honom i rasande fart, sedan sträckte han fram båda händerna i en skyddande gest.

Just då var Johan där. Med våldsam kraft knuffade han undan Tobbe.

Det smällde till. Johan slungades upp i luften medan bilen försvann med ett rytande. Han landade med en tung duns mot asfalten. Tobbe låg vid trottoarkanten, på ena sidan, utan att röra sig.

En overklig tystnad.

Ebba såg skräckslaget på de båda kropparna i gatan. Det rann lite blod ur Johans mun.

Förlamningen släppte.

”Tobbe”, skrek Ebba och började springa över gräsmattan.

Hon knuffade sig fram bland de chockade begravningsgästerna. Det kom folk från alla håll.

”Släpp fram mig!”

Till slut var hon framme hos Tobbe. Han blödde näsblod och hade ett skrapsår på kinden.

Ebba föll på knä bredvid honom.

”Är du skadad?”

”Jag tror inte det.”

Han skakade förvirrat på huvudet och lyfte en hand som för att undersöka om den fortfarande fungerade.

Ebba slog armarna om honom.

”Jag trodde att du var död.”

På avstånd hördes gälla ambulanssirener. Några meter ifrån Ebba och Tobbe bromsade en polisbil in. En lång man skyndade sig ut och knäböjde bredvid Johan.

Ebba kände igen polisen från Sandhamn, Thomas hette han.

Plötsligt blev det alldeles stilla.

”Lever han?” hörde hon Thomas säga.

Det gick inte att urskilja vem som svarade.

”Jag vet inte.”

Extramaterial: nytt slutkapitel

Fredagen den 19 september 2008

När Sune Svensson öppnade grinden till den katolska kyrkogården i Solna var mannen i rullstol redan där. Som vanligt.

Sune hade arbetat länge inom kyrkogårdsförvaltningen, sett många förtvivlade anhöriga på begravningsplatsen. Men synen av de där krokiga axlarna grep tag i honom. Sorgen som omgav den ensamma gestalten var så kompakt att den tycktes leva sitt eget liv.

Mannens blick var fäst på en enkel gravsten i grå granit.

Sune kunde inskriptionen utantill:

Victor Ekengreen
1992–2008
Älskad son och bror

Victor Ekengreens pappa kunde sitta där i timmar, oavsett väderlek. Så småningom brukade en bil från färdtjänsten hämta honom, då och då var det hans dotter som körde hem honom.

Dagens jordfästning skulle äga rum klockan elva, det mesta var förberett. Sune Svensson såg på sitt armbandsur, det var ingen brådska. Den nya graven låg bara ett hundratal meter från Victors.

Plötsligt bröt solen fram ur molntäcket. Det hade regnat på morgonen och var fortfarande fuktigt i luften. Men det var inte särskilt kallt. Som så ofta i september hade de fått några dagars brittsommar, som om sommaren ville dra några sista andetag innan mörkret och vintern tog vid.

Sune sneglade bort mot Johan Ekengreen igen. Han satt med en pläd över de förlamade benen. Det grå håret behövde klippas, det verkade inte som om han hade rakat sig på morgonen.

Sune nickade vänligt fastän han visste att han inte skulle få någon hälsning tillbaka.

Det fick han aldrig.

Han började gå mot redskapsskjulet för att hämta det han behövde.

Samma morgon hade det varit ännu en artikel i dagstidningen om Ekengreens rättegång. Den skulle börja i nästa vecka, han var åtalad för anstiftan till mord på sonens bäste vän.

Trots att kamraten genom Ekengreens eget ingripande klarat sig med skrubbsår var åklagaren bestämd. Han hade redan meddelat att han tänkte yrka på ett kännbart fängelsestraff.

Ett hopknycklat papper låg på grusgången, Sune böjde sig ner och plockade upp det, gångarna måste se snygga och prydliga ut inför det kommande begravningsföljet. Han låste upp, klev in i den lilla boden och tände taklampan.

Enligt tidningen hade Ekengreen redan erkänt brottet. Pressen gottade sig i historien, den kände företagsledaren som hyrt en lönnmördare för att hämnas sin son.

Ändå fanns det varken mord eller mördare, bara en serie olyckliga omständigheter. Den inblandade polismannen hade visserligen dömts för grovt tjänstefel, men blivit friad från ansvar för Victors död. Man bedömde handlingen som nödvärn, precis som man gjorde med tonåringen som Victor Ekengreen också varit i slagsmål med.

Sune kunde inte låta bli att tycka synd om Johan Ekengreen, trots allt som hade hänt. Han hade förlorat sin ende son, och hustrun hade visst också lämnat honom, om man nu skulle tro kvällspressen.

Det var som en grekisk tragedi, där alla var förlorare.

Stackars sate.

Författarens tack

Den här historien började midsommarhelgen 2010. Ett missförstånd ledde till att jag var tvungen att gå igenom hamnen mycket sent på natten. Det var bedrövligt, fulla ungdomar raglade omkring samtidigt som polisen gjorde sitt bästa för att hantera situationen. Med tre egna tonåringar blev jag både förskräckt och illa berörd.

Ur den upplevelsen föddes *I stundens hetta*.

Jag har tagit mig några konstnärliga friheter: det finns ett yvigt alträd vid Skärkarlshamn men inte någon spetsig klippa, inte heller några grå hus. Dammarna i de gamla gruvhålen på Utö är inte fullt så stora som jag har beskrivit dem och det finns ingen smal stig innanför stängslet. Det finns inte någon pizzeria i Huddinge centrum som heter Salvatore's och inte heller någon stor ek utanför Katolska domkyrkan.

Ansvaret för alla andra fel tar jag på mig helt och fullt.

Samtliga karaktärer är fullständigt påhittade och eventuella likheter med nu levande personer är en ren slump.

Många vänliga personer har hjälpt mig under arbetet med den här boken.

Jag vill rikta ett stort tack till Thomas Byrberg, biträdande insatschef på Sandhamn och Lisa Hall, polisassistent, som under midsommarhelgen 2011 lät mig följa deras arbete. Magnus Carmelid, insatschef på Sandhamn och Möja 2011, bistod också liksom kriminalinspektör Lars Sandgren vid Spaningsroteln på Nacka polisdistrikt, som hjälpt mig med fakta om droger och drogbekämpning.

Poliskommissarie Rolf Hansson har varit till mycket stor hjälp när det gäller alla möjliga spörsmål kring polisarbetet.

Rättsläkare Petra Råsten Almqvist har generöst delat med sig av sin rättsmedicinska expertis och advokat Johan Eriksson har hjälpt mig att förstå hur förhör med minderåriga kan gå till. Theréz Randqvist redde ut begreppen kring katolska begravningar.

Med Fredrik Klerfelt, nattklubbschef på Laroy, och Filip Börgesson, gymnasieelev i Norra Real, har jag diskuterat alla möjliga aspekter av tonåringars tillvaro. Min dotter Camilla, som tog studenten 2011, har varit djupt delaktig i hela processen och även hjälpt mig att hitta de rätta uttrycken för att illustrera ”tonårs-speak”.

Släkt, vänner och Sandhamnsgrannar som har läst olika versioner och/ eller bidragit med kloka tankar är: Lisbeth Bergstedt, Anette Brifalk, Helen Duphorn, Per Lyrvall, Gunilla Pettersson samt förstås Camilla och Lennart Sten. Tusen tack.

Min fantastiska förläggare Karin Linge Nordh och lika fantastiske redaktör John Häggblom – som ständigt driver på mig och får mig att bli en bättre författare – är jag ett mycket stort tack skyldig, liksom Sara Lindegren och alla andra på Forum som jobbar med mina böcker. Annika och Dennis på Bindefeld, ni är också toppen!

Gänget på Nordin Agency, Joakim Hansson, Anna Frankl, Lina Salazar och Anna Österholm med flera som för ut mitt författarskap i världen, jag uppskattar ert engagemang oerhört mycket!

Avslutningsvis – jag har sagt det förut men det tål att upprepas. Utan min familj skulle det här aldrig gå. Lennart, Camilla, Alexander och Leo, tack för att ni finns. Jag älskar er djupt.

Sandhamn den 9 maj 2012

Viveca Sten